MICHELLE MARLY

MADEMOISELLE
COCO

UND DER DUFT DER LIEBE

ROMAN

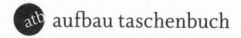
aufbau taschenbuch

MIX
Papier aus verantwor-
tungsvollen Quellen
FSC® C083411

ISBN 978-3-7466-3349-7

Aufbau Taschenbuch ist eine Marke
der Aufbau Verlag GmbH & Co. KG

1. Auflage 2018
© Aufbau Verlag GmbH & Co. KG, Berlin 2018
Gesetzt aus der Adobe Devanagari durch die LVD GmbH, Berlin
Druck und Binden CPI books GmbH, Leck, Germany
Printed in Germany

www.aufbau-verlag.de

Geschrieben im Gedenken
an meine wunderschöne Mutter,
die mir den Blick für die Welt der Mode öffnete.

Eine Frau, die kein Parfüm trägt,
hat keine Zukunft.

Coco Chanel

PROLOG
1897

Eins, zwei, drei, vier, fünf ... eins, zwei, drei, vier, fünf ...

Kein Laut drang aus ihrem Mund, nur ihre Lippen bewegten sich. Tonlos zählte sie die Mosaiksteine zu ihren Füßen ab. Unebene, ein Jahrtausend lang abgetretene Flusskiesel, die in geometrischen Formen oder mystischen Bildern in den Boden eingelassen worden waren.

Hier waren es fünf Sterne, dort fünf Blumen, irgendwo auch ein Fünfeck. Diese Anordnung war kein Zufall. Sie hatte gelernt, dass für die Mitglieder des Zisterzienserordens die Fünf eine symbolische Zahl war: Sie galt als reine und vollkommene Verkörperung der Dinge, Rosen etwa wiesen fünfzählige Blüten auf, Äpfel und Birnen waren fünfstrahlig strukturierte Früchte. Der Mensch besaß fünf Sinne, und die fünf Wundmale Christi wurden in jeder Andacht thematisiert. Die Nonnen hatten ihr allerdings nicht beigebracht, dass die Fünf auch die Zahl der Liebe und der Venus war, die unteilbare Summe der männlichen Zahl Drei und der weiblichen Zahl Zwei. Diese für ein vierzehnjähriges Mädchen durchaus interessante

Tatsache hatte sie in einem Buch gefunden, das sie heimlich auf dem Dachboden las.

Die Klosterbibliothek barg die erstaunlichsten Schätze: Weniger skandalös, aber ebenfalls nicht für die Augen eines Backfisches bestimmt, waren jene aus dem Mittelalter überlieferten Predigten Bernhard von Clairvaux', in denen er seine Mönche daran erinnerte, welche Bedeutung Duftstoffen bei Gebeten und rituellen Waschungen zukam. Der Gründer des Zisterzienserordens riet seinen Glaubensbrüdern sogar, sich für den spirituellen, nach innen gerichteten Blick die parfümierten Brüste der Jungfrau Maria vorzustellen, die im Hohelied besungen wurden. Weihrauch und Jasmin, Lavendel und Rosen auf dem Altar sorgten dafür, die Kontemplation mit Hilfe des Geruchssinns zu vertiefen.

Für Waisenkinder wie das einsame junge Mädchen, das sie selbst war, blieben die aus den Pflanzen im Klostergarten gewonnenen Aromen jedoch nur ein ferner Traum, ebenso wie die Vorstellung, sich an die üppigen Brüste einer liebevollen Mutter zu werfen. Die Zöglinge wurden regelmäßig in einem Waschzuber mit billiger Kernseife abgeschrubbt, so dass sie nicht mehr schmutzig von der Arbeit auf dem Feld oder in der Küche waren und nach Sauberkeit statt nach Angstschweiß und Erschöpfung rochen – von *duften* konnte keine Rede sein. Die groben weißen Laken, die sie waschen, gegebenenfalls flicken und ordentlich zusammengelegt in der Wäschekammer stapeln musste, wurden mit mehr Fürsorge behandelt als die Haut der Waisenkinder.

Eins, zwei, drei, vier, fünf …

Sie vertrieb sich die Zeit mit Zählen, während sie in einer Reihe mit den anderen Mädchen darauf wartete, dass ihr der Pfarrer die Beichte abnahm. Nachdem sie in ewig dauernder Monotonie wie Soldaten auf einem Kasernenhof strammgestanden hatten, betrat eine nach der anderen den Beichtstuhl. Sie nahm an, dass die Nonnen diese stille, gerade Haltung verlangten, die kein Kind über lange Zeit aushalten konnte, damit die Kleinen anschließend etwas zu gestehen hatten. In der Regel hatte seit der letzten Beichte am vorigen Sonnabend keine von ihnen gesündigt. Hier oben auf dem windumspielten Felsen, auf dem im zwölften Jahrhundert das Kloster von Aubazine errichtet worden war, gab es gar keine Gelegenheit für Sünden.

Seit rund zwei Jahren lebte sie nun schon in dieser abgeschiedenen Welt in der Mitte Frankreichs, weit genug von der Hauptstraße nach Paris entfernt, um nicht auf den Gedanken zu kommen fortzulaufen. Über siebenhundert Tage waren seit dem Tod ihrer Mutter und der Stunde vergangen, als der Vater sie auf einen Pferdewagen gesetzt und bei den Zisterzienserinnen abgeliefert hatte. Einfach so. Als wäre sie eine Last. Danach war er für immer verschwunden, und für die zerbrechliche Seele der Kleinen öffnete sich die Hölle. Sie begann nach dem Augenblick zu lechzen, an dem sie alt genug war, um das Kloster verlassen und ein eigenständiges Leben beginnen zu dürfen. Vielleicht war die Nähnadel der Schlüssel dorthin. Wer nähen konnte und zäh war, kam womöglich bis nach Paris und dort in einem großen Modehaus unter. Sie hatte davon reden hören, aber im Grunde wusste sie nicht, was damit wirklich gemeint war.

Es klang jedoch verheißungsvoll. *Modehaus* war ein Wort, das in ihr eine Erinnerung zum Klingen brachte. An schöne Stoffe, knisternde Seide etwa, duftende Volants und feinste Spitze. Nicht, dass ihre Mutter jemals eine Dame gewesen wäre. Sie war Wäscherin gewesen und ihr Vater ein Hausierer. Niemals hatte er so feine Sachen verkauft, dennoch verband sie jeden Gedanken an schöne Dinge mit *Maman*. Sie vermisste sie so sehr, dass ihr manchmal schwindelig wurde vor Sehnsucht nach der Geborgenheit, die sie bei ihr stets empfunden hatte.

Doch sie war auf sich allein gestellt, erlebte Härte und Drill, Strafe und gelegentlich göttliche Absolution. Dabei wünschte sie sich nichts mehr als ein bisschen Zuneigung. War das eine Sünde, die sie beichten sollte? Würde dieses Geheimnis jemals zu schwer auf ihr lasten, um ihrer Seele Frieden zu geben? Vielleicht, sinnierte sie stumm. Vielleicht aber auch nicht. Sie würde ihrem Beichtvater nicht gestehen, dass sie einfach nur Liebe wollte im Leben. Heute nicht. Und wahrscheinlich auch an keinem anderen Tag.

Stumm zählte sie die Mosaiksteinchen im Fußboden auf ihrem Weg zur Kathedrale von Aubazine: *Eins, zwei, drei, vier, fünf …*

ERSTER TEIL
1919-1920

KAPITEL 1

Die gelben Scheinwerfer durchschnitten den Nebel, der von der Seine aufstieg und Eschen, Erlen und Buchen an der Uferstraße umhüllte wie ein weißes Tuch aus Leinen. Wie ein Leichentuch, fuhr es Étienne Balsan durch den Kopf.

Vor seinem geistigen Auge formte sich das Bild eines aufgebahrten Toten: zerschmetterte Glieder, verbrannte Haut, von Linnen bedeckt. Zu Füßen des Verstorbenen lag ein Buchsbaumzweig, auf seiner Brust ein Kruzifix. Neben seinem Kopf stand eine Schale mit Weihwasser, das den Geruch des Todes dämpfte. Das Licht von Kerzen warf gespenstische Schatten auf die Leiche, die von Nonnen so hergerichtet worden war, dass der Anblick nicht allzu verstörte.

Unwillkürlich versuchte sich Étienne vorzustellen, wie das schöne Gesicht seines Freundes entstellt sein mochte. Er kannte es fast ebenso gut wie sein eigenes.

Wahrscheinlich ist nicht viel übrig geblieben von den ebenmäßigen Zügen, den elegant geschwungenen Lippen und der geraden Nase, beantwortete er sich seine Frage. Wenn ein Automobil ungebremst eine Böschung hinabraste, gegen eine Felswand schlug und Feuer fing, blieben nicht viele Knochen an Ort und Stelle. Es bedürfte gewiss einiger Kunstfertigkeit, die Ansehnlichkeit des tödlich Verunglückten wiederherzustellen.

Er spürte ein feuchtes Rinnsal seine Wange hinablaufen. Regnete es in den Wagen? Er wollte den Scheibenwischer einschalten, wobei er so hektisch danach suchte, dass das Automobil seitlich ausbrach. Als er panisch auf die Bremse trat, spritzte Matsch gegen das Seitenfenster. Endlich quietschte das Gummi über die Scheibe. Es regnete nicht. Tränen rannen aus seinen Augen, eine Welle der Müdigkeit und Trauer lastete auf ihm, drohte über ihm zusammenzubrechen. Wenn er jedoch nicht enden wollte wie sein Freund, musste er sich auf die Straße konzentrieren.

Der Wagen stand quer zur Fahrbahn. Étienne zwang sich zu einem ruhigen Atemrhythmus, schaltete den Scheibenwischer ab, umfasste das Steuerrad mit beiden Händen. Der Motor heulte auf, als er auf das Gaspedal trat, die Räder drehten durch. Nach einem Rucken fand das Automobil in seine Spur zurück. Er spürte, wie sich sein Herzschlag normalisierte. So spät nach Mitternacht gab es glücklicherweise keinen Gegenverkehr.

Er zwang sich, den Blick starr auf die Straße zu richten. Hoffentlich kreuzte kein Nachttier seinen Weg. Er hatte keine Lust, einen Fuchs zu überfahren, wenn, dann entsprach die Fuchsjagd hoch zu Ross schon mehr seinem Naturell. Genauso hatte sein Freund gefühlt, die Liebe zu Pferden hatte sie verbunden. Arthur Capel, der ewig Jugendliche, der seinen kindlichen Spitznamen *Boy* niemals hatte ablegen können, war ein phantastischer Polospieler – gewesen. Boy war ein Bonvivant gewesen, ebenso intellektuell wie charmant, durch und durch Gentleman, ein britischer Diplomat, im Krieg zum Hauptmann befördert und ein Typ, den jeder gern seinen Kameraden nannte. Étienne konnte sich glücklich schätzen, einer seiner ältesten und besten Freunde zu sein. Gewesen zu sein …

Wieder rollte eine Träne über Étiennes sonnengegerbte Wange. Doch er nahm seine Hand nicht vom Lenkrad, um sie wegzuwischen. Er sollte sich nicht mehr ablenken lassen von den eigenen Gedanken, wenn er mit heiler Haut in Saint-Cucufa ankommen wollte. Diese Fahrt war der letzte Dienst, den er dem Toten erweisen konnte. Er musste Coco die furchtbare Nachricht überbringen, bevor sie es morgen aus den Zeitungen oder durch den Anruf einer Klatschbase erfuhr. Es war wahrlich keine schöne Aufgabe, aber eine, die er mit dem Herzen erledigte.

Coco war Boys große Liebe – gewesen. Daran bestand kein Zweifel. Für niemanden, und für Étienne schon gar nicht. Er hatte die beiden bekannt gemacht. In jenem Sommer auf seinem Anwesen. Boy war wegen der Pferde nach Royallieu gekommen – und mit Coco gegangen. Dabei war sie eigentlich Étiennes Freundin. Na ja, genau genommen war sie damals nicht einmal das. Sie war ein Mädchen, das in der Garnisonsstadt Moulins mit zweideutigen Liedern im Tingeltangel auftrat und tagsüber die Hosen der Offiziere flickte, mit denen sie sich nachts vergnügte. Zart, knabenhaft, bildhübsch, lebensfroh, zerbrechlich und dabei unfassbar mutig und energisch. Das genaue Gegenteil jenes Typs der *grande dame*, den so viele junge Frauen der Belle Époque anstrebten zu sein.

Étienne hatte sich mit ihr amüsiert und sie aufgenommen, als sie unerwartet vor seiner Tür stand, hatte aber ihretwegen nichts in seinem Leben geändert. Anfangs wollte er sie nicht einmal um sich haben, aber sie war stur und einfach geblieben. Ein Jahr, zwei Jahre … Er konnte sich nicht einmal erinnern, wie lange sie an seiner Seite gelebt hatte, ohne dass er sie als Gefährtin wahrnahm. Eigentlich hatte ihm erst Boy die Augen für Cocos innere Schönheit und Stärke geöffnet. Doch da war es schon zu spät. Da hatte er seine Mätresse, die nicht einmal seine ständige Geliebte war, abgetreten, wie man das in seinen Kreisen in der Zeit vor dem Großen Krieg eben so machte. Aber er war ihr Freund geworden. Und würde es über Boys letzten Atemzug hinaus bleiben. Das schwor er sich.

* * *

Sie musste endlich aufhören, sich verrückt zu machen.

Seit Stunden warf sich Gabrielle in ihrem Bett herum. Hin und wieder fiel sie in einen scheinbar tiefen Schlaf, aus dem sie bald wieder aufschreckte, verwirrt und noch in einem Traum gefangen, an den sie sich nicht erinnern konnte. Dann tastete sie nach der anderen Bettseite, um den vertrauten Körper zu fühlen, der ihr so viel Geborgenheit schenkte. Doch das Kissen war leer, das Lager unberührt – und Gabrielle wieder hellwach.

Natürlich. Boy war nicht da. Er hatte sich gestern – oder war es schon vorgestern? – auf den Weg nach Cannes gemacht, um ein Haus zu mieten, in dem sie gemeinsam die Feiertage verbringen wollten. Es war eine Art Weihnachtsgeschenk. Sie liebte die Riviera, und es bedeutete ihr unendlich viel, dass er Weihnachten mit ihr und nicht mit seiner Frau und seiner kleinen Tochter verbrachte. Er hatte sogar davon gesprochen, sich scheiden zu lassen. Sobald er eine geeignete Villa gefunden hatte, sollte sie nachkommen. Aber er hatte noch nicht angerufen, nicht einmal ein kurzes Telegramm aufgegeben und sie auf diese Weise wissen lassen, dass er wohlbehalten in Südfrankreich eingetroffen war.

Hatte er es sich womöglich anders überlegt?

Seit seiner Hochzeit vor rund eineinhalb Jahren nagten immer wieder Zweifel an Gabrielle. Anfangs war sie fassungslos gewesen, weil er ihr eine Frau als Gemahlin vorzog, die all das verkörperte, was Gabrielle nicht war: eine hochgewachsene Blondine, ebenso blass wie blasiert, wohlhabend, eine Angehörige des britischen Hochadels, die Boy den gesellschaftlichen Aufstieg in die britische Oberschicht ermöglichte. Dabei hatte er auch ohne eine solche Verbindung so viel erreicht. Als Sohn eines bürgerlichen Schiffsmaklers aus Brighton hatte er es immerhin zum Berater des französischen Präsidenten

Clemenceau und zum Mitglied der Friedenskonferenz von Versailles gebracht. Wozu brauchte er da noch eine noble Angetraute?

Vor allem: Seit zehn Jahren lebten er und Gabrielle zusammen. Sie hatte fest damit gerechnet, dass sie eines Tages heiraten würden. Und war sie etwa keine gute Partie? Nun ja, über ihre einfache Herkunft warf sie am liebsten ein dunkles, undurchdringliches Tuch. Aber sie hatte sich zu einiger Berühmtheit hochgearbeitet. Als Coco Chanel war sie eine überaus erfolgreiche Modeschöpferin, inzwischen sogar eine wohlhabende Frau.

Angefangen hatte sie als Hutmacherin mit einem Kredit ihres alten Freundes Étienne Balsan, und ihre so schlichten wie eleganten Kreationen erregten schon bald die Aufmerksamkeit der Pariserinnen. Keine Federn oder andere Hutaufbauten – das gefiel den Damen nach einer langen Zeit der üppigen Dekorationen. Furore machten schließlich die locker fallenden Matrosenblusen, die sie in Deauville entwarf. Gabrielle verbannte das Korsett und schneiderte Hosen für Frauen. Dann waren die Hungerjahre des Großen Krieges gekommen, und – ganz pragmatisch – hatte sie es gewagt, schlichte, funktionale Kleider aus preiswertem Seidenjersey und Nachtanzüge zu kreieren, mit denen die Frauen ebenso bequem wie schick vor den Angriffen der Deutschen in den Keller fliehen konnten. Die noblen Damen rissen ihr die Sachen geradezu aus den Händen. Fast jede von Rang, ja der gesamte Hochadel kam zu Gabrielle, um von Coco Chanel angezogen zu werden.

Wozu benötigte Boy noch den Trauschein mit der Vertreterin dieses Standes? Gabrielle hatte sich nach oben gearbeitet und sich einen Namen gemacht. Wie konnte er ihre große Liebe für eine Karriere opfern, auf deren Höhepunkt er sich doch längst befand? Gabrielle verstand es nicht – und würde es niemals verstehen. Und der Kummer darüber fraß sich in ihre Knochen wie die Schwindsucht.

Doch dann war er zu ihr zurückgekehrt. Das Band, das Boy und Gabrielle verband, war stärker als die goldenen Ringe, die er mit Diana Wyndham, Tochter von Lord Ribblesdale, getauscht hatte. Natürlich hatte sie gezögert, aber dann war Gabrielle in seine Arme gesunken. Lieber die neue Rolle als Mätresse akzeptieren als ganz auf ihn verzichten, lautete ihre Devise. Was sprach gegen ihr Arrangement? Nichts. Oder? Es ging ja alles gut, aber die Zweifel nagten im Geheimen weiter an ihr wie die Motten.

Boy lebte faktisch von seiner Frau getrennt, war die meiste Zeit in Paris. Dennoch war es natürlich gelegentlich nötig, dass er sich an der Seite seiner Gattin zeigte. Gabrielle ließ ihn gehen, weil sie inzwischen sicher war, dass er wiederkam. Ihre Liebe war größer als alles andere. Diese Liebe hielt – allen Stürmen zum Trotz – seit zehn Jahren und würde nie vergehen. Wenn etwas für die Ewigkeit bestimmt war, dann die Verbindung zwischen ihnen beiden. Davon war Gabrielle überzeugt. Dennoch zogen beizeiten die dunkelsten Gedanken auf und ließen sie wie Luzifer aus dem Himmel stürzen. So wie in dieser Nacht.

Sie wälzte sich auf die andere Seite, strampelte das Laken weg, fröstelte, zog ihre Decke wieder bis unter das Kinn.

Warum hatte Boy sich seit seiner Abfahrt nicht bei ihr gemeldet? Erinnerte ihn der Zauber von Weihnachten an seine neun Monate alte Tochter? War er so beseelt von dem Gedanken an seine Familie, dass er die Erinnerung an seine in ihrem Landhaus bei Paris zurückgelassene Geliebte von sich schob? Fuhr er nicht nach Südfrankreich, um ein Haus für Gabrielle und sich zu suchen, sondern um sich in Cannes mit seiner Frau zu versöhnen? Er hatte doch vor seiner Abreise noch von Scheidung gesprochen. Panik wallte in Gabrielle auf. Nun konnte sie erst recht nicht mehr einschlafen.

Doch sie stand nicht auf, knipste nicht einmal das Licht auf ihrem Nachttisch an, griff nicht nach unterhaltsamer Lektüre, die sie ablenken könnte. Sie überließ sich den Dämonen, zu müde, um irgendetwas anderes zu tun. Irgendwann zog die Erschöpfung sie wieder in die tiefe Dunkelheit eines unruhigen Traums ...

Ein Knirschen weckte Gabrielle. Es war das unverwechselbare Geräusch von Gummi auf Kies. Die ausrollenden Reifen eines Automobils, das abgebremst worden war. In der Stille der Nacht drangen die Laute deutlich durch das geschlossene Fenster in Gabrielles Schlafzimmer. Dann schlugen die Hunde an.

Noch im Halbschlaf dachte sie: Boy!

Innerlich jubilierend überlegte sie, dass er zurückgekommen sein musste, um sie abzuholen. Er wollte sie nicht einfach nachkommen lassen. Ihr Körper erzitterte vor Freude. So verrückt konnte nur Boy sein. Sie liebte ihn so sehr. Ganz gleich, ob sie Weihnachten in Südfrankreich oder in dieser abgelegenen Villa in Saint-Cucufa feierten. *La Milanaise*, wo es im Sommer nach Flieder und Rosen duftete, war im nordfranzösischen Winter ein wenig trostlos. Deshalb hatten sie sich für einen Aufenthalt an der Côte d'Azur entschieden. Düster konnte es jedoch nur dort sein, wo sie nicht zusammen waren. Warum hatte Gabrielle das nicht gleich begriffen?

In diesem Moment klopfte es an ihrer Tür. »Mademoiselle Chanel?« Es war die Stimme von Joseph Leclerc, ihrem Diener. Nicht das erwartete Flüstern ihres Liebhabers.

Plötzlich war sie hellwach.

* * *

Étienne Balsan kannte nicht nur Boy Capel fast so gut wie sich selbst, auch Coco war ihm ebenso vertraut, wie sie es seinem Freund gewesen war. Als sie den Salon betrat, in dem zu warten er von Joseph gebeten worden war, dachte er im ersten Moment, wie wenig sie sich in den dreizehn Jahren, die seit ihrer ersten Begegnung vergangen waren, verändert hatte. Sie wirkte auch als Sechsunddreißigjährige noch immer wie eine Kindfrau. Fast sah sie jetzt aus wie ein Junge, klein und zierlich, flachbrüstig und mit schmalen Hüften, das kurzgeschnittene lackschwarze Haar zerwuschelt wie nach einer leidenschaftlichen Umarmung. Erinnerte er sich nicht, wie heiß der kleine Körper in dem weißen Seidenpyjama war, er hätte sie für ein unerotisches, androgynes Wesen gehalten.

Einen Atemzug später erschrak er. Er blickte in ihre Augen – und sah den Tod.

Sie hatte ihre Gefühle immer gut unter einer Fassade der Gleichgültigkeit verbergen können, doch ihre dunklen Augen boten bisweilen Einblick in die tiefe Seele dieser Frau. Jetzt lag Schmerz in ihrem Ausdruck, verzweifelte, verstörende Pein. Doch keine Träne schimmerte darin.

Und sie schwieg. Stand stumm vor ihm in ihrem weißen Gewand, Haltung bewahrend wie einst Marie Antoinette vor der Guillotine. Es war furchtbar. Hätte sie geschluchzt, Étienne hätte gewusst, wie er mit ihr umgehen sollte. Er hätte sie in den Armen halten können. Doch ihr stilles Leiden, ihre trockenen Augen schnitten ihm ins Herz.

»Es tut mir leid, dass ich dich mitten in der Nacht störe«, hob er an. Sich immer wieder leise räuspernd, fuhr er stockend fort: »Ich dachte, ich bin es Boy schuldig, dir die Nachricht zu überbringen … Lord Rosslyn telefonierte aus Cannes …« Er holte tief Luft. Es fiel ihm unfassbar schwer, Coco die traurige Nachricht zu überbringen. »Boy hatte einen schrecklichen Unfall. Der Wagen kam von der Straße ab. Boy fuhr selbst, sein Mechaniker saß auf dem Beifahrersitz. Mansfield wurde schwer verletzt … Für Boy kam jede Hilfe zu spät.«

Es war gesagt. Doch von ihr kam keine Reaktion.

Mit einiger Verzögerung wurde Étienne sich bewusst, dass der Diener Coco die schlechte Nachricht bereits überbracht hatte. Natürlich. Joseph hatte erklären müssen, warum er mitten in der Nacht einen Fremden einließ und Mademoiselle aus dem Bett holte. Aber warum sagte sie nichts?

Um die Stille zu durchbrechen, redete Étienne weiter: »Die Polizei ermittelt wohl noch … Bislang ist nicht bekannt, was genau passiert ist. Jedenfalls hat sich noch nichts in Paris herumgesprochen. Nur so viel: Der Unfall war irgendwo an der Riviera. Die Bremsen seines Wagens haben – wie es scheint – versagt …«

»Mademoiselle hat verstanden, Monsieur«, fiel ihm Joseph ins Wort.

Étienne nickte beklommen. Noch nie hatte er sich so unbehaglich gefühlt. Er sah die Frau an, die schluchzte, ohne eine Träne zu vergießen. Jede Faser ihres Körpers schien Fassungslosigkeit und Verzweiflung auszustrahlen. Er konnte förmlich sehen, wie das Unglück immer stärker von ihr Besitz ergriff. Doch noch immer weinte sie nicht.

Ohne ein Wort drehte sie sich um und verließ das Zimmer. Die Tür fiel hinter ihr ins Schloss.

Ratlos blieb Étienne zurück.

»Darf ich Ihnen etwas anbieten, Monsieur?«, fragte Joseph. »Möchten Sie vielleicht einen Kaffee?«

»Ich hätte gern einen Cognac. Einen doppelten, bitte.«

Das Getränk war gerade großzügig eingeschenkt, Étienne schloss die Finger um das bauchige Glas, um sich und den Weinbrand zu wärmen, da flog die Tür des Salons wieder auf.

Coco war zurück. Diesmal in einem knöchelkurzen Reisekostüm, ihren Mantel über dem Arm, eine offenbar mit dem Nötigsten gepackte Tasche in der Hand. Sie hielt den Griff so fest umschlossen, dass ihre Fingerknöchel weiß hervortraten. Doch das war das einzige sichtbare Zeichen ihrer Anspannung. Ihre Miene war nach wie vor eine starre Maske, ihre Augen waren leer.

»Wir können fahren«, erklärte sie mit fester Stimme.

Verblüfft schüttelte Étienne den Kopf.

Sie erwiderte seinen Blick, sagte aber nichts.

In einem Akt völliger Hilflosigkeit nickte er. Als wüsste er, wohin sie wollte. Aber er hatte nicht die geringste Ahnung, was sie mitten in der Nacht unternehmen wollte. Er ließ einen großen Schluck Cognac in seine Kehle rinnen, hoffte, dass der Alkohol eine beruhigende Wirkung auf ihn hätte. Vergeblich. Er bemerkte, dass seine Hand, die das Glas hielt, zitterte.

»Meinst du mich?« Er zögerte, irritiert, unsicher, ob sie nicht lieber mit ihrem Chauffeur reiste – an welchen Ort es sie auch immer trieb.

»Wir fahren an die Riviera.« Wieder diese Entschlossenheit in ihrem Ton, die so gar nicht zu der geisterhaften Erscheinung passte. »Ich möchte ihn sehen. Und ich möchte unverzüglich aufbrechen, Étienne.«

»Was?« Er schnappte nach Luft, kippte eine weitere Ladung Cognac in seine Kehle. »Es ist gefährlich da draußen. Auf den Straßen ist es finster und neblig und …«

»Die Dämmerung bricht bald herein. Wir sollten keine Zeit

verlieren. Bis an die Côte d'Azur ist es ein weiter Weg.« Sie wandte sich zum Gehen.

Er wechselte einen hilflosen Blick mit Joseph. Warum ließ sie ihren Chauffeur nicht die nötigen Vorbereitungen für eine Abreise im Morgengrauen treffen? Ging die Freundespflicht so weit, dass Étienne Cocos Verrücktheit unterstützen sollte? Sie ist nicht verrückt, stellte er traurig fest.

Ohne einen weiteren Kommentar folgte er ihr in die Nacht.

KAPITEL 2

Die fröhliche Weihnachtsstimmung, die Gabrielle in Cannes empfing, erschien ihr schmerzlich grell und laut. Aus den Cafés und Restaurants wehten die Klänge von englischsprachigen Weihnachtsliedern und schmissigen Jazzsongs auf die Uferpromenade hinaus. Eine Verbeugung vor den zahlreichen Touristen von den britischen Inseln und aus den Vereinigten Staaten von Amerika. Damit die Ausländer sich an der Riviera heimisch fühlten, waren neben den in Frankreich üblichen Glocken sogar Sterne aus Papier an den Palmen befestigt worden.

Es war mild, fast windstill, und über der Bucht erstreckte sich der Sternenhimmel funkelnd wie tintenblauer, mit durchsichtigen Pailletten bestickter Tüll. Eleganz bestimmte die Croisette, teure Automobile spuckten in teure Abendmode gehüllte Herrschaften vor den teuren Luxushotels aus. Es war Heiligabend: Überall knallten Champagnerkorken, waren mit erlesenem Porzellan, Kristall und Silber eingedeckte Tische mit Stechpalmenzweigen und Misteln dekoriert, wurden Austern geöffnet und warteten Weihnachtskuchen in Kühlkammern darauf, zum Dessert serviert zu werden.

Der Gedanke an ein Festmahl bereitete Gabrielle Übelkeit. Sie war seit annähernd zwanzig Stunden unterwegs, doch an ihrer Fassungslosigkeit, der inneren Verzweiflung, ihrem Schmerz und ihrer inneren Erstarrung hatte sich seit ihrer Abfahrt nichts geändert.

Als Joseph an ihrer Tür geklopft hatte, war Angst in ihr aufgestiegen. Boy hätte nicht den Diener geweckt, er hätte seinen eigenen Hausschlüssel benutzt und wäre natürlich auch ohne fremde Hilfe in ihr Schlafzimmer gekommen. Irgendetwas war geschehen, das die Ordnung zerstörte. In ihrem Hinterkopf regte sich bereits der Verdacht, dass etwas passiert sei, aber sie schüttelte ihn ab. Boy besaß die Aura eines Helden, einem Mann wie ihm konnte nichts zustoßen. Doch dann hatte ihr der gute, treue Joseph den Schlag versetzt. Vorsichtig, rücksichtsvoll, Anteil nehmend. Natürlich. Ihr Diener verlor zu keinem Zeitpunkt die Contenance, obwohl auch er zweifellos erschüttert war über die Nachricht, die Monsieur Balsan brachte. Mit einem Mal war alles anders. Gabrielle spürte fast körperlich, wie ihr Leben in Stücke zerbrach.

Auf das Verstehen folgte die Hoffnung, dass es sich um einen Irrtum handelte. Einige groteske Minuten lang klammerte sie sich an diesen Gedanken. Ebenso schnell wurde ihr bewusst, dass Étienne nicht mitten in der Nacht von Royallieu nach Saint-Cucufa führe, um einen Scherz zu machen. Und Joseph beträte nicht aus einer albernen Laune heraus zur sel-

32

ben Stunde ihr Schlafzimmer. Nein, Boy war nicht mehr da. Und mit einem Mal war nichts mehr so wichtig wie ihr Wunsch, ihn zu sehen. Vielleicht musste sie begreifen, dass er wirklich gestorben war. Wahrscheinlich wollte sie sich davon überzeugen, dass er nicht gelitten hatte. Sie wollte die Totenwache an seinem Sarg halten. Er war ihr Mann, wenn auch nicht ihr Ehemann und doch der wichtigste Teil ihres Lebens. Nein, kein Teil – er war *ihr* Leben.

Ohne Boy war nichts mehr von Bedeutung.

Sie aß nichts, und als Étienne unterwegs an einer Auberge anhielt, trank sie nur widerstrebend den Kaffee, den er ihr brachte, mehr jedoch wollte sie nicht. Sie stieg nicht einmal aus seinem Wagen aus. Sie kauerte auf dem Ledersitz wie versteinert. Dabei blieb sie so wortkarg wie in *La Milanaise*. Ihr Freund verdiente ihr Schweigen nicht, das wusste sie. Aber sie hatte das Gefühl, nicht mehr als nötig sprechen zu können – als habe Boy auch ihre Sprache mit sich genommen. Fort von ihr. Für alle Ewigkeit.

Étienne lenkte sein Automobil nicht die geschwungene Auffahrt zum Haupteingang des Hotel Carlton hinauf, sondern hielt direkt unterhalb an. Der Motor erstarb. Einen Moment herrschte Stille im Wagen, von draußen wehte gedämpft durch die hochgekurbelten Scheiben der Festtagslärm herein. Étienne atmete tief durch, bevor er sich zu ihr umwandte. »Ich hoffe, dass wir Bertha finden können. Meines Wissens logiert sie hier. Seine Schwester wird am besten wissen, was mit Boy geschehen ist und wo sein Leichnam aufgebahrt wird.«

»Ja«, stimmte sie schlicht zu. Gabrielle schlug ihren breiten Mantelkragen hoch und verbarg ihr bleiches Antlitz dahinter.

In einer fast väterlichen Geste berührte Étienne ihren Arm. »Du musst unbedingt ein wenig schlafen. Es sind bestimmt noch zwei Zimmer frei und …«

Schlafen? Was für ein alberner Vorschlag. Als müsste sie akzeptieren, dass ihr Leben weiterging. Wie sollte sie schlafen können, ohne Boy noch einmal gesehen zu haben?

»Nein.« Sie schüttelte vehement den Kopf. »Nein. Bitte nicht. Ruh du dich aus. Du hast dir ein Hotelbett verdient. Ich werde hier auf dich warten.«

Schweigen.

Gabrielle sah ihrem Freund an, dass er mit sich kämpfte. Seine Kieferknochen bewegten sich, als würde er die Zähne zusammenbeißen und dazwischen den Zorn zermahlen, den er möglicherweise gegen sie hegte. Natürlich war er nach der langen Reise müde. Die zweite Nacht ohne Schlaf zehrte auch an einem Lebemann wie Étienne Balsan. Doch sie erlöste ihn nicht von seiner Qual.

»Ich komme gleich wieder«, versprach er schließlich. Er zögerte noch einmal kurz, dann stieg er aus.

Mit federnden Schritten marschierte er die Auffahrt hinauf. Er war ungewöhnlich groß für einen Franzosen, hatte sogar Boy um eine halbe Haupteslänge überragt. Étiennes Gardemaß hatte Gabrielle am Anfang am meisten beeindruckt. Es passte zu dem schneidigen Offizier der Kavallerie, zu dem Polospieler und Pferdezüchter. Ein Mann von größtmöglicher Haltung. Ein besserer Freund, als sie jemals erwartet hatte.

Während sie Étienne nachsah, begann sie wie automatisch in ihrer Handtasche nach ihrem Zigarettenetui zu fingern. Es war wie ein Reflex. Sie rauchte ständig, hatte schon zu Zigaretten gegriffen, als das Rauchen noch nicht als *comme il faut* für eine Dame galt. Nikotin beruhigte sie. Den Glimmstängel oder eine Elfenbeinspitze in der Hand zu halten gab ihr eine sonderbare Sicherheit. Anfangs hatte es ihr Spaß gemacht, etwas zu tun, das unkonventionell war und die Moralapostel schockierte. Inzwischen waren Zigaretten ihre selbstverständlichen Begleiter. Und niemand regte sich mehr über Frauen auf, die Reithosen trugen oder rauchten. Coco Chanel hatte neuen Wind in die Mode gebracht.

Das Taschenfeuerzeug war ebenfalls rasch gefunden. Sie betätigte den Zündmechanismus, und eine blaue Gasflamme flackerte in der Dunkelheit des Wagens.

Vor ihrem geistigen Auge flammte plötzlich ein Streichholz auf. Ein kleines gelbes Licht in der blaugrauen Dämmerung eines Sommerabends auf dem Land. Auf der Terrasse war es schon fast dunkel, doch Gabrielle konnte die schmale, gepflegte Hand mit den polierten Fingernägeln in dem Feuerschein deutlich ausmachen …

»Eine Frau wie Sie sollte sich eine Zigarette niemals selbst anzünden müssen«, behauptete eine raue Männerstimme mit einem

kleinen Akzent, der klang, als habe der Sprecher einen Korken verschluckt.

Sie ging nicht auf seine Bemerkung ein, sondern inhalierte kommentarlos den ersten Zug. Den Blick auf die Finger des Fremden gerichtet, die jetzt das Streichholz ausschüttelten, stellte sie fest: »Sie besitzen die Hände eines Musikers.« Bei jedem Wort stieß sie winzige weiße Rauchkringel aus.

»Ich spiele ein bisschen Klavier.« Obwohl sie es nicht sah, wusste sie, dass er schmunzelte. »Aber sehr viel besser spiele ich Polo.«

»Sind Sie deswegen hier?« Sie beschrieb mit ihrer Hand einen Kreis, der das gesamte Schloss von Royallieu, die Stallungen mit Étiennes Vollblütern und das Spielfeld am Rande des Parks einschloss.

Er schüttelte den Kopf. »Ich denke, das Schicksal hat mich hierhergeführt, um Ihnen zu begegnen, Mademoiselle Chanel.«

»Tatsächlich?« Sie lachte ihn auf eine überhebliche Weise aus, in der nichts Kokettes lag. Sie hatte auch nicht die Absicht, mit dem Unbekannten zu flirten. »Da Sie meinen Namen kennen, sollte ich eigentlich wissen, mit wem ich es zu tun habe.«

»Arthur Capel. Meine Freunde nennen mich Boy.«

»Coco?«

Sie zuckte zusammen.

Es dauerte eine Weile, bis Gabrielles Verstand in die Wirklichkeit zurückkehrte. Die Erinnerung an jenen Sommerabend in Royallieu hatte sie überwältigt. Sie hatte Boys Gegenwart deutlich gespürt, jede Sekunde ihrer ersten Begegnung. Er war bei ihr gewesen. Schmerzlich wurde ihr bewusst, dass sie sich in Étiennes Automobil und nicht auf Étiennes Terrasse befand – und nicht am Anfang ihres Lebens mit Boy stand, sondern an dessen Ende.

Schweigend kurbelte sie das Seitenfenster hinunter und warf die Kippe auf die Straße.

»Ich habe mit Bertha gesprochen«, sagte Étienne. »Sie ist untröstlich ...« Er brach ab, legte eine Pause ein, bevor er hinzufügte: »Natürlich ist sie das.«

Ein laues Lüftchen wehte herein, das Rauschen der Wellen war zu hören. In der Nähe erklang der Bariton eines Angelsachsen, der nicht mehr ganz genau die Melodie traf, aber mit großem Eifer »Jingle Bells« schmetterte:

»*Dashing through the snow*
in a one-horse open sleigh ...«

Gabrielle kurbelte das Fenster wieder hoch.

»Wo kann ich ihn sehen?«, fragte sie tonlos.

Étienne seufzte. »Du ... Wir ... Ich ...« Er beendete sein hilfloses Stammeln, wischte sich über die Augen. »Entschuldige, Coco. Wir sollten uns beide ein paar Stunden hinlegen. Wenigstens bis zum Sonnenaufgang. Bertha lädt dich in ihre Suite ein ...«

»Wo ist Boy?«, insistierte sie.

Zunächst antwortete er nicht, dann brach es aus ihm heraus. Es schien, als brülle er eine Person an, die nicht anwesend war: »Der Sarg ist bereits geschlossen und auf ein Schiff gebracht worden. Heute Vormittag fand eine Trauerfeier mit allen militärischen Ehren in der Kathedrale von Fréjus statt. Madame Capel hatte es eilig. Sie hat dafür gesorgt, dass die britische Gemeinde der Côte d'Azur anwesend war, aber keiner seiner französischen Freunde Abschied nehmen konnte.«

In einem kurzen Moment des Kontrollverlustes hieb er mit der Faust auf das Lenkrad, fasste sich jedoch rasch wieder. Als verstünde er selbst nicht, wie das passieren konnte, murmelte er: »Es tut mir leid, Coco. Wir sind zu spät gekommen.«

Diana wollte verhindern, dass ich bei der Trauerfeier dabei bin, fuhr es ihr durch den Kopf. Im Leben gehörte Boy zu mir, aber im Tod nimmt sie ihn mir weg.

Auf diesen Gedanken folgte der Schock. Sie begann zu zittern. Wie bei einem starken Schüttelfrost. Sie fror tatsächlich. Gleichzeitig wurde ihr schwindelig. Die Kulisse vor der Windschutzscheibe verschwamm zu einer dunklen Masse. Kopfschmerzen trommelten gegen ihre Stirn, Übelkeit erfasste ihren Leib, Ohrensausen bemächtigte sich ihres Gehörs. Ihre Finger tasteten haltsuchend nach dem Armaturenbrett und griffen ins Leere. All ihre Sinne schienen mit einem Mal aus dem Gleichgewicht. Nur die erlösenden Tränen bildeten sich nicht.

Étienne nahm ihre eiskalte Hand. »Dass du zusammenbrichst, bringt Boy nicht zurück. Bitte, Coco, lass uns reingehen und ein wenig schlafen. Wenn du nicht bei Bertha bleiben möchtest, werde ich ein Zimmer für dich mieten …«

Ihr Gehirn funktionierte noch. »Weiß Bertha, wo sich der Unfall ereignete?«, kam es schwach über ihre Lippen.

»Ja. Sie sagte, es sei an der Nationalstraße 7, zwischen Saint-Raphaël und Cannes passiert, irgendwo in der Gegend von Fréjus, in der Nähe eines Dorfes namens Puget-sur-Argens.«

»Ich möchte dorthin.«

»Morgen«, versprach er, sein Ton war verzweifelt. »Ich bringe dich dorthin, sobald es hell geworden ist. Bitte sei so gut und komm bis dahin mit mir ins Hotel.«

Sie widersprach nicht. Was sollte sie auch einwenden? Sie durfte nicht für die nächsten Stunden in Étiennes Automobil am Straßenrand mitten in Cannes sitzen bleiben. Irgendwann würde unweigerlich die Polizei auftauchen, und es gäbe einen Skandal, weil Coco Chanel die Nacht in einem Fahrzeug verbrachte statt in einem Hotel. Ihre Gefühle drängten sie zwar sofort an den Unglücksort, aber eine weitere gefährliche Nachtfahrt konnte sie Étienne nicht zumuten. Er war so liebevoll mit ihr umgegangen, mehr als ein Freund, fast wie ein Bruder. Er verdiente, dass sie sich einsichtig zeigte und ihm ein paar Stunden Schlaf gönnte. Dass sie selbst nicht zur Ruhe kommen würde, war eine andere Sache.

Ihre Beine drohten, ihr den Dienst zu versagen, doch Gabrielle stieg endlich aus dem Wagen. Ihre Muskeln waren verspannt vom langen Sitzen, ihre Knochen schmerzten. Bei ihrem ersten Schritt knickte sie um, aber Étienne nahm ihren Arm und gab ihr Halt.

Dem Portier erklärte Étienne, Lady Michelham erwarte Mademoiselle, dann mietete der Freund für sich ein Zimmer auf demselben Stockwerk.

Gabrielle sprach kein Wort. Nicht, als sie durch die marmorne Halle zu dem Fahrstuhl gingen, misstrauisch beäugt von anderen Gästen, die sich über die fehlende Abendgarderobe und das mangelnde Gepäck wundern mochten wie auch über ihre geisterhafte Erscheinung. Gabrielle nahm keine Notiz von den Leuten.

Was interessierten sie die Lebenden? Ihre Gedanken galten einzig einem Toten. Sie sprach nicht, als sie der Page zu Berthas Suite geleitete. Still marschierte sie neben Étienne durch den langen Hotelflur, ihre Absätze versanken tonlos in dem dichten Flor des Teppichs.

Im Gegensatz zu Gabrielle war Boys Schwester in Tränen aufgelöst. Sie küsste Gabrielles trockene Wangen und hinterließ einen feuchten Film auf ihrer Haut.

»Es ist furchtbar«, schluchzte Bertha. »Ich wünschte, wir hätten uns unter anderen Umständen wiedergesehen.«

»Ja«, erwiderte Gabrielle schlicht.

»Du musst dich ausruhen, meine Liebe. Ich habe nebenan das Bett machen lassen …«

»Nein«, fuhr Gabrielle dazwischen. »Ich brauche kein Bett.« Sie blickte sich in dem mit eleganten Louis-seize-Möbeln ausgestatteten Salon um, bis ihre Augen an der Chaiselongue am Fenster hängenblieben. »Wenn es dir recht ist, würde ich mich gern dorthin setzen.«

Irritiert sah Bertha zur Tür des zweiten Schlafzimmers. Ihre mit Tränen benetzten Wimpern flatterten. »Wie willst du dort schlafen? Nimm das Bett, es ist viel bequemer.«

Gabrielle schüttelte den Kopf und ging ohne eine weitere Erklärung zu dem Polstermöbel. Steif setzte sie sich hin. Dankbar, dass Étienne in seinen eigenen Räumlichkeiten verschwunden war. Seiner Überredungskunst würde sie womöglich weniger gut standhalten können als Berthas hilflosen Attacken.

Sie zog sich nicht aus, lehnte das seidene Nachtgewand und den Morgenmantel ebenso ab wie eine leichte Decke, die Bertha bringen ließ. Komplett angezogen blieb sie auf ihrem selbstgewählten Platz, den Blick auf das Fenster gerichtet.

Von hier aus konnte sie in den Himmel schauen. Es war der bestmögliche Ort für ihre Totenwache. Nachdem ihr ein letzter Blick auf den Geliebten verweigert worden war, gelänge es ihr vielleicht, wenigstens Boys Seele ins Paradies aufsteigen zu sehen.

* * *

Die aufgehende Sonne tauchte die zerklüfteten Felsformationen in purpurnes Licht, in der Dämmerung ragten die Seekiefern wie schwarze Paspeln auf einem hellblauen Kleid in den Morgenhimmel, das Meer zur Linken der sich in engen Kurven aufsteigenden und dann wieder hinabwindenden Straße glänzte wie ein ferner Teppich aus Platin.

Der Chauffeur, den ihnen Bertha Michelham zur Verfügung stellte, lenkte das Automobil langsam über die gefährliche Strecke. Er war wohl auch deshalb so konzentriert, weil er ebenso wie seine Fahrgäste an den Unfall dachte, der sie hierherführte. Bertha hatte Gabrielle und Étienne vorgeschlagen, sie in ihrem Wagen zum Unglücksort fahren zu lassen. Eine umsichtige Lösung, da sie Étienne auf diese Weise die Last der Suche abnahm – ihr Diener kannte die Stelle bereits.

Doch trotz aller Vorsicht konnte der Fahrer nicht verhindern, dass das Auto ins Schlingern geriet, als er das von einem Maultier gezogene Fuhrwerk überholte und im selben Moment ein Hase aus dem Dickicht eines Wacholderstrauchs auf die Fahrbahn hoppelte, dem er auszuweichen versuchte.

Gabrielle, die zusammengesackt im Fond saß, wurde gegen Étiennes Schulter geschleudert. Unwillkürlich hielt sie den Atem an, fragte sich ein paar Herzschläge lang, ob dies ihr Ende sei. Ein zweiter Unfall auf der Straße zwischen Cannes und Saint-Raphaël binnen kürzester Zeit. Eine große Liebe, die in diesem Gebirgsmassiv ihr Ende fand. Wahrscheinlich war es die beste Lösung, wenn sie Boy folgte.

»Es ist nichts passiert«, sagte Étienne und strich sanft über ihren Arm, bevor er sie auf ihren Platz zurückschob. Der Wagen glitt wieder ruhig durch die einsame Landschaft.

Nein, dachte Gabrielle, während sie aus dem Fenster starrte, mein Tod wäre nicht die beste Lösung. Es wäre der einfachste Weg, aber nicht der, den Boy gewollt hätte. Wie sie ohne ihn weiterleben sollte, wusste sie nicht. Aber sie würde einen Weg finden müssen. Sie würde später darüber nachdenken, wie sie ohne den Mann leben sollte, der ihr das Leben überhaupt erst geschenkt hatte. Das Leben Coco Chanels. Er war nicht nur ihr Liebhaber gewesen, sondern auch ihr Vater, ihr Bruder, ihr Freund.

»Mademoiselle, Monsieur, wir sind da.« Der Chauffeur bremste den Wagen ab, ließ ihn am Straßenrand ausrollen, der Motor erstarb. Dann stieg er aus, um seinen Fahrgästen den Schlag zu öffnen.

Gabrielle fühlte sich, als würde sie sich selbst zuschauen. Als würde sie eine Frau von Mitte dreißig beobachten, die ihren Hut festhielt, der von dem in dieser Höhenlage auffrischenden Wind fortgeweht zu werden drohte. Deren Reisekostüm zerknittert war, die sich mit tastenden, unbeholfenen Schritten voranbewegte.

Da waren die Überbleibsel eines ausgebrannten Automobils, das die Böschung hinauf an den Straßenrand gezogen worden war. Dahinter fielen die Felsen scharfkantig ab, Eukalyptus und Heidekraut waren umgeknickt, wo das Fahrzeug ursprünglich gelegen hatte.

Gabrielle war allein, die beiden Männer in ihrer Begleitung hielten sich taktvoll zurück. So sah sie aus ihrer inneren Distanz auf diese Frau, die zu dem ausgebrannten, verbeulten Klumpen aus Blech, Holz, Leder und Gummi trat, der einmal ein teures Cabriolet gewesen war. Es war so unwirklich wie eine Sequenz aus einem Film.

Erst als sie direkt neben dem Wrack stand, wurde sie sich

der Wirklichkeit bewusst. Ein scharfer Geruch stieg ihr in die Nase. Noch immer schwebte der Gestank von Benzin, Schwefel und verbranntem Gummi über dem Wagen, und seltsamerweise vermittelte ihr der Geruchssinn stärker als ihre visuelle Wahrnehmung die Realität des schrecklichen Unfalls. Mit einem Mal war greifbar, was sie bislang nicht hatte fassen können.

Rasch aufflammende Sonnenflecken wechselten sich mit länger gewordenen dunklen Schatten ab und blendeten den Fahrer. Der Wind, der ihm entgegenwehte, war feucht und kühl und hinterließ auf seiner Haut ein erregendes Prickeln, verband sich mit seinem heißen Atem und beschlug seine Brille. Dennoch fuhr er in rasantem Tempo, eben so, als befände er sich bei klaren Lichtverhältnissen auf gerader Strecke. Er war viel zu schnell unterwegs, aber er war ein Mensch, der nichts besonnen oder langsam tat. Das Aufheulen des Motors war Musik in seinen Ohren, mal Scherzo, dann Rondo. Die Bremsscheiben quietschten. Stahl rieb auf Stahl, Gummi auf Teer. Dann hob sich das Fahrzeug in die Lüfte, knickte Sträucher und Bäume ab, um schließlich auf einer Felskante aufzuschlagen und in einem Feuerball zu explodieren.

Gabrielle streckte vorsichtig die Hand aus, berührte die zerbeulten Überreste des Rolls-Royce, in Erwartung, sich zu verbrennen. Doch das Metall war schon so kalt wie Boys Körper in seinem Sarg.

In diesem Moment brach sie zusammen. Die Tränen, die seit Étiennes Ankunft in *La Milanaise* nicht hatten fließen wollen, brachen sich Bahn. Als würden alle Schleusen ihres Körpers, ihrer Seele, ihres Herzens geöffnet, begann Gabrielle bitterlich zu weinen.

KAPITEL 3

Marie Sophie Godebska, geschiedene Natanson, geschiedene Edwards, war im Alter von siebenundvierzig eine unverändert schöne Frau von atemberaubender Eleganz. Die musische Erziehung im Haus ihrer Großmutter bei Brüssel und der Umzug des Backfisches mit seinem polnischen Vater nach Paris sowie der frühe Kontakt zu den bedeutendsten Künstlern der sogenannten Belle Époque hatten ihren Geschmack geprägt. Dieser Schönheitssinn gepaart mit großer Intelligenz machte Misia, wie sie genannt wurde, zu einer Ausnahmeerscheinung. Durch das Vermögen ihres zweiten Mannes und die Beziehung zu dem berühmten spanischen Maler José Sert avancierte sie schließlich von der Muse zur Königin der Pariser Gesellschaft und zur Mäzenin. Es waren indes ihre Liebenswürdigkeit und ihr Freiheitsdrang, die sie zwei Jahre nach ihrer ersten Begegnung zur engsten Freundin von Gabrielle Coco Chanel machten.

Als sie sich an diesem trüben Winternachmittag von ihrem Chauffeur nach Saint-Cucufa fahren ließ, war sie nicht nur auf dem Weg zu einem Kondolenzbesuch, sie sah sich eher auf einer Mission als Lebensretterin. Alles, was sie über das Seelenheil der Trauernden gehört hatte, war beängstigend. Natürlich brauchte Coco Zeit, sich ein Leben ohne Boy einzurichten. Aber deshalb sollte sie nicht zu einem Schatten ihrer selbst werden.

Ihr Zustand war offenbar so alarmierend, dass sich Joseph mit einem Hilferuf an Misia gewandt hatte. Wenn Coco schwarze Messen abgehalten oder Geisterbeschwörungen betrieben hätte, wäre Misia nicht so aufgebracht wie über den Hinweis, dass Mademoiselle ihren Verstand verlöre. Wie verzweifelt musste der Diener sein, sich so zu äußern? Außer Étienne Balsan wusste keiner über Cocos Zustand Bescheid. Seit ihrer Rückkehr von der Côte d'Azur hatte sie niemand gesehen, ihr Modehaus blieb in den Weihnachtsferien geschlossen.

Von größten Sorgen getrieben, wollte Misia die Vorgänge in *La Milanaise* selbst in Augenschein nehmen. Während ihr Wagen die Auffahrt hinaufglitt, betete sie, dass sie nicht zu spät kam. Wofür auch immer. Vor allem wahrscheinlich, um Coco vor sich selbst zu schützen.

Joseph öffnete die Tür. »Gut, dass Sie da sind, Madame«, stieß er erleichtert hervor. Seine gepressten Worte waren trotz des anschwellenden Bellens und Winseln hinter ihm deutlich vernehmbar.

Er nickte Misia entschuldigend zu, bevor er die Stimme hob, um die Hunde zurechtzuweisen: »*Couche! A place!*«

Die zwei Schäferhunde gaben sofort Ruhe und traten den

Rückzug zu ihren Decken im hinteren Bereich der Villa an, nur die beiden kleinen Terrier, ein Geschenk von Boy an die Hausherrin, kläfften weiter und strichen neugierig um die Beine der eintretenden Besucherin.

»Wie geht es Mademoiselle Chanel?«, fragte Misia, den Blick auf Pita und Popee gesenkt.

Joseph half ihr aus dem Pelzmantel. »Mademoiselle erscheint mir gänzlich von Sinnen. Bei ihrer Rückkehr aus Südfrankreich verlangte sie, die Wände ihres Schlafzimmers schwarz zu streichen. Stellen Sie sich das bitte vor, Madame! Schwarz. Pechschwarz.« Er schüttelte den Kopf. »Sie lebte in ihren Gemächern wie in einer Gruft. Sie schloss sich ein und wollte keine Mahlzeit zu sich nehmen. Es war schrecklich.«

»*Lebte?*« Die von Joseph benutzte Vergangenheitsform ließ Misia sogar die Sorge um ihre Seidenstrümpfe vergessen, die gerade den Krallen einer Terrierpfote ausgesetzt waren. »Was ist mit Mademoiselle geschehen?«

»Eben kam sie herunter und wies mich an, den Maler zu bestellen. Jetzt soll er ihr Schlafzimmer rosarot streichen. Bis dahin will sie es nicht mehr betreten. Doch ich frage mich, ob ein Pink die bessere Wahl für Mademoiselles Gemüt ist …«

»Wo ist sie jetzt?«, schnitt Misia die Überlegungen des Dieners ab.

»Im Salon, Madame.« Joseph bückte sich und klemmte sich unter jeden Arm einen kleinen, zappelnden Hund. »Wenn Sie mir bitte folgen möchten.«

Misia warf einen flüchtigen Blick auf ihre schmale Fessel,

die unter ihrem knöchelkurzen Rock hervorlugte. In ihrem Seidenstrumpf breitete sich ein kleines Loch zu einer Laufmasche aus. Ein ärgerliches Malheur. Aber natürlich vollkommen unwichtig angesichts des Elends jenseits der Salontür, die Joseph nun umständlich öffnete.

Misia fühlte sich innerhalb von Sekunden wie in einem Eiskeller gefangen. Obwohl im Kamin des Wohnzimmers ein frisch geschürtes Feuer loderte – Joseph oder seine Frau Marie kümmerten sich fürsorglich um Coco –, herrschte eine Atmosphäre, die sie unverzüglich frösteln ließ.

Coco saß – nein, kauerte – in einem Sessel und starrte vor sich hin. Blicklos. Leblos. Bei Misias Eintreten flatterten ihre Lider kurz, aber sie sah nicht wirklich auf, ihre Augen wirkten trübe. Ihr Gesicht war so weiß wie die Seide ihres Schlafanzugs, den sie trotz der späten Tageszeit noch trug. Sie war schon immer sehr schlank gewesen, aber jetzt erschien sie Misia einfach nur dünn. Ausgemergelt. Wahrscheinlich hatte Coco seit Tagen nichts gegessen.

»Liebste, ich bin untröstlich«, Misia beugte sich hinunter, um ihre Wange kurz gegen Cocos Wange zu legen und einen Kuss in die Luft zu hauchen. »Es tut mir so leid«, fügte sie hinzu, als sie sich wieder aufrichtete und sich nach einem Sitzplatz umsah. Schließlich ließ sie sich auf dem Sofa nieder. Sie drehte das Bein in dem kaputten Strumpf so, dass man den Schaden nicht gleich bemerkte.

Doch Coco hatte kein Interesse an Äußerlichkeiten. »Danke, dass du gekommen bist«, erwiderte sie matt. »Was kann Joseph dir bringen? Kaffee? Ein Glas Wein?« In ihrer Reichweite stand eine unberührt wirkende Tasse Tee auf einem Beistelltisch, der Inhalt war vermutlich bereits kalt.

»Solange du nichts zu dir nimmst, möchte ich auch nichts.« Coco nickte stumm.

»Es ist schwer für dich. Natürlich. Aber, Liebes«, Misia suchte nach Worten, dann: »Du musst wieder zu dir kommen. Wir machen uns alle schreckliche Sorgen um dich.« Sie sagte nicht, wen sie in das Personalpronomen mit einschloss.

Wieder nickte Coco, doch diesmal sprach sie: »Heute Morgen war die Trauerfeier für ihn in der Kirche an der Place Victor Hugo.« Sie starrte weiter vor sich hin, blickte nicht einmal zu Misia hin, sondern sah vermutlich irgendwo in der Ferne ihrer Gedanken Boy vor sich. »Étienne sagt, die Beisetzung findet auf dem Friedhof von Montmartre statt ...«

»Ich weiß«, sagte Misia leise. Sie hatte kurz vor ihrer Abfahrt nach Saint-Cucufa von einer anderen Freundin gehört, dass Boys Witwe dem Gottesdienst ferngeblieben war. Wahrscheinlich hatte Diana damit gerechnet, dass Coco kommen würde, doch auch die hatte nicht an der Gedenkfeier teilgenommen.

Als habe sie ihre Gedanken gelesen, fuhr Coco fort: »Ich wollte nicht hingehen, weil mein Platz irgendwo weit hinten in der Trauergemeinde gewesen wäre. Diesen Triumph über unsere Liebe habe ich ihr nicht gegönnt ... War das ein Fehler, Misia?« Endlich sah sie zu der Freundin auf.

Misias Herz zog sich zusammen, als sie des Schmerzes, der

Verzweiflung in Cocos Blick gewahr wurde. »Sicher nicht«, meinte sie und rutschte auf die Sofakante, um die Hand ihrer Freundin zärtlich zu streicheln. »Du hast immer getan, was du in dem jeweiligen Moment für richtig gehalten hast, und es hat sich tatsächlich im Nachhinein immer als richtig erwiesen. So wird es diesmal auch sein. Deine Intuition ist eine deiner größten Stärken. Ich bewundere dich dafür.«

»Boy war das Wichtigste für mich. Wir waren eine Einheit, wir verstanden einander ohne Worte.«

»Ich weiß«, wiederholte Misia. Die beiden Freundinnen waren etwa zur selben Zeit der Liebe ihres Lebens begegnet. Als Coco und Boy sich verliebten, kannte Misia die beiden zwar noch nicht, aber damals – vor zehn oder elf Jahren – hatte sie sich in José Sert verliebt. José war für Misia, was Boy für Coco gewesen war – und die Vorstellung, dass sie den Geliebten von einem Tag auf den anderen für immer verlieren könnte, war so furchtbar, dass sie Cocos Qualen nicht nur nachvollziehen konnte, sondern mit ihr litt.

Sie musterte die Freundin, die mit jedem Moment, der verstrich, kleiner zu werden drohte. Da war dieser körperliche Verfall, aber dem Wahnsinn schien Coco nicht nahe. Was immer sie sich dabei gedacht hatte, die Wandfarbe in ihrem Schlafzimmer so drastisch zu verändern, den Verstand hatte sie anscheinend nicht verloren. Doch ganz offensichtlich befand sie sich in einem beängstigenden Zustand. Wie viele Frauen waren schon an einem gebrochenen Herzen gestorben?, sinnierte Misia. Im Großen Krieg hatte es nicht annähernd so viele tote Frauen gegeben wie gefallene Soldaten. Jedenfalls war nichts darüber bekannt. Es ist unsere Pflicht, zu überleben, fuhr es ihr durch den Kopf. Nur durch unsere Liebe können die Toten in unserer Erinnerung lebendig bleiben.

»Boy war großartig«, hob sie an. »Daran besteht kein Zweifel. Deshalb würde er wollen, dass du dort weitermachst, wo ihr gemeinsam aufgehört habt. Um seinetwillen.«

Aus Coco sprach die pure Verzweiflung, als sie aufbegehrte: »Aber wie sollte ich irgendetwas ohne ihn tun können? Ich bin nichts ohne ihn!«

»Du bist noch immer alles, was Boy geliebt hat.«

Coco sah Misia verwundert an. Als sei ihr noch gar nicht bewusst gewesen, dass Boy auf gewisse Weise in ihr, durch sie weiterleben könnte.

Froh, die starre Fassade der Trauer zumindest für diesen Moment durchbrochen zu haben, redete Misia rasch weiter: »Du hast erst kürzlich das Haus Nummer einunddreißig in der Rue Cambon bezogen – fünf Etagen Chanel, und es ist noch nicht einmal alles eingerichtet. Boy hat mir erzählt, dass du mit der neuen Adresse erstmals im Handels- und Gesellschaftsregister als *Couturier* und nicht als Putzmacherin gelistet bist. Er war so stolz auf dich. Du kannst das nicht aufgeben, weil dich deine Trauer lähmt …«, sie unterbrach sich, drückte kurz Cocos Hand und fuhr dann fort: »Natürlich ist dir Schreckliches widerfahren. Aber siehst du es nicht als Pflicht an, eure gemeinsamen Pläne zu verwirklichen? Du musst es allein tun. Ja. Aber du *musst* es tun. Schau nach vorne, Coco!«

Sie legte eine Pause ein, wartete auf Cocos Zustimmung, doch die Freundin schwieg, sah sie aus ausdruckslosen Augen an. Deshalb setzte sie nach einer Weile eindringlich hinzu: »Liebes, ich lasse dich auf diesem Weg nicht allein. Wenn du mich brauchst, werde ich für dich da sein. Das verspreche ich dir.«

Cocos Blick schweifte ab, als suche sie irgendwo in der Ferne nach einer Antwort. Ihr Körper schien sich aufrichten zu wollen, doch es gelang ihr unter der Last ihrer Trauer noch nicht.

»Worüber habt ihr zuletzt gesprochen?«, fragte Misia. Sie schickte ein stilles Gebet in den Himmel, Gott möge ihr die Eingebung schicken, mit der sie Coco aus ihrer Lethargie befreite. Auf gut Glück fügte sie hinzu: »Ich meine, welche geschäftlichen Pläne hattet ihr?«

»Ich weiß es nicht mehr. Misia, ich erinnere mich nicht mehr, worüber wir im Detail gesprochen haben. Da war so vieles …« Verzweifelt versuchte Coco, nach etwas in ihrer Erinnerung zu greifen, aber es gelang ihr nicht. Eine Träne stahl sich aus ihren Augen, und sie wischte über ihr Gesicht, als wollte sie ein lästiges Insekt entfernen. Plötzlich kam ein wenig Leben in ihre Züge. »Es ging um ein Parfüm. Doch, ja, wir unterhielten uns über ein Toilettenwasser.«

Misia sprach ein stummes Dankesgebet und wartete.

Cocos Stimme klang seltsam monoton, fast erstaunt, als wunderte sie sich, wie gut ihr Gedächtnis mit einem Mal funktionierte: »In der Zeitung stand etwas über diesen Frauenmörder, der nur deshalb gefasst wurde, weil ihn eine Zeugin an seinem Duft erkannte. Der Mann benutzte *Mouchoir de Monsieur* von Jacques Guerlain, und Boy und ich sprachen über die Einzigartigkeit dieses besonderen Parfüms. Wir überlegten, ob ich meinen Kundinnen nicht ein *Eau de Chanel* anbieten sollte. Nicht in den Boutiquen, sondern als Präsent zu Weihnachten. Eine Auflage von einhundert Flakons …« Ihre Stimme brach.

Misia war sich im Klaren darüber, dass es für Coco niemals wieder ein sorgloses Fest geben könnte, an dem sie nicht an Boys Unfall erinnert würde. Aus Furcht, die Freundin würde wieder in ihrem Meer aus Traurigkeit versinken, plapperte sie munter drauflos: »Nun, ein Duft ist ein Geschenk für alle Zeiten. Das ist eine wunderbare Idee. Sieh dir nur François Coty an: Mit *Chypre* hat er ein Vermögen verdient, weil die amerikanischen Soldaten den Flakon millionenfach als Souvenir aus Frankreich nach Hause schickten oder beim Truppenabzug mitnahmen. Deine Kundinnen werden ein *Eau de Chanel* lieben …«

»Monsieur Coty ist Parfümeur. Er besitzt eine Fabrik. Ich bin nur eine kleine Schneiderin.«

»Sei nicht albern, Liebes.« Misia begann sich zunehmend für das Thema zu erwärmen. Sie ließ Cocos Hand los, um aufgeregt gestikulierend fortzufahren: »Paul Poiret ist auch *nur* Modeschöpfer …«

»Aber der größte …«

»Poirets Prominenz hat bisher nichts an deinem Ehrgeiz geändert und sollte es auch in Zukunft nicht tun. Wichtig wäre, eine Duftnote zu finden, die so einzigartig wie deine Mode ist. Keine schweren Parfüms, die vor allem nach Rosen riechen. Paul Poirets *Parfum de Rosine* ist nichts anderes als ein anderer Sinneseindruck seiner Kreationen. Das ist nicht mehr der letzte Schrei. Du bist erfolgreich, Coco, weil …«

»… weil ich Boy an meiner Seite hatte.«

Misia stöhnte innerlich auf. »Ja, natürlich, auch. Aber mit Verlaub, Coco, er hat deine Kleider nicht entworfen. Es sind deine Ideen, die so modern sind. Vor allem deshalb bist du erfolgreich. Und wenn du bei der Wahl der Aromen für ein Toilettenwasser die Besonderheit deines Stils berücksichtigst, wirst du Boys Andenken ein Denkmal setzen.« Atemlos hielt Misia inne, verknotete die Finger in ihrem Schoß und wartete auf Cocos Reaktion.

»Du hast recht. Den Gedanken hatte ich auch schon: Ich werde ein Denkmal für Boy errichten lassen. Aus Stein. Am Unglücksort. Ich möchte einen Platz des Erinnerns für ihn schaffen.«

»Sieh in die Zukunft, Coco! Bitte, wende den Blick nicht zurück. Für Boy. Für mich. Du kannst nicht einfach aufgeben.«

Gedankenverloren fuhr sich Coco mit der Hand durch das Haar. »Ich sage ja nicht, dass ein *Eau de Chanel* keine gute Idee wäre. Meine Güte, es war Boys Vorschlag – wie sollte ich annehmen, dass er nicht wunderbar war? Aber ich kann das nicht tun. Ich kann Hüte entwerfen und Kleider nähen, aber ich habe nicht die geringste Ahnung von der Arbeit eines Parfümeurs. Das ist ein besonderes, ein ganz spezielles Fach. Ich schaffe das nicht allein. Und ich wüsste niemanden, der mich in dieser Sache unterstützen könnte. Ich müsste dieser Person unbedingtes Vertrauen schenken. Boy hätte mir geholfen. Aber Boy ist nicht mehr da, um mit mir gemeinsam herauszufinden, wie mein Duft sein soll.«

Misia bezweifelte, dass der kunstinteressierte, literarisch gebildete Arthur Capel die geeignete Person gewesen wäre, Coco mit den Arbeitsprozessen in einem chemischen Laboratorium vertraut zu machen. Sie überging ihre Bedenken und entschied sich, die Sache in die Hand zu nehmen. »Yvonne Coty ist eine gute Freundin. Du kennst sie doch auch, nicht wahr? Kauft sie nicht sogar bei dir? Wie auch immer: Ich könnte sie bitten, mit ihrem Mann zu sprechen. François Coty wird dich gewiss unterstützen. Er kann keiner Frau einen Wunsch abschlagen, und niemand kann dich besser in die Geheimnisse der Düfte einweisen als der weltweit größte Fabrikant von Kosmetikartikeln.«

»Als wir darüber sprachen, meinte Boy, François Coty sei der Beste, um ein *Eau de Chanel* herzustellen«, murmelte Coco.

»Wie recht er hatte.«

Coco sah Misia aus großen, unergründlichen Augen an. »Warum sollte ein vielbeschäftigter Mann wie Monsieur Coty Zeit für mich aufbringen? Man sagt, er sei ein Tyrann.«

»Aber ein sehr charmanter Tyrann.« Misia schmunzelte. »Weißt du, auch ein François Coty hat seine Schwächen. Yvonne erzählte mir, wie wichtig es ihm ist, Eindruck zu machen. Wie dieser Großherzog in Stendhals ›Die Kartause von Parma‹: Je bekannter die Person ist, die Coty mit seinen Fähigkeiten beeindrucken kann, desto besser. Und was ist beeindruckender als eine berühmte Frau, die zum Andenken an ihren Geliebten dessen letzten Willen erfüllen möchte?«

Erstaunlicherweise kam ein wenig Farbe in Cocos bleiche Wangen. »Ein Parfüm zur Erinnerung an Boy. Das ist etwas anderes als ein Monument ...«

»Wenn du einen besonderen Duft findest, *ist* es ein Monument. Ein Denkmal für eure Liebe.« Erstaunt lauschte Misia dem Nachhall ihrer Worte. Wie war sie nur auf diese Formulierung verfallen? Ein Engel musste sie ihr zugeflüstert haben. Es war genau der richtige Gedanke, um Coco aus ihrer Lethargie zu reißen.

»Vielleicht. Ja. Aber dafür müsste ich einen ganz besonderen Duft finden.«

»Du sollst das beste Parfüm der Welt bekommen.« Misia strahlte. Sie überlegte, ob es in der antiken Mythologie eine Gottheit der Wohlgerüche gab. Bedauerlicherweise wusste sie es nicht. Doch einerlei, ob es diese gegeben hatte oder nicht, Cocos Lebensglück war zu wichtig, um es den irdischen Mächten zu überlassen: In Gedanken sandte Misia einen bedeutungsvollen Schwur an alle Götter, die ihr gerade einfielen.

»Zunächst einmal werde ich einen Termin mit François Coty für dich vereinbaren. Ich bin sicher, nach eurem Treffen wird alles ganz einfach sein.«

KAPITEL 4

Würde sich die Leere, die sich immer stärker in ihr ausbreitete, von einem Duft füllen lassen wie Vakuum mit Gas? Gabrielle stellte sich diese Frage fast täglich. Vor allem, wenn Misia zu ihr kam, um ihrem ersten Gespräch über ein *Eau de Chanel* so bald wie möglich Taten folgen zu lassen – und sie besuchte sie fast jeden Nachmittag, sei es in ihrem Atelier, sei es zu Hause, kein Weg war der Freundin zu weit.

Zwar war sich Gabrielle nicht sicher, ob der spontane Entschluss, Boys Idee zu verwirklichen, die richtige Entscheidung war. Das ging ihr alles ein wenig zu schnell. Aber sie folgte Misias energiegeladenem Vorhaben wie in Trance. Dabei schien ihr ganzes Leben nur noch das einer Marionette zu sein. Es war das Schicksal, das die Strippen zog, vielleicht auch Misia. Gabrielle hatte kein Bedürfnis, zu ergründen, warum sie jeden Morgen aufstand, ihre Arbeit im Atelier wie gewohnt aufnahm und jeden Abend wieder zu Bett ging. Sie funktionierte, ohne jedoch einen Sinn darin zu erkennen. Genauso, wie sie, ohne zu hinterfragen, die Bücher über Botanik und Chemie studierte, die Misia anschleppte, obwohl sie kaum ein Wort des Inhalts verstand. Sie las die alten und neuen Zeitungsberichte über François Coty, die Misia irgendwo aufgetrieben und ihr in Ordnern sortiert vorgelegt hatte. Sie tat alles, was von ihr verlangt wurde. Automatisch. Pflichtbewusst. Zufriedenstellend. Wie damals als Waisenmädchen, das den Nonnen im Kloster von Aubazine gehorchen musste.

Als Gabrielle schließlich vor den Toren der Fabrik von François Coty im Pariser Vorort Suresnes stand, stellte sie sich die Frage erneut – und wieder konnte sie nicht sagen, aus welchem Antrieb heraus sie wirklich hierhergekommen war. Sie blickte zu dem Relief auf, das im milchigen Licht dieses spätwinterlichen Morgens etwas Magisches hatte, und dachte, dass letztlich alles, was sie tat, irgendetwas mit Boy zu tun hatte. Mit nichts und niemandem sonst. Nicht einmal mit ihr selbst.

Die Wandskulptur zog sie in ihren Bann. Zwei Frauen waren dort zu sehen, die andächtig vor einem Destilliergefäß knieten. Wunderschön, geheimnisvoll, anziehend. Waren sie Göttinnen, die einen besonderen Duft erschufen? Oder huldigten die Gestalten als irdische Wesen einem göttlichen Parfüm? Es war das Firmenlogo, erschaffen von René Lalique, das sich auch als Wasserzeichen auf dem Briefpapier befand, mit dem der Chef ihren Termin in schwungvoller Handschrift bestätigt hatte. Wahrscheinlich handelte es sich um die Darstellung einer Anbetung der Aromen, die hinter diesen Mauern verarbeitet wurden, entschied sie für sich. Sie suchte das Bildnis nach einer magischen Zahl ab – *eins, zwei, drei, vier, fünf.* Vergebens.

Ein Rempler brachte sie in die Gegenwart zurück. Eine Gruppe junger Frauen lief an ihr vorbei, unachtsam und in Eile. Es war die Uhrzeit, zu der die meisten Mitarbeiterinnen in das Werk strömten. Gabrielle hatte bei ihren Nachforschungen erfahren, dass Coty rund neuntausend Angestellte und Arbeiter in den Laboratorien, Werkstätten, in der Glashütte und in diversen Verpackungsabteilungen in Suresnes beschäftigte, ebenso viele Frauen wie Männer. Er hatte im Laufe von etwa zehn Jahren ein Zentrum der Düfte erschaffen, mit der Zeit waren andere Firmen dazugekommen, und inzwischen trug das Industriegebiet an der Seine den Namen *Perfume City*. Boy hatte natürlich recht gehabt: Dies war tatsächlich der beste Ort, um die Herstellung eines *Eau de Chanel* voranzutreiben.

Gabrielle ließ sich von dem Strom mitreißen. Sie folgte den anderen, ohne sonderlich darüber nachzudenken. Natürlich war sie eleganter gekleidet, aber insgesamt entsprach ihr Typ dem vieler Mitarbeiterinnen von Coty. Wer modisch etwas auf sich hielt, zeigte sich im neuen Stil, trug nur gut wadenlange Röcke und zu einem kurzen Bob geschnittene Haare, und wer weibliche Rundungen besaß, kaschierte diese mit einem speziellen Büstenhalter. Es war die Mode, die Gabrielle als Coco Chanel entwarf und die nach dem Großen Krieg eine neue Generation von selbstbewussten, emanzipierten Frauen schuf – in allen Bevölkerungsschichten, wie sie nun feststellte. Der Anblick ließ ihr Herz höherschlagen und ihren Stolz wachsen, was – zumindest für den Moment – die Traurigkeit von ihrer Seele nahm. Zuversicht machte sich in ihr breit und wärmte ihr Innerstes wie der mit Pelzbesatz verbrämte Mantel, den sie übergeworfen hatte.

Die Direktion des Parfümimperiums befand sich in der Villa am Rande des Fabrikgeländes, die den beziehungsreichen Namen *La Source* – die Quelle – trug. Es war ein provenzalisch anmutendes zweistöckiges Haus mit roten Schindeln und schmiedeeisernen Geländern am Treppenaufgang und an den Balkonen. Für einen Mann, der den Ruf genoss, Renaissance- und Rokokoschlösser zu sammeln wie andere Männer Briefmarken, wirkte es überraschend wenig feudal, was Gabrielle jedoch als angenehm empfand. Protz hatte sie schon immer verachtet. Vielleicht würde sie sich mit François Coty besser verstehen, als sie anfangs vermutet hatte.

Erstaunlicherweise duftete es im Inneren nicht nach den Parfüms, Pudern und Lippenstiften, die von hier aus weltweit vertrieben wurden. Genau genommen roch es in der von schlichter Eleganz geprägten Eingangshalle des Verwaltungsgebäudes nach nichts, was die Sinne beflügelte, nur nach der hereingewehten feuchten Winterluft und nach der Nässe in der Kleidung der Menschen, die den Raum auf dem Weg zu ihrer Arbeitsstelle passierten. Unwillkürlich spürte Gabrielle Enttäuschung in sich aufsteigen. Aber sie tröstete sich mit dem Gedanken, dass die Stofffetzen, Musterschnipsel und Nadeln, die in ihrem Atelier herumlagen, auch keinen Aufschluss über die Modelle zuließen, die dort entworfen, zugeschnitten und genäht wurden.

Sie musste sich eine Weile gedulden, bevor sie in das Allerheiligste geführt wurde. Das Chefbüro bestand aus viel Holz, ein barockes Mobiliar mit sicher überaus wertvollen Gemälden, die Gabrielle jedoch nicht einzuordnen wusste. Den Mittelpunkt bildete neben dem Schreibtisch ein Regal, in dem die Dosen und Flakons aus einmalig schönem Kristall neben gewöhnlichen Arzneiflaschen im hereinfallenden Licht geschickt in Szene gesetzt wurden. Gabrielle wusste, dass die Glaswaren von René Lalique hergestellt wurden, dessen Name seit Jahrzehnten in aller Munde war; spätestens der Schmuck, den er für die Schauspielerin Sarah Bernhardt angefertigt hatte, machte ihn zu einer Berühmtheit.

»Entschuldigen Sie, dass ich Sie warten ließ«, sagte François Coty zur Begrüßung und führte ihre Hand an seine Lippen.

Gabrielle war ihm bereits bei gesellschaftlichen Anlässen begegnet, und sie bezeichnete ihn im Stillen als *Napoleon*. Diese Bezeichnung bezog sich nicht nur auf Cotys Machtfülle: Tatsächlich stammte er auch von Korsika, es ging sogar die Legende, er sei mit der Familie Bonaparte verwandt. Coty war wie der große Kaiser von kleiner Statur, darüber hinaus galt er als Weiberheld und natürlich als prunksüchtig. Es hielt sich das Gerücht, dass er in seiner Hosentasche eine Handvoll Diamanten verwahrte, mit denen er spielte wie mit Murmeln.

»Ich übertreibe nicht, wenn ich behaupte, dass es bei uns gerade drunter und drüber geht«, fuhr Coty fort. Er hielt ihre

Hand ein wenig länger als schicklich. »Mein Flaschenlieferant kann die Nachfrage nicht mehr erfüllen. Die Herstellung von einhunderttausend Flakons, die wir am Tag umsetzen, ist natürlich eine Herausforderung, aber ich bin nicht bereit, die Produktion der Duftwasser zu drosseln, weil Lalique dem Bedürfnis meiner Kundinnen nicht nachkommt.« Die beiläufig erwähnte Zahl streute er gewiss absichtlich ein, um seiner Besucherin deutlich zu machen, dass er ein Weltreich regierte.

Er will beeindrucken, erinnerte sich Gabrielle und schenkte ihm ein verständnisvolles Lächeln. »Natürlich weiß ich zu schätzen, dass Sie mich trotzdem empfangen.«

»In Zukunft werde ich die Glasgefäße selbst entwerfen und produzieren. Das erleichtert den Herstellungsprozess. Gerade habe ich meiner Sekretärin ein Rundschreiben an meine Kunden mit der entsprechenden Information diktiert. Es wird morgen versandt. Sie sind die Erste, die von meinen Plänen erfährt, Mademoiselle Chanel.«

»Das ehrt mich.«

Er strahlte sie an. »Bitte, setzen Sie sich doch.«

Während sie in einem der Fauteuils versank, machte sie sich eine erste Notiz in ihrem Kopf. Sie musste daran denken, einen schönen Flakon für ihr Parfüm zu entwerfen, sich nach einem Glasbläser mit einer kleinen Fabrik umzusehen. Die Schwierigkeiten, denen René Lalique in der Zusammenarbeit mit François Coty ausgesetzt war, spielten für sie keine Rolle. Gabrielle dachte nicht daran, das *Eau de Chanel* in einer höheren Auflage auf den Markt zu bringen. Sie hatte mit Boy über ein besonderes Weihnachtsgeschenk für ihre besten Kundinnen gesprochen – und dabei sollte es auf jeden Fall bleiben. Das bedeutete, dass nicht mehr als einhundert Exemplare hergestellt werden müssten.

Coty bot ihr einen Kaffee an, den sie dankend annahm. Es folgte das übliche Geplänkel über relativ unverfängliche Themen: Coty bedauerte den Tod des Schriftstellers Paul Adam, Gabrielle beklagte sich über das zu milde, feuchte Wetter. Dann kam sie zur Sache und erklärte ihr Anliegen. Der Parfümeur nickte wissend, einige Informationen hatte er bereits durch seine Frau von Misia erhalten, er ließ Gabrielle jedoch ausreden, bevor er galant betonte: »Es ist mir eine Ehre, einen Duft für Sie entwickeln zu dürfen, Mademoiselle Chanel. Eine Zusammenarbeit zwischen uns beiden wird gewiss Früchte tragen.«

»Deshalb bin ich hier.«

»Meine Devise lautet: Bieten Sie einer Frau das bestmögliche Produkt, präsentieren Sie es in einem vollendeten Flakon, verkaufen Sie es zu einem vernünftigen Preis – und Sie werden einen Absatzmarkt von einer Größe aufbauen, wie ihn die Welt noch nicht gesehen hat.«

»Ich suche nach einem Geschenk für meine Kundinnen, nicht nach einem großen Markt.«

Mit einer kleinen Handbewegung schien er diese Einschränkung beiseitezuwischen. »Das ist alles kein Problem. Verlassen Sie sich ganz auf mich, und …«

»Gewiss, Monsieur«, fiel sie ihm mit einem besonders liebenswürdigen Ton ins Wort. »Ich möchte aber noch anmerken, dass ich in den Prozess der Herstellung von Anfang an eingebunden sein will.«

Er zögerte. »Wie meinen Sie das? Sie sind keine Chemikerin, Sie …«

»Selbstverständlich …«, sie unterbrach ihn wieder, »selbstverständlich werde ich das Handwerk den Fachleuten überlassen.« Sie legte eine kleine Pause ein und schenkte ihm ein zuvorkommendes Lächeln, dann fuhr sie fort: »Aber ich möchte jeden Schritt der Herstellung begleiten, auch über die Formel und Fertigung informiert werden. Das ist mir sehr wichtig. Dieses Toilettenwasser ist eine Herzensangelegenheit.«

»Das ist es immer, Mademoiselle Chanel, das ist es immer. Wenn wir nicht mit dem Herzen riechen würden, besäßen Düfte keine Magie. Die Faszination kommt von hier drinnen«, er klopfte sich mit der flachen Hand auf die Brust, »und nicht von hier oben.« Er tippte mit dem Zeigefinger gegen seine Schläfe. »Um Ihre Wünsche zu erfüllen, sollten Sie allerdings eine wesentliche Voraussetzung mitbringen: Wie steht es um Ihre Nase?«

Unwillkürlich fuhr sie sich ins Gesicht. »Wie meinen Sie das?«

»Ich zeige es Ihnen.« Er stand auf, trat an das Regal mit den Glasflaschen und nahm einen Flakon und drei Apothekerphiolen in seine großen Hände. Zurück in der Sitzecke, legte er alles auf den Tisch zu den Kaffeetassen. Dann öffnete er den Flakon und reichte ihr den Stöpsel aus Kristall. »Was riechen Sie?«

Sie schnupperte. Die Antwort auf seine Frage war einfach. Sie erkannte den unverwechselbaren Duft sofort. »Das ist *Chypre*.«

»Ja. Es ist mein Parfüm. Das erfolgreichste Toilettenwasser der Welt. Mir war klar, dass Sie es erkennen würden. Ich meinte vielmehr, welche Aromen riechen Sie?«

»Da ist Jasmin …«, murmelte sie stirnrunzelnd. Plötzlich war sie sich nicht sicher, ob sie einfach nur sagte, was sie wusste, oder ob sie tatsächlich die schwere Süße von Jasmin wahrnahm. Sie versuchte, sich auf ihren Geruchssinn zu konzentrieren, aber die weiteren Ingredienzien konnte sie nicht im Detail ausmachen. »Es erinnert ein bisschen an den Duft von Puder …«, sie unterbrach sich, um hinzuzufügen: »Irgendetwas erinnert mich an einen Waldspaziergang.«

»Nicht schlecht«, lobte er. »Sie sind gut, Mademoiselle Chanel. Es wird sich lohnen, Ihre Nase ein wenig auszubilden. Die Kopfnote besteht tatsächlich aus Jasmin, dazu kommen Patschuli, Vetiver, Sandelholz, Bergamotte und Eichenmoos. Diese *Bouillon de Mousses* ist das Geheimnis eines modernen Parfüms. Einem Parfümeur bieten sich Hunderttausende von Möglichkeiten dafür, es ist seine Kunst, die richtige Formel zu finden. Das sollten Sie alles wissen, bevor Sie in den kreativen Prozess einsteigen.«

Erwartete Coty etwa, dass sie eine chemische Lehre machte, bevor er sie in die Herstellung eines *Eau de Chanel* einband? »Ich habe davon gehört, wie schwer die Ausbildung zum Parfümeur ist«, gab sie zu. Aber nichts ist zu schwer, um es nicht wenigstens zu versuchen, dachte sie bei sich. Boy hatte immer ihren Mut bewundert, Dinge auszuprobieren, vor denen andere Frauen kapitulierten. Um Étienne Balsan und seinen Gästen damals zu gefallen, hatte sie innerhalb weniger Tage reiten gelernt. Bald saß sie auf seinen Pferden, als wäre sie im Sattel geboren. Dabei mochte sie Pferde nicht einmal besonders.

Coty unterbrach ihre Erinnerungen, indem er ihr den Stöpsel aus der Hand nahm und damit den Flakon verschloss. Anschließend zog er den Korken aus einer der braunen Fläschchen. »Was ist das?«

Der durchdringend würzig-süße Duft war unverkennbar. »Das ist Sandelholz«, rief sie triumphierend aus.

»Exakt.« Er tauschte Pfropfen und Glasgefäß aus. »Bitte, versuchen Sie es auch hiermit.«

Gabrielle hatte erwartet, dass er ihr eine schwierigere Aufgabe stellen würde, aber sie hatte nicht gedacht … du lieber Himmel, was war denn auf einmal los? Ihre Nase roch nichts. Es war wie bei einer schweren Erkältung. In ihr stieg schwach das Aroma von Orangen auf, aber das konnte auch Einbildung sein. Oder versuchte er, sie in die Irre zu führen, indem er ihr einen geruchsneutralen Stoff anbot? Verwirrt schüttelte sie den Kopf. »Ich habe keine Ahnung.«

»Natürlich nicht.«

Sie wusste nicht, ob sie schmunzeln oder verärgert sein sollte, weil sie sich von ihm aufs Glatteis geführt fühlte. Coty spielte also den findigen Prüfer. Wie albern von ihm.

Doch da fuhr er ruhig fort: »Die Nase verschließt sich nach

spätestens drei Duftproben, bei intensiven Parfüms auch schon früher. Das ist übrigens Bergamotte.« Er langte über den Tisch zu einer antiken, mit Goldornamenten dekorierten Porzellandose, schraubte den Deckel auf. Sie hatte angenommen, er würde dort seine Zigarren aufbewahren, und war überrascht über das Aroma, das ihr entgegenwehte. »Bitte, Mademoiselle Chanel, schnuppern Sie ein wenig an diesen köstlichen Mokkabohnen. Kaffee neutralisiert den Geruchssinn.«

Ich muss noch viel lernen, fuhr es ihr durch den Kopf, während sie seinem Vorschlag nachkam. Die Wirkung war überraschend. Ihre Nase fühlte sich wieder frei und aufnahmebereit an. Ich werde zu Hause üben, beschloss sie im Stillen. Genauso, wie ich mich allein auf ein Pferd gesetzt habe und einfach losgeritten bin, werde ich mich in der Kunst der Düfte weiterbilden. Als sie reiten lernte, hatte sie nicht geahnt, dass sie kurz darauf ihrer großen Liebe in Person eines Polospielers begegnen würde. Jetzt wollte sie ihren Geruchssinn schulen, um diese Liebe für die Ewigkeit zu bewahren. Sinnlich, frisch, unvergänglich – so sollte das *Eau de Chanel* sein. Gabrielle lächelte zufrieden. Immerhin verhalf ihr Coty durch seine Einführung zu einer Vision.

Coty stellte sie noch weiter auf die Probe, ließ sie an immer neuen Aromen schnuppern und nannte ihr die Namen von Essenzen, deren Existenz ihr trotz ihrer intensiven Lektüre, mit der sie sich vorbereitet hatte, nicht bekannt gewesen war. Er benutzte nicht nur die geläufigen Bezeichnungen wie Kopf- und Herznote, sondern differenzierte auch zwischen Akkorden und Duftfamilien. Wie immer, wenn sie etwas lernen wollte, hörte Gabrielle schweigend zu, sog jede Information in sich auf. Etwa, dass die Verbindung des Toilettenwassers mit der Haut seiner Trägerin die größte Herausforderung an die Chemiker war. Die meisten Stoffe verflüchtigten sich an der Luft zu schnell. Deshalb experimentierten viele Parfümeure mit künstlichen Stoffen als Träger der natürlichen Substanzen. »Aber das wird sich nicht durchsetzen«, behauptete Coty. »Die Herstellung ist viel zu teuer für einen größeren Markt.«

Später führte er sie durch seine Fabrik. Er erklärte auf dem Weg zu den großen Hallen, dass die hochwertigsten Rosen- und Jasminarten in Südfrankreich wüchsen und er deshalb eine Sortieranlage in Grasse unterhalte. »Jeden Tag sind dort rund einhundert Frauen damit beschäftigt, die besten Blüten für die Destillation zu finden. Das Ergebnis wird dann hier weiterverarbeitet.« Die Räume, die sie durchschritten, waren von einer fast klinischen Reinheit. Gabrielle kam sich zuweilen wie in einem Krankenhaus vor, und das lag nicht nur an den weißen Kitteln, die von allen Mitarbeiterinnen getragen werden mussten. Durch eine geöffnete Tür erkannte Gabrielle einen Saal mit langen Tischen, an denen unzählige, sicher Hunderte Frauen damit beschäftigt waren, Glasflaschen aus einer Holzkiste zu nehmen, sie genau anzusehen und dann in eine andere Kiste zu legen. »Kontrolle ist der einzig mögliche Weg zur Perfektion«, sagte Coty, als er ihren Blick bemerkte. Dann kamen sie in einen Saal, in dem sich Verpackungen stapelten und von Männern in derselben klinisch reinen Arbeitskleidung für den Versand vorbereitet wurden. Die Menge an Paketen war tatsächlich beeindruckend.

»Und hier ist das Labor«, Coty öffnete eine Tür, »betrachten Sie es bitte als Ihre künftige Wirkungsstätte, Mademoiselle.« Er zwinkerte ihr zu und ließ sie eintreten.

Plötzlich war Gabrielle von einer großen Duftwolke umfangen. Die Aromen, die sie bislang nirgendwo in Cotys Imperium gerochen hatte, waberten in ungeahnter Intensität um sie herum. In der Luft des Labors schienen sich alle Stoffe zu verbinden, die in verschlossenen Phiolen, Apothekerflaschen und Reagenzgläsern aufbewahrt und an den hellen, sauberen Arbeitstischen zu Verbindungen vermischt wurden. Hinter ihren Schläfen begann sich Kopfschmerz auszubreiten. Sie betrachtete die Männer und ihre Assistentinnen in den weißen Kitteln und fragte sich, wie es die Parfümeure und Chemiker in dieser Atmosphäre schafften, die verschiedenen Bestandteile eines Toilettenwassers auseinanderzuhalten.

Als habe er ihre Gedanken erraten, sagte Coty: »Eine ausgebildete Nase kann sich auf einen bestimmten Duft konzentrieren. Aber darum geht es nicht immer. Oft werden die Herznoten nur durch die chemische Formel komponiert, so dass der Geruchssinn in diesem Moment eine untergeordnete Rolle spielt. Aber das werden Sie alles kennenlernen, wenn Sie bei mir in die Lehre gehen.«

Gabrielle drückte mit den Fingerspitzen gegen ihre Nasenwurzel und nickte ergeben.

KAPITEL 5

Misia ließ sich von Coco über jeden Fortschritt ausführlich informieren, den die Nase der Freundin in den folgenden Wochen machte. Mit einer gewissen Regelmäßigkeit trafen sie sich in der Parfümabteilung der Galeries Lafayette, wo es die größte Auswahl an Düften gab. Es war der geeignete Rahmen für Cocos immer professioneller klingende Vorträge. Unabhängig von Cocos Referaten, liebte Misia die schwere Wolke unterschiedlichster Aromen, die über den ausgestellten Waren hing, und das Glitzern der Flakons im Licht. Gerade erklärte Coco, dass das berühmte *Jicky,* seit Jahrzehnten *der* Verkaufsschlager der Gebrüder Guerlain, aus Patschuli und Vanille bestand. Und sie stellte Misia über den Tisch mit den funkelnden Flakons hinweg eine Frage, die Misia zutiefst verwirrte: »Wie drückt sich Erotik in einem Duft aus?«

»Moschus«, entfuhr es Misia spontan. »Sexualität riecht immer nach Moschus.«

»Ich will kein Bordell aufmachen, sondern ein Parfüm entwickeln.«

73

Misias Augenbrauen hoben sich. Coco hatte ihr erst kürzlich erklärt, dass ein Duft immer eine Botschaft seiner Trägerin war. Wollte die Freundin mit ihrer Suche nach einer sinnlichen Formel womöglich andeuten, dass es einen neuen Mann in ihrem Leben gab? Nichts hätte Misias Herz mehr Freude gemacht. Allerdings war schwer vorstellbar, dass Coco unbemerkt eine Affäre eingegangen war. Wie sollte sie denn überhaupt einen geeigneten Kavalier kennenlernen? Meist ging sie nur zur Arbeit und für ihre Parfümstudien aus dem Haus. Die Pariser Gesellschaft sah sie höchstens bei einem *dîner*, einer Theaterpremiere oder auf einem Ball, wenn ihre Anwesenheit für das Modehaus Chanel unbedingt von Bedeutung war. Ansonsten zog sie sich sogar von ihren besten Freunden zurück, nur mit Misia pflegte sie noch regelmäßigen Kontakt. Seit Boys Unfall waren inzwischen drei Monate vergangen, aber Coco verschloss sich nach wie vor der Welt, die ohne ihn weiterexistierte.

»Also kein Moschus«, erwiderte Misia lahm, während sie ebenso automatisch wie wahllos nach einem Probierfläschchen griff und es öffnete. Die süßen Aromen von Rosen, Jasmin und Pfirsichen wehten ihr entgegen.

»Eine moderne Frau sollte zu ihrer Sexualität stehen. Die Modernität ist Ausdruck meiner Mode, deshalb sollte sie auch in meinem Parfüm erkennbar sein.« Coco schluckte. »Ich möchte, dass meine sinnliche Verbindung zu Boy eines der tragenden Elemente dieses Duftes wird. Deshalb ist mir die Erotik hier so wichtig.«

Misia seufzte. Tatsächlich kein neuer Liebhaber. Kurz hatte

sie erwogen, dass ihre Freundin dem Charme François Cotys erlegen sein könnte. Nur wenige Frauen waren vor ihm sicher. Offenbar gehörte Coco dazu. Oder ihre Besessenheit, einem Toten ein Denkmal zu setzen, schreckte Coty ab. Wie jeden anderen Mann vermutlich auch.

Misia bewunderte Coco für diese bedingungslose Liebe. Sie selbst liebte José Sert so sehr, dass sie ihr eigenes Glück hintanstellte, und der Mann, mit dem sie lebte, war diese Hingabe auch wert. Davon war Misia überzeugt. Aber galt dies auch für Arthur Capel? Natürlich sollte sie über einen Verstorbenen nicht einmal schlecht denken, aber die kürzlich erfolgte Veröffentlichung seines Testaments in der *Times* hatte nicht nur bei Klatschbasen für einige Spekulationen gesorgt: Die Haupterbinnen seines Vermögens in Höhe von siebenhunderttausend Pfund waren natürlich seine Gattin und seine kleine Tochter, ein paar Legate gingen an seine Schwestern; für Aufsehen sorgten jedoch die Zuwendungen an Gabrielle Chanel und an eine Prinzessin Yvonne Giovanna Sanfelice, verwitwete Yvonne Viggiano – es handelte sich jeweils um exakt dieselbe Summe: vierzigtausend Pfund. Seither fragte sich *tout le monde*, ob Boy mehr als ein Doppelleben geführt hatte. Hinzu kam, dass inzwischen die zweite Schwangerschaft seiner Witwe bekannt geworden war. Wollte Boy seine Frau wirklich verlassen, wie Coco behauptete? Oder hatte er sich vielmehr hoffnungslos in seine Beziehungen verstrickt? Vielleicht handelte es sich ja gar nicht um einen tragischen Unfall …

Der Gedanke an einen möglichen Selbstmord war natürlich

eine noch größere Sünde als üble Nachrede. Misia war entsetzt über die eigene Torheit. Um sich mit etwas anderem als dem Liebesreigen von Arthur Capel zu beschäftigen, blickte sie auf das gelbgoldene Etikett des Flakons, an dem sie gerade geschnuppert hatte: *Mitsouko*. Es war der neue Duft von Guerlain. Ohne noch einmal daran zu riechen, stöpselte sie die Flasche wieder zu. Dabei versuchte sie eine vernünftige Antwort auf Cocos Monolog zu finden.

»Ich habe vor langer Zeit einmal gelesen, dass sich Cleopatra vor ihrer ersten Begegnung mit Marc Aurel mit Sandelholz parfümierte und in ihren Räumlichkeiten Zimt, Myrrhe und Weihrauch verbrennen ließ. Vielleicht sind das ja die Stoffe, nach denen du suchst.«

»Madame Pompadour vertraute ebenfalls auf die Wirkung eines Aphrodisiakums. Allerdings wohl eher auf eines, das man essen kann.« Endlich lächelte Coco.

Die schweren Düfte lasteten inzwischen ebenso auf Misia wie ihre unerfreulichen Gedanken. Es wurde Zeit, dass sie ein wenig frische Luft schnappte. »Apropos: Was hältst du von einem kleinen Imbiss? Ich habe Hunger, und vielleicht treiben wir irgendwo ein paar frische Austern auf. Es sollten die letzten *Bélons* für diese Saison sein.« Sie hakte sich bei der Freundin unter, als müsste sie Coco mit Gewalt aus der Parfümabteilung zerren.

Doch die hatte nichts gegen eine kleine Schlemmerei. »Wenn wir einen Tisch haben, werde ich dir von meinem neuen Haus erzählen.«

Misia, die sich bereits anschickte, mit Coco zum Ausgang zu gehen, blieb auf dem Fuß stehen: »Du willst umziehen?«

»Ich habe eine Villa in Garches gefunden, ganz in der Nähe meines alten Hauses«, antwortete Coco leichthin. »Es ist die beste Gelegenheit, das Geld zu investieren, das Boy mir vermacht hat.«

Misia war sich nicht sicher, ob sie erfreut über Cocos Pläne sein sollte oder enttäuscht war, weil sie nicht früher darin eingebunden worden war. Im ersten Moment überwog die Kränkung. »Warum hast du ein Geheimnis um dein neues Zuhause gemacht?«

»Das mache ich doch überhaupt nicht. Ich erzähle dir ja gerade davon. Und ich bitte dich, mir bei der Einrichtung zu helfen. Komm endlich, Misia, gehen wir ins Café de la Paix. Ich bin sicher, dass es dort noch Austern gibt. Und dann klären wir, wann du dir das Anwesen ansehen kannst.«

Sie blickt nach vorn, dachte Misia. Endlich.

Doch als sie mit Coco beschwingt das Kaufhaus verließ, hatte sie noch keine Ahnung von den wahren Hintergründen dieses Hauses.

* * *

»Du hast – was …?« In Misias Ton schwangen Unglaube und Empörung. Ihre Worte hallten von den kahlen Wänden des unmöblierten Salons wider.

Gabrielle hatte nicht mit dieser Fassungslosigkeit gerechnet. Warum störte sich Misia daran, dass sie Boys Haus gekauft hatte? Mit dem Testament waren auch all seine Besitztümer in der *Times* veröffentlicht worden. Bei der Lektüre war sie auf dieses Anwesen nicht weit von *La Milanaise* gestoßen. Anfangs war sie irritiert, weil sie nichts davon wusste. Dann beauftragte sie einen Makler, Nachforschungen anzustellen. Schließlich erfuhr sie, dass Monsieur Capel erst kürzlich der Eigentümer von *Bel Respiro* geworden war. Er hatte diese wunderschöne, architektonisch ebenso schlichte wie stilvolle dreistöckige Villa für sie erworben – davon war Gabrielle überzeugt. Für wen sonst, wenn nicht für sie? Wahrscheinlich sollte es sein Weihnachtsgeschenk sein. Da er nicht mehr dazu gekommen war, ihren Namen in die Urkunden eintragen zu lassen, hatte sie die Übernahme eben auf anderem Wege vollzogen. Der Kaufpreis belief sich auf vierzigtausend Pfund, und Boys Witwe erfuhr erst durch die Unterschrift auf dem Kaufvertrag, wer die Person war, die durch einen Rechtsanwalt vertreten wurde. Gabrielle hatte diese Vorsichtsmaßnahme gewählt, damit Diana nicht aus Eifersucht einen Rückzieher machte.

»*La Milanaise* gehört mir nicht, ich wohne dort nur zur Miete«, erklärte sie mit ruhiger Stimme, obwohl sie sich über Misias geringe Begeisterung ärgerte. Allerdings musste sie sich eingestehen, dass sie mit Vorbehalten durch die Freundin gerechnet hatte. Deshalb hatte sie ihr die Hintergründe auch nicht gleich erzählt, sondern sie bei dieser ersten Einladung in die neuen Räume vor vollendete Tatsachen gestellt. Gabrielle ging davon aus, dass Misia und José Sert und auch die anderen Freunde ihr von diesem Geschäft abgeraten hätten. Trotzig fügte sie daher hinzu: »Der Erwerb dieses Anwesens ist eine gute Anlage für Boys Vermächtnis.«

»Warum hast du dir kein Haus an der Côte d'Azur gekauft?«, zischte Misia.

»Es ist eine gute Investition«, beharrte Gabrielle.

»Du solltest aufhören, in der Vergangenheit zu leben, und dich von deinen Erinnerungen frei machen, anstatt dich darin zu verkriechen. Im wahrsten Sinne des Wortes. Coco, du musst leben!«

Gabrielle hatte nicht erwartet, dass ihr Misias Protest ins Herz schneiden würde. »Ich möchte mich nicht von meinen Erinnerungen befreien. Und ich lebe. Sogar sehr gut. Das siehst du doch.«

Die beiden Frauen starrten sich unversöhnlich an.

Natürlich wusste Gabrielle, dass Misia auf gewisse Weise recht hatte. Aber ihr Leben würde nie wieder gut werden, ganz gleich, welche Anstrengungen die Freundin auch unternehmen wollte. Das Haus, das Boy ausgesucht und gekauft hatte, barg etwas von seinem Geschmack und seinen Visionen. Sich darin aufzuhalten gab Gabrielle einen Teil jener Geborgenheit, die sie sonst nur in seiner Umarmung gespürt hatte. Sie konnte seinen letzten Besitz niemand anderem überlassen, das wäre ihr wie ein Verrat erschienen. Doch all das sagte sie nicht. Sie fürchtete, ein falsches Wort würde Misia veranlassen, grußlos zu gehen. Und sie mochte auch nicht klein beigeben.

Doch als die Freundin stur auf ihrem Platz ausharrte und

keine Erwiderung über die Lippen brachte, wagte Gabrielle schließlich einen versöhnlichen Vorstoß: »Ich habe eine Idee für die Inneneinrichtung. Alles soll in hellen Tönen gehalten sein, dazu dunkles Holz. Was meinst du?«

Misia zuckte scheinbar gleichgültig mit den Achseln, aber in ihren Augen flackerte Interesse. »Schwarz und Weiß. Ja. Das könnte große Wirkung haben.«

»Ich möchte auch das Haus weiß streichen lassen«, fuhr Gabrielle lebhaft fort, »und die Fensterläden sollen schwarz lackiert werden.«

»Schwarze Fensterläden?« Die Fassungslosigkeit, die eben in Misias Blick erloschen war, loderte wieder auf. »Ich bitte dich, das kannst du nicht machen. Das ist ein Bruch mit allen Konventionen.«

Es ist ein ewiges Zeichen meiner Trauer, fuhr es Gabrielle durch den Kopf. Laut sagte sie: »Seit wann schert mich, was sich gehört?«

Misias Mundwinkel zuckten. »Deine Nachbarn werden dich hassen.«

Trotz blitzte in Gabrielles Augen auf. »Ich weiß.«

»Aber ich liebe dich«, verkündete Misia, »und ich werde dir die schönste und exklusivste Einrichtung schenken, die je ein Haus gesehen hat.« Sie streckte die Arme aus, um Gabrielle an sich zu ziehen.

Und dann hallte das Lachen der Freundinnen von den kahlen Wänden wider.

ZWEITER TEIL

1920-1921

KAPITEL 1

»Willkommen in Venedig, Mademoiselle!«

Gabrielle schrak hoch und blickte verstört in das freundliche Gesicht des Schaffners, der die Abteiltür einen Spaltbreit aufgezogen hatte. Ein Alptraum hatte sie die letzten Stunden ihrer Reise begleitet. Auch so viele Monate nach dem Unfall hielt ihr Unterbewusstsein die letzten Minuten von Boy lebendig. In ihrem Kopf hallte das Kreischen der Bremsen unverändert nach, wenn sie die Augen schloss. Das Rattern der Zugräder hatte sie in den Fond des Automobils verfrachtet, wie einen Geist, der auf dem Rücksitz als Beobachter des Grauens Platz genommen hatte. Das Bremsen der Lokomotive vor dem Halt im Bahnhof Santa Lucia war ebenso zu ihr durchgedrungen wie die schrecklichen Geräusche, als das Cabriolet zerschellte.

Er war viel zu schnell unterwegs, aber er war ein Mensch, der nichts besonnen oder langsam tat. Das Aufheulen des Motors war Musik in seinen Ohren, mal Scherzo, dann Rondo. Die

Bremsscheiben quietschten. Stahl rieb auf Stahl, Gummi auf Teer. Dann hob sich das Fahrzeug in die Lüfte, knickte Sträucher und Bäume ab, um schließlich auf einer Felskante aufzuschlagen und in einem Feuerball zu explodieren.

Der Aufprall hallte noch in ihrem Kopf nach, als der Angestellte der Simplon-Orient-Express-Gesellschaft sie in die Gegenwart zurückholte.

Sie riss sich zusammen. Gabrielles Blick wanderte zwischen dem Fenster ihres exklusiven Schlafwagenabteils und dem Zugbegleiter hin und her. An den Gleisen herrschte offenbar bereits das übliche Chaos nach der Ankunft, der Anblick glich jedem anderen Bahnhof, den sie kannte: Wild durcheinanderlaufende Menschen, Taschen und Körbe, die über Köpfe getragen wurden, wenn es kein Durchkommen in der Menge mehr gab. Die Stimme nach dem wenig erholsamen Schlaf noch rauer als sonst, wies sie den Schaffner an: »Bitte besorgen Sie mir jemanden, der sich um mein Gepäck kümmert.«

Er verneigte sich leicht. »Es ist bereits für alles gesorgt. Ihre Koffer werden direkt zum Boot des Grand Hotel des Bains an den Lido gebracht.« Er zögerte, dann brach es aus ihm heraus: »Geht es Ihnen gut, Mademoiselle? Ich bildete mir ein, Sie schreien gehört zu haben.«

»Das muss ein Irrtum sein.« Mit einer flatternden Bewegung ihrer Hand schickte sie den Bahnangestellten fort. »Danke.«

Erst als die Abteiltür wieder geschlossen war, löste sich die

Anspannung in ihren Gliedern. Dass sie geschrien hatte, war nicht abwegig. Vielleicht war sie doch kein so still beobachtender Geist wie angenommen. Gabrielle sank in den Sitz zurück und schloss für einen Moment die Augen. Glücklicherweise kehrten die entsetzlichen Bilder des Alptraums nur noch verschwommen unter ihren Lidern zurück. Warum jetzt? Warum hier? Was geschah mit ihr, dass sie ausgerechnet auf dieser Reise von diesen Erinnerungen bedrängt wurde wie von einem uneinsichtigen, verschmähten Liebhaber? Sie fuhr ja nicht einmal an die Riviera, sondern an einen Ort, an dem sie nie zuvor gewesen war. Nichts in Italien, geschweige denn Venedig, verband sie mit Boy.

In ihrem unermüdlichen Versuch, Gabrielle aus ihrer Trauer zu reißen, scheute Misia nicht einmal davor zurück, die Freundin auf die eigene Hochzeitsreise mitzunehmen. In einer spontanen, schlichten Zeremonie hatten Misia Edwards und José Sert Ende August in Paris geheiratet, um anschließend nach Italien aufzubrechen. Dabei vergaß das frisch vermählte Paar jedoch nicht, Gabrielle zu überreden, sich ihnen anzuschließen. Was für eine komische Idee der beiden! Ebenso ungewöhnlich wie berührend. Gabrielle reiste eigentlich nur deshalb nach Venedig, weil sie Misia nicht enttäuschen wollte. Die beiden waren so liebevoll zu ihr, da durfte sie nicht abweisend und unhöflich reagieren. Und vielleicht würden südliche Sonne und venezianische Kunst ihr ja tatsächlich helfen, loszulassen. Gabrielle spürte selbst, wie ihr magerer Körper langsam unter der Last ihrer Verzweiflung zerbrach.

Mit einem tiefen Seufzen öffnete sie ihre Augen. Sie griff nach ihrer Handtasche, suchte darin nach einem Spiegel, überprüfte ihr Äußeres. Sie war gerade siebenunddreißig Jahre alt geworden, und während sie früher immer zehn Jahre jünger geschätzt wurde, wirkte sie nun mindestens wie eine Vierzigjährige. Ihr olivbrauner Teint wirkte fahl, die schwarzen Brauen wie Kohlestriche über ihren vom vielen Weinen rotgeränderten, umschatteten Augen, die Mundwinkel hingen schlaff herab wie bei einer alten Frau. Sie bemühte sich, ihrem Spiegelbild ein Lächeln zu schenken, doch es wollte nicht recht gelingen.

Der Bahnsteig wirkte auch aus der Nähe wie alle anderen Bahnsteige, die Gabrielle kannte. Normal. Eintönig, grau, überfüllt. Nichts war so prächtig und einmalig schön, wie sie es von Venedig erwartet hatte. Von Kanälen und Palazzi fehlte jede Spur, keine mit Juwelen behangenen Nachkommen venezianischer Dogen bevölkerten die Gleise, und schon gar keine verführerischen Kurtisanen. Die Gesellschaft, die der ersten Klasse des Simplon-Orient-Express entstieg, bestand überwiegend aus lärmenden Amerikanern und Engländern, die schon in der ersten Sekunde ihrer Ankunft im Süden mit Schweißausbrüchen zu kämpfen hatten. Die flirrende Septemberhitze senkte sich über die Gleise, wurde vom Perron aufgeladen und fing sich mit dem Gestank von schwelender Kohle und schwitzenden Leibern unter dem Glasdach.

Gabrielles feine Nase sträubte sich unwillkürlich gegen die Gerüche. Sie hielt die Luft an, was jedoch wenig nutzte, da sie eingekesselt war. Vor ihrer kleinen, zierlichen Gestalt formten sich Ankommende, Bahnangestellte und Kofferwagen zu einem Bergmassiv, das ihr nicht einmal eine gewisse Rundsicht erlaubte. Falls Misia und José sie abholten, versteckten sie sich in irgendeinem Tal zwischen den vielen Menschen. Und dieser Lärm! Ihr Trommelfell drohte ob der Kakophonie aus Stimmen und verschiedenen Sprachen, Motorgeräuschen und zischendem Dampf zu platzen. Dagegen war der lebhafteste Betrieb auf dem Bahnhof von Nizza ein wahrer Ruhepol. Sie gab es auf, nach ihren Freunden zu suchen, es kostete sie zu viel Mühe, in dem Durcheinander den Weg zum Ausgang zu finden.

»Coco!«

Bei dem Ausruf kam es Gabrielle vor, als würde ein schützender Mantel über sie geworfen.

Sie entdeckte Misia am Ende der Bahnhofshalle unter dem Schild mit der Aufschrift *Vaporetto*. Der Anblick ihrer schönen, eleganten Freundin wirkte wie eine kühle Brise auf sie: Hochgewachsen, das blonde Haar unter einem breitrandigen, schlichten Sonnenhut verborgen und in ein leichtes wadenlanges Hemdblusenkleid aus dem Hause Chanel gekleidet.Bewundernde und überraschte Blicke streiften sie, wahrscheinlich konnte sich kaum jemand vorstellen, in dieser Umgebung so frisch auszusehen. Unwillkürlich lächelte Gabrielle.

Sie sank in Misias Arme. »Es ist so schön, wieder bei dir zu sein.«

»Du siehst schrecklich aus«, gab die Freundin unumwunden zurück, während sie den Arm um sie legte und sie sanft zum Ausgang schob. »Aber wir werden dich hier schon auf andere Gedanken bringen. Venedig ist die beste Stadt, um das Leben wieder in Schwung zu bringen.«

Sie hatte keine Zeit, auf diese Bemerkung zu reagieren, denn die Glastüren des Bahnhofsgebäudes öffneten sich – und Gabrielle war plötzlich wie geblendet. Ihr Blick traf endlich auf die Kulisse, die sie von Fotografien kannte und auf die sie doch nicht zu hoffen gewagt hatte.

Der Canal Grande glänzte stahlblau im Licht der Nachmittagssonne, zwei Gondeln glitten ruhig dahin, tauchten ein in den Dunst, der aus den Schornsteinen der kleinen Schiffe puffte, die am Anleger des Bahnhofs auf die Massen warteten. Auf der anderen Seite der Wasserstraße erhoben sich die prachtvollen mittelalterlichen Gebäude in sattem Tizianrot, das seinen Namen dem berühmtesten Maler Venedigs verdankte, und in einem goldenen Gelb vor einem leuchtend blauen Himmel. Eine schwache Brise strich über den Kanal, nicht wirklich Wind, aber doch kräftig genug, um den typischen Geruch von Algen und Teer zu ihr zu tragen, der über jeder Hafenstadt hing. Das Stimmengewirr war im Freien nicht leiser, aber weniger dröhnend. Die Menschen verteilten sich auf die verschiedenen Dampfschiffe, die ein wenig wie die kleinen Lastkähne auf der Seine aussahen. Als Gabrielle dem Strom folgen wollte, wurde sie von Misia in eine andere Richtung gedrängt.

Unter einem kleinen blauen Baldachin mit Goldtroddeln wurden sie von José Sert erwartet. Der ein wenig zur Fülligkeit neigende Spanier winkte mit großer Geste, bevor er Gabrielle in die Arme schloss und auf beide Wangen küsste. »Das Taxi wartet auf Sie, Mademoiselle Coco«, alberte er und deutete auf das kleine Motorboot unterhalb des Stegs. »Das Gepäck wird mit dem Hotelschiff zum Lido transportiert. Wir gönnen uns indes die bequemste Art der Fortbewegung. Nicht die romantischste, aber alles zu seiner Zeit.«

Der Schiffsmann im blau-weiß geringelten Matrosenhemd reichte Gabrielle die Hand, um ihr an Bord zu helfen. Sie zögerte kurz, weil sie eigentlich den Verbleib ihrer Koffer unter Kontrolle behalten wollte, aber dann beschloss sie, ihrem Schicksal zu vertrauen. Oder dem venezianischen Gepäckträger, der Simplon-Orient-Express-Gesellschaft, dem Grand Hotel des Bains – und ihrem Freund José. Ohne sich noch einmal umzudrehen, kletterte sie über die Planken und ließ sich auf der Sitzbank in Fahrtrichtung nieder.

Willkommen in Venedig, Coco Chanel, dachte Gabrielle. Willkommen in einem neuen Leben.

KAPITEL 2

Gabrielle kannte Deauville, Biarritz, Cannes und Monte Carlo.
Sie kannte die Weite weißer Strände und die Unendlichkeit
der See, bunte Badehütten und prachtvolle Residenzen, luxuriöse Hotels und deren elegante Klientel. Das alles gab es am
Lido von Venedig auch, dennoch war irgendetwas anders.
Selbst am zum offenen Meer ausgerichteten Strandbad der
vorgelagerten Insel verblasste im Kopf niemals die Aussicht,
die man hier eigentlich im Rücken hatte: die gewaltige Kulisse
der Kirche San Giorgio Maggiore, die wie ein Tor zum Canal
Grande wirkte. Das Wissen um die unfassbar bunte Vielfalt
der jahrhundertealten Kunst jenseits des Orfanokanals beflügelte selbst die leichten Gespräche unter der sengenden Sonne
oder bei einem Aperitif auf der säulenbewehrten Terrasse des
Grand Hotel des Bains mehr, als jeder gesellschaftliche, politische oder künstlerische Skandal dies vermochte.

Das mondäne Publikum unterschied sich an der Adria jedoch wenig von dem vergleichbarer Orte. Es bestand zu großen Teilen aus den vielen russischen Emigranten, die seit der

Revolution im ehemaligen Zarenreich auch die Bäder am Atlantik und die Küsten des Mittelmeers bevölkerten und in einem nimmer enden wollenden Rausch das Überleben feierten. Während Gabrielle neben Misia und José unter einem Sonnenschirm döste, nahm sie um sich herum slawischen Singsang oder zumindest den harten Akzent wahr, der sich ins Französische oder Englische einschlich. Es waren inzwischen vertraute Töne, obwohl sie kein Wort Russisch verstand und die meisten Flüchtlinge als Vertreter der zaristischen Oberschicht ohnehin überwiegend Französisch sprachen. Gabrielles Herz öffnete sich dafür, seit die ersten Fürsten und Grafen aus Sankt Petersburg und Moskau in Paris aufgetaucht waren. Sie fand die hochgewachsenen Mitglieder einer untergegangenen Aristokratie nicht nur ausgesprochen attraktiv, sie schätzte vor allem deren Bildung und Kultiviertheit, ihren Geschmack und ihre Eleganz. Unglücklicherweise hatten die meisten von ihnen jedoch ihr Vermögen verloren und waren so arm wie die berühmt-berüchtigten Kirchenmäuse. Deshalb lebten sie von der Hand in den Mund, von der Großzügigkeit ihrer Mäzene oder Geliebten und Liebhaber und von Spenden ihrer Freunde. Auch Misia sammelte über ein Förderkomitee Geld, allerdings vor allem für das *Ballets Russes*, eine Tanzgruppe, die bereits vor dem Großen Krieg durch Westeuropa getourt war. Am frühen Abend wollten die Serts den Impresario treffen, den berühmten Sergej Djagilew, natürlich mit Gabrielle im Schlepptau.

Es machte ihr nichts aus, in diesen Tagen eine Art Schatten

ihrer Freunde zu sein. Sie stand ohnehin nicht gern im Mittelpunkt, hörte lieber zu, wenn andere sprachen, schärfte ihr Gedächtnis und ihren Verstand, wenn sie den geistreichen Unterhaltungen anderer lauschte. Tatsächlich erwies sich die Reise nach Venedig als Balsam für ihre verwundete Seele. Sie trug keine Verantwortung, musste nicht organisieren und erledigen wie in ihrem Atelier, traf niemanden, der etwas von ihr wollte, musste nicht einmal Kopf und Nase anstrengen, um den besonderen Duft zu finden, den sie trotz François Cotys größter Bemühungen bislang vergeblich suchte. Zum ersten Mal lebte sie ohne jeden Plan einfach nur in den Tag hinein.

Das tat ihr ebenso wohl wie die beeindruckenden Besuche der venezianischen Kirchen und Museen und Serts unermüdliche, lehrreiche Kommentare zu Gemälden, Skulpturen und Architektur, die immer bei einem wunderbaren Essen in einem der vielen Restaurants der Lagunenstadt endeten. Gabrielle weinte nicht mehr so viel wie in den vergangenen Monaten in Paris. Meist war sie nach den anstrengenden Besichtigungen und weinseligen Gelagen viel zu müde dafür. Aber die Nächte, in denen sie in ihrer Trauer versank, wurden auch deshalb weniger, weil sich ihre Gedanken wieder um andere Themen drehten als um den furchtbaren Verlust. Und je größer ihre innere Ruhe, desto gesünder wurde auch ihre Gesichtsfarbe, desto strahlender wurden ihre Augen.

»Wir treffen Sergej Djagilew zum Aperitif im Caffè Florian«, erklärte Misia, während sie in einem Motorboot-Taxi über die Lagune sausten, der untergehenden Sonne entgegen. Die Türme und Kuppeln von Venedig waren in rotgoldenes Licht getaucht, von der belebten Anlegestelle an der Piazzetta wehten ihnen die Klänge eines Saxophons entgegen. Ein Straßenmusiker spielte Ragtime, der so gar nicht zu der Fassade des Dogenpalastes passen mochte, wohl aber zu Serts Kommentar: »Napoleon nannte den Markusplatz den schönsten Festsaal Europas. Das ist er noch heute.«

Unter den Arkaden der Prokuratien sammelten sich Touristen wie Einheimische auf einen Espresso, eine *Ombra* – ein kleines Glas Wein – oder einen anderen Drink. Gabrielle hätte sich eigentlich lieber in einen der Innenräume des Caffè Florian gesetzt und die allegorischen Wandbilder bestaunt. Sie mochte Kunstwerke, die mit der Innenarchitektur verschmolzen. Aber natürlich widersetzte sie sich nicht, als José ihr einen Stuhl an einem Tisch im Freien zurechtrückte.

Der russische Impresario und sein Begleiter erschienen, bevor sie bestellt hatten. Sergej Djagilew war ein gutaussehender, elegant gekleideter, geschmeidig wirkender Mann in Josés Alter. Der Junge in seinem Gefolge war zart und schmal und gewiss nicht älter als sechzehn Jahre. Er hieß Boris Kochno, wie Gabrielle erfuhr.

Die beiden Russen begrüßten sie höflich, aber damit endete die Aufmerksamkeit, die man ihr zollte. Offensichtlich erschien sie dem berühmten Ballettchef und dessen Sekretär als nicht wichtig genug. Djagilew hatte anscheinend noch nie von Mademoiselle Chanel gehört, und der Knabe konnte mit ihrem Namen erst recht nichts anfangen. Es beleidigte sie nicht, dass man sie so wenig beachtete, es amüsierte sie eher, denn sie fühlte sich diesen Leuten ebenbürtig. Im Kreis von Künstlern war es noch nie darauf angekommen, woher sie stammte, was ihr Vater machte und wo sie erzogen worden war. Auch fragte niemand nach dem Tingeltangel und den Männerbekanntschaften ihrer Jugend. Das alles war Schauspielern, Malern, Dichtern und Musikern gleichgültig. Warum auch immer Djagilew so wenig zuvorkommend auf sie reagierte, ihre Herkunft war gewiss kein Grund dafür. Deshalb trat sie Misia unter dem Tisch heimlich auf den Fuß, als diese sich zu einer Erklärung anschicken wollte.

Auf diese Weise zu einer scheinbar unsichtbaren Zuhörerin degradiert, lehnte sich Gabrielle auf ihrem Stuhl zurück und genoss ein Glas kühlen Weißwein. Die Unterhaltung drehte sich um die kürzlich in Frankreich verstorbene Großfürstin Maria Pawlowna, eine geborene Prinzessin zu Mecklenburg-Schwerin, die mit dem Bruder des vorletzten Zaren verheiratet und die graue Eminenz am Hof in Sankt Petersburg gewesen war.

»Natürlich war sie die bedeutendste aller Großfürstinnen Russlands«, schwärmte Djagilew. »Es war eines der schönsten Erlebnisse meines Lebens, als ich meine alte Förderin Anfang des Jahres hier in Venedig nach überstandener Flucht wiedersah. Leider war sie nicht mehr bei guter Gesundheit. Ihr Tod ist ein tragischer Verlust.« Zur Untermauerung seiner Worte griff er nach seinem blütenweißen Einstecktuch und tupfte sich über die Lider. »Dieses Tuch ist das letzte Geschenk, das mir von ihr geblieben ist.«

Es war nur ein Hauch, aber dank der Schulung durch François Coty nahm Gabrielles Nase den Duft augenblicklich wahr, mit dem das Taschentuch parfümiert war. Blumig und gleichzeitig hölzern, herb mit einer winzigen süßen Note. Verheißung und Erfüllung zugleich. Eine Mischung ungewöhnlich vieler Aromen, die Gabrielle nicht ohne weiteres zuordnen konnte. Wie ungewöhnlich! Sie musste sich zwingen, mit ihrem Stuhl nicht näher an Djagilew heranzurücken.

»Wenn ich an die Großfürstin denke, erinnere ich mich an die Uraufführung von *Le Sacre du Printemps*«, hörte sie Misia sagen.

»Was für eine Aufführung!«, rief Djagilew schwärmerisch aus. »Strawinskys Musik, Picassos Kulisse und Poirets Kostüme. Es war wunderbar. Und eine Verschwendung an das versnobte, ignorante Publikum in Paris.«

Gabrielle erinnerte sich an ihren Theaterbesuch damals. Etwa ein Jahr vor Beginn des Krieges hatte sie die Aufführung gesehen, und es war eine der wenigen Gelegenheiten, bei denen sie auf Boys Begleitung verzichtete. Sie war im Gefolge einer der Kundinnen ihres Hutsalons unterwegs gewesen. Eigentlich ging sie nur wegen der Kostüme ins Ballett. Sie wollte sich die Entwürfe von Paul Poiret ansehen. Sie war so auf die Schnitte und Stoffe, die Stickereien und kunstvollen Paspeln, diesen Rausch der Farben mit all dem leuchtenden Rot konzentriert, dass sie den Skandal erst kaum wahrnahm. Dabei staunte sie natürlich über die ungewöhnlichen Gymnastik-übungen der Tänzer, lauschte verwirrt den Musikern, die ihre Instrumente bis zur akustischen Grenze strapazierten. Die Resonanz war allgemeines Entsetzen statt Begeisterung. Die Buhrufe, die Pfiffe und Proteste aus dem Publikum führten schließlich dazu, dass der Intendant des neuerbauten Théâtre des Champs-Élysées das Licht einschaltete, während die Tänzer auf der Bühne und die Musiker im Orchestergraben mit stoischer Ruhe ihre Vorstellung fortsetzten. Ein Reinfall sondergleichen, der zwar dem Komponisten Igor Strawinsky weltweite Bekanntheit verschaffte, ansonsten aber keinem der Beteiligten zu größerem Erfolg verhalf. Außer Poiret natürlich, der bereits unangefochten an der Spitze der Modewelt stand.

»Hatte die Großfürstin nicht die Vorstellung damals in Paris finanziert?«, fragte Misia.

Djagilew steckte sein Tuch zurück in die Brusttasche seines Jacketts, und zu Gabrielles Bedauern verflog die Duftwolke. »Diese Großzügigkeit werde ich Ihrer Durchlaucht niemals vergessen«, beantwortete er Misias Frage. »Derartige Mildtätigkeit ist heutzutage leider unvorstellbar geworden.«

»Dabei sollte Geld in der Kunst keine Rolle spielen«, warf José Sert ein.

»Allein zur Erinnerung an die Großfürstin möchte ich den *Sacre* in unser Herbstprogramm einbauen. Léonide Massine, unser Choreograf, probt bereits mit dem Ensemble, aber die Kosten für die Wiederaufnahme sind enorm. *Mon dieu*, was allein ein Sinfonieorchester kostet, wie Strawinsky es braucht!

Immer das Geld! Ob wir es trotz Ihrer unschätzbaren Sammel-
leidenschaft schaffen werden, ist leider noch nicht sicher,
Madame Sert.« Djagilew beugte sich vor, nahm Misias Hand
und führte sie in einer galanten Geste an seine Lippen. »Dabei weiß ich genau, dass die Zeit nun reif ist für den *Sacre* …«
In beredtem Schweigen hielt er inne, schüttelte den Kopf und
griff nach seinem Glas.

»Wir werden es irgendwie schaffen, dass Sie die neue Version des *Sacre* herausbringen können«, behauptete Misia, obgleich mit wenig überzeugender Zuversicht.

»Es ist so traurig, dass unsere letzte Tournee durch England
zwar künstlerisch brillant, aber finanziell so wenig erfolgreich
war.«

Gabrielle hörte kaum zu. Was interessierte sie das Ballett? Es
war der Duft, der noch immer durch ihre Gedanken schwebte
wie der Hauch einer Erinnerung. Das war genau das Gefühl,
das sie mit einem *Eau de Chanel* erreichen wollte. Ihre Augen
flogen umher, blieben an dem Einstecktuch des Ballettmeis-
ters hängen, das sie an eine verwelkende Rose erinnerte. Sie
musste unbedingt herausfinden, welches Parfüm so nachhaltig
betörend war. Konnte sie so unhöflich sein und die Unterhaltung zwischen Djagilew und ihren Freunden brüsk unterbrechen? Ob er überhaupt wusste, welches Parfüm die Großfürstin von Russland benutzt hatte? Gabrielle zerbrach sich ihr
Hirn und fand, dass die Wiederaufnahme des *Le Sacre du Printemps* für die *Compagnie des Ballets Russes* nicht wichtiger sein
konnte als das Auffinden der geeigneten Formel für sie.

»Die ganze Welt kennt seinen Namen, dennoch muss Strawinsky mit seiner Familie in äußerst prekären Verhältnissen leben«, hörte sie Djagilew lamentieren. »Dieser große Komponist fristet ein Dasein wie ein armer Bauer. Unsere Zeiten sind furchtbar.«

»¡*Pues bien!*«, unterbrach Sert die Trübsal und hob sein Glas, »wohlan, Freunde – lasst uns trotzdem auf das Leben und die Freundschaft trinken! ¡*Salud!*«

Sie würde sich lächerlich machen, wenn sie sich jetzt einfach nach einem Parfüm erkundigte, befand Gabrielle. Sie prostete den anderen zu, ohne weiter beachtet zu werden. Eines Tages werde ich dafür sorgen, dass du mich siehst, Sergej Djagilew, fuhr es ihr dabei durch den Kopf. Wenn es mir gelingt, ein eigenes Parfüm zu kreieren, das so unnachahmlich riecht wie der Duft im Taschentuch der Großfürstin, dann steht auch dem Erfolg *Le Sacre du Printemps* des *Ballets Russes* nichts im Wege. Dafür werde ich sorgen. Im nächsten Moment umspielte ein Schmunzeln ihre Lippen, weil sie still über sich selbst und die Höhenflüge in ihren Gedanken lachte.

KAPITEL 3

Im Gegensatz zu ihren Freunden war Gabrielle eine Frühaufsteherin. Sie war es gewohnt, um sieben Uhr morgens mit ihrer Arbeit zu beginnen, und ihre innere Uhr riss sie auch im Urlaub am frühen Morgen aus dem Bett.

In den ersten Tagen nach ihrer Ankunft hatte sie sich die Zeit bis zum späten Vormittag im Garten oder auf der Terrasse des Hotels mit einem Buch vertrieben. Doch über kurz oder lang konnte sie selbst Colettes neuer Roman über die unmögliche Liebe einer reifen Frau zu einem sehr jungen Mann nicht von der besonderen Mystik abhalten, die über der Lagunenstadt lag. Venedig mit seinen alten Mauern, stummen Zeugen endloser Geschichten, lockte Gabrielle. Also ließ sie »Chéri« in ihrem Zimmer liegen, schnappte sich ihre Handtasche und spazierte zur Vaporetto-Station, um mit dem öffentlichen Wasserbus zur Piazza San Marco zu fahren. Zum ersten Mal allein und wie eine ganz gewöhnliche Touristin.

Der Zauber, der sie bei ihren spätnachmittäglichen Besichtigungstouren mit den Serts erfasste, verbrannte heute in der

Sonne des glühenden Vormittags. Auf dem Markusplatz und in den Gassen von San Marco war es heiß und überfüllt von Touristen. Selbst die Tauben erhoben sich nur träge, wenn sie von herumspringenden Kindern von ihren Futterplätzen verjagt wurden. Und die Mauern schwiegen. Gabrielle spürte, wie sich die Schweißperlen unter ihrem Hutband sammelten, die Seide ihres hemdartigen Oberteils feucht an ihrem Rücken klebte. Sie überlegte, ob sie irgendwo einen Drink nehmen sollte, entschied sich jedoch dagegen. Die Tische der Kaffeehäuser waren fast überall besetzt, in den Restaurants wurde bereits zum Essen aufgedeckt. Wohl oder übel musste sie in die Menge eintauchen, mit der sie sich ziellos durch die Gassen treiben ließ. Als sie zufällig an einer von den Touristen unbeachteten Anlegestelle am Canal Grande vorbeikam, blieb sie stehen, um dem steten Hin und Her eines Traghettos, einer kleinen Fähre, zuzuschauen.

Der einzige Fahrgast der langgezogenen Gondel, die zwischen den Sestiere Dorsoduro und San Marco verkehrte, war ein kleiner cognacfarbener Hund, der eine gewisse Ähnlichkeit mit einem Fuchs aufwies. Als der Gondoliere anlegte, sprang das Tier mit fröhlich aufgestelltem Ringelschwanz auf die Kaimauer. Zuerst setzte er sich und blickte sich erwartungsvoll um. Nach einer Weile wurde ihm das anscheinend zu langweilig, denn er trabte zu einem Hauseingang, wo er interessiert am herumliegenden Unrat schnupperte. Dann hob er ein Bein, markierte und kehrte wieder zurück zum Anleger. Inzwischen war ein Paar mit einem kleinen Kind an Bord geklettert, doch der Bootsmann wartete geduldig auf seinen kleinen Fahrgast. Ohne sonderlich darüber nachzudenken, setzte sich Gabrielle in Bewegung und stieg ebenfalls zu. Sie wollte eigentlich gar nicht unbedingt übersetzen, aber sie liebte Hunde. Ihre eigenen waren ihre besten Freunde und die geduldigsten Tröster in ihren dunkelsten Stunden. Ihr Herz hing natürlich besonders an Pita und Popee, die ihr Boy geschenkt hatte. Die Vierbeiner wurden in ihrer Abwesenheit von ihrem Dienerehepaar versorgt, es ging ihnen gut, davon konnte sie ausgehen. Doch in diesem Moment wallte Sehnsucht in ihr hoch. Sie wollte über die zarten Köpfe streicheln, das weiche Fell unter ihren Fingern spüren, die feuchte Schnauze auf ihrer Haut. Deshalb zog sie der kleine Kerl, der als Letzter auf die Planken sprang, wie magisch an. Allerdings wagte sie nicht, die Hand nach ihm auszustrecken, weil sie befürchtete, jede Bewegung würde das schwankende Boot zum Kentern bringen. Sie beschränkte sich darauf, dem niedlichen Vierbeiner zuzuschauen: Er stand auf dem vordersten Holzsitz und hielt seine Nase in die Luft, als wollte er die Witterung am anderen Ufer aufnehmen.

Die gemächliche Überfahrt dauerte nur wenige Minuten. Mit Bedauern verließ Gabrielle das Traghetto und ließ sich ohne Ziel treiben. Diesmal nicht von den Touristenschwärmen. Sie folgte dem Schatten, der ihren Weg in angenehm kühles Dunkel tauchte, spazierte durch überraschenderweise menschenleere Gassen und landete immer wieder auf sonnenüberfluteten Plätzen, auf denen meist ein Baum und eine Bank zum Verweilen einluden. Sie gönnte ihrem schweißgebadeten Körper jedoch keine Ruhe, sondern wanderte weiter und genoss die Gedankenleere ihres Kopfes. Als sie einen kleinen Seitenkanal erreichte, an dem ein Kahn ankerte, schwer beladen mit allerlei Obst und Gemüse, erschien ihr der Anblick wie ein Fest für ihre Augen. Hier blieb sie endlich stehen, schaute und staunte.

Eine rundliche Hausfrau und eine Gruppe junger Leute in auffallender Garderobe gesellten sich zu Gabrielle. Die Italienerin begann lauthals mit dem Fruchthändler zu diskutieren und ihre Einkäufe zu verhandeln; die anderen waren Touristen wie Gabrielle und anscheinend ebenso beeindruckt von der Farbenpracht wie sie.

Da marschierte ein Tross kleiner Mädchen, sie mochten etwa sechs Jahre alt sein, angeführt von einer Frau in Ordenstracht, in Zweierreihen an dem Boot vorbei. Die Kinder waren blasser als ihre Altersgenossen, die sich am Strand des Lido tummelten oder die Tauben auf dem Markusplatz jagten. Sie trugen verblichene Kittel und sandten begehrliche Blicke zu der Auslage. Doch die Nonne trieb sie weiter wie eine Herde Schafe.

Unwillkürlich schloss Gabrielle die Augen. Allein an der ärmlichen Kleidung erkannte sie das Schicksal der Kinder. Es waren Waisen. Wahrscheinlich lebten sie in einem nahegelegenen Kloster, ständig von Hunger geplagt und verfolgt von einem alles überdeckenden Gefühl des Alleinseins. Gabrielle spürte, wie sich ihre Augen mit einem Meer aus Tränen füllten. Sie musste immer weinen, wenn sie Mädchen oder Jungen sah, die sich in derselben Lage befanden wie sie damals.

»Mademoiselle …«

Zuerst nahm sie nur die sanfte Stimme wahr.

Mit einiger Verzögerung bemerkte sie durch ihren Tränenschleier ein weißes Batisttuch in einer gepflegten Männerhand. Jemand reichte ihr sein Taschentuch.

Sie ignorierte sein Angebot und wischte sich mit den Fingern über ihre Lider.

»Ich bin stets ebenso gerührt, wenn ich die Kinder aus einem Waisenhaus sehe«, erklärte der ritterliche junge Mann neben ihr auf Französisch. »Ich verstehe Sie, Mademoiselle …« Er zögerte, dann fuhr er fort: »Mademoiselle Chanel, nicht wahr?«

Überrascht sah sie ihn zum ersten Mal richtig an. Er war groß und schlaksig, mit langen Spinnenbeinen, sein hochgewachsener Körper schien so gar nicht zu dem kleinen Kopf mit den kantigen Gesichtszügen, den umschatteten meergrünen Augen und dem dunkelblonden Haar zu passen. Dennoch war er überaus attraktiv. Er wirkte sensibel, traurig und wohl gerade deshalb sehr anziehend auf sie. Dieser Mann war niemand, den man leicht vergaß.

»Wenn er Sie interessiert«, sagte die berühmte Sopranistin Marthe Davelli, »trete ich ihn an Sie ab, Mademoiselle Chanel. Er ist auf Dauer wirklich ein bisschen zu teuer für mich.«

Die Operndiva hatte vor ein paar Monaten zu einem Abendessen in ihre Wohnung in Paris geladen, und Gabrielle hatte nicht absagen können. Bei dieser Gelegenheit war ihr die aktuelle Eroberung der Gastgeberin vorgestellt worden: Großfürst Dimitri Pawlowitsch Romanow, ein Cousin des letzten Zaren, neunundzwanzig Jahre alt, ein wenig schüchtern, aber charmant, als ehemaliger Olympiareiter sehr sportlich und darüber hinaus umgeben von einer Aura des Abenteuers und des Verruchten. Er gehörte zu den Verschwörern, die den Geisterheiler Rasputin ermordet hatten, und war vor den Bolschewiki über Teheran und Bombay nach London geflohen.

Gabrielle erinnerte sich an ein kurzes Gespräch mit ihm, an seine Blicke bei Tisch, die sie immer wieder gesucht hatten. Vermutlich war sie sein Typ, denn Marthe Davelli versuchte schon seit Jahren, Coco Chanels Stil zu kopieren. Doch Gabrielle beließ es dabei und lehnte das freimütige Angebot der Sängerin entschieden ab. Sie trauerte um den einen, der durch nichts und niemanden zu ersetzen war. Außerdem wagte sie sich nicht vorzustellen, was ein Mann wie Dimitri Romanow dazu sagen würde, wenn er erführe, dass sie die Tochter eines Hehlers war.

Sie zwang sich zu einem Lächeln. »Ich habe Sie ebenfalls nicht vergessen, Dimitri Pawlowitsch.«

Oder hätte sie ihn mit seinem alten Titel ansprechen sollen? In ihrem Kopf herrschte Chaos. Sie wusste mit einem Mal nicht, was richtig war, in Gedanken noch halb bei den Tragödien ihres Lebens, gleichzeitig aber bei dem Souper der Davelli. Ihre Augen flogen zu den Waisenkindern, dann zurück zu dem Mann, der sie um zwei Köpfe überragte.

»Ich freue mich über dieses unerwartete Wiedersehen, Mademoiselle Chanel.« Er deutete eine kleine Verbeugung an. »Ich freue mich wirklich sehr.«

»Dimitri, wo bleibst du?«, meldete sich eine weibliche Stimme, die nicht nach Marthe Davelli klang. Sie gehörte einer der schönen jungen Frauen in seiner Gruppe.

Er drehte sich nicht um, nahm seinen Blick nicht von Gabrielle. »Jetzt nicht. Ich komme später nach«, rief er zurück.

»Ihre Freundin wird ärgerlich sein.«

»Meine Schwester Marija verzeiht mir alles«, erwiderte er mit einem Grinsen.

Aus den Augenwinkeln beobachtete Gabrielle, wie die jungen Russen flüsternd und tuschelnd abzogen. Dimitris Schwester bemühte sich, Gabrielle nicht zu auffällig zu mustern. Diese konnte indes nicht umhin, Marija Pawlowna interessiert zu betrachten. Ungewöhnlich, ging ihr durch den Kopf. Die Prinzessin war eine rassige Frau – und der breitkrempige Strohhut war eine Sensation, auch wenn Gabrielle den Tüllschleier, den die andere darunter trug, ein wenig gewagt fand. Ihre Garderobe ließ indes zu wünschen übrig, Dimitris Schwester kleidete sich wie eine Bäuerin.

Einen Atemzug lang begegneten sich ihre Augen. Jede andere hätte vielleicht ertappt weggesehen, doch Gabrielle und Marija schauten sich in einer Mischung aus Trotz und Neugier an.

Erst nach einem langen Blick wandte sich die Russin brüsk ab. Hocherhobenen Hauptes folgte sie ihren Freunden über die schmale Brücke des Kanals, an dessen Ufer das Boot mit den bunten Früchten lag. Gabrielle sah ihr nach, beobachtete auch den Gang der Damen in Marijas und Dimitris Clique und dachte, dass russische Prinzessinnen hervorragende Mannequins abgäben.

»Es wäre mir eine Ehre, wenn Sie mein Taschentuch annehmen würden«, sagte Dimitri Pawlowitsch.

Gabrielle musste sich ihm zuwenden. Alles andere wäre unhöflich. Aber seine Worte klangen so herrlich altmodisch, seine Geste war so romantisch, dass ihr Lächeln diesmal von Herzen kam. »Es tut mir leid«, sie nahm das Taschentuch an sich und tupfte sich damit über die inzwischen gar nicht mehr feuchten Lider, »dass Sie mich in dieser Verfassung angetroffen haben.«

»Eine Dame, die bei dem Anblick armer Waisenkinder in Tränen ausbricht, berührt mich. Wissen Sie, auch ich bin ohne Eltern aufgewachsen. Meine Schwester ist der einzige Mensch, der mir von meiner Familie geblieben ist.«

»Es geht mir wie Ihnen: Auch ich bin von Fremden erzogen worden.« Boys Stimme hallte in Gabrielles Kopf nach. Sie war ihr so nah und vertraut wie das Poltern der Hufe auf dem Spielfeld, über das die schnaufenden Polopferde jagten, das Klackern, wenn ein Schläger den Ball traf. Es war der erste persönliche

Satz, den er an sie gerichtet hatte. Sie standen beide nach einem Polospiel am Rand der Koppel von Schloss Royallieu und sahen den grasenden Ponys zu.

Dass Dimitri fast denselben Satz wie Boy damals sagte, öffnete ihr Herz. Sie überlegte, was sie ihm antworten könnte, ohne zu viel von sich selbst preiszugeben und dennoch mitfühlend zu klingen. Doch sie war zu verwirrt, in ihren Erinnerungen noch zu stark gefangen, um ihre Phantasie zu bemühen. Deshalb sagte sie ausweichend: »Ihre Schwester ist eine schöne Frau.«

»O ja. Und sie ist sehr talentiert. Marija kann wundervoll zeichnen und sticken. Das russische Kunsthandwerk ist für sie zu einer Obsession geworden. Es liegt ihr viel daran, unsere Kultur vor dem Vergessen zu bewahren.«

Unwillkürlich fielen ihr die Pläne Djagilews ein. »Der Schutz Ihrer alten Werte ist eine große Aufgabe.«

»Ja. So ist es. Zumal die Hoffnungen der meisten Emigranten endgültig geschwunden sind. Wir werden nie mehr nach Petrograd und in unser vormaliges Leben zurückkehren können. Die Bolschewiki haben gesiegt.«

Während er sprach, hatte er mit der größten Selbstverständlichkeit ihren Arm genommen. Seite an Seite spazierten sie über einen Platz und bogen dann in eine einsame Gasse ein. Gabrielle hatte nicht die geringste Ahnung, wohin sie schlenderten. Aber es war ihr gleichgültig. Sie besaß kein Ziel, der

Weg war es bereits. Und an der Seite dieses Großfürsten spazieren zu gehen, war betörend.

Bei seiner Bemerkung über die siegreichen Bolschewiki kickte Dimitri mit dem Fuß einen Stein zur Seite, der sich aus einem Mauervorsprung gelöst hatte. Klackernd hüpfte das kleine Marmorstückchen über das Pflaster. Es war das einzige Geräusch. Um sie herum herrschte Stille, das turbulente Treiben Venedigs war wie ausgeblendet.

Eine Weile lang gingen sie stumm weiter. Gabrielle empfand es als angenehm, keine alberne Konversation mit Dimitri führen zu müssen, wie dies bei dem Spaziergang mit einem Fremden eigentlich angebracht war. Es war angenehm, seine Nähe zu spüren und gleichzeitig schweigen zu können. Sie überlegte, wie es weitergehen könnte. Waren die gesellschaftlichen Schranken, die sie in der Vorkriegswelt getrennt hatten, tatsächlich eingerissen? Würde er sie zu einem Drink einladen? Wer würde die Rechnung verlangen? Sie kannte sich ja eigentlich aus mit Männern, aber bislang hatte man eher sie bezahlt als umgekehrt. Besaß der Großfürst überhaupt eigene Mittel? Die geflohenen russischen Adeligen hatten meist nichts, und wenn sich Gabrielle richtig erinnerte, arbeitete Dimitri in London als Vertreter für eine Champagnermarke. Genügte sein Lohn, um eine wohlhabende Frau ohne Stammbaum zu umwerben?

»Sie haben mir noch nicht erzählt, warum *Sie* bei dem Anblick von Waisenkindern weinen«, unterbrach er ihre Gedanken. Seine Stimme war so sanft und melodisch, dass seine Worte in der schmalen Gasse nicht einmal hallten.

Niemals würde sie ihm die Wahrheit anvertrauen. Niemals. Noch keinem Menschen hatte sie je davon erzählt. Nicht einmal Boy. Auch nicht Misia. Sie schämte sich für ihre Herkunft und für das, was der Vater ihr angetan hatte. Deshalb hatte sie sich in eine Legende geflüchtet, an die sie inzwischen fast selbst glaubte. Sie war eine Erfindung wie all die anderen Märchen, mit denen sie ihre Biographie inzwischen ausschmückte. Seit ihrer Kindheit klammerte sie sich an die gnädige Lüge. Die Wahrheit konnte sie bis heute nicht ertragen. Die Schande war zu groß.

»Ich bedaure das Schicksal der armen Kleinen und bin dankbar, dass es mir nicht so erging, obwohl ich meine Eltern ebenfalls jung verlor«, behauptete sie kühn. »Nach dem frühen Tod meiner Mutter wanderte mein Vater nach Amerika aus, wo er ein erfolgreicher Geschäftsmann wurde. Natürlich konnte er mich nicht mitnehmen. Vor seiner Abreise brachte er mich deshalb bei meinen Tanten unter. Ich habe ihn nie wiedergesehen.« Bis auf den letzten Satz stimmte nichts an ihrer Erzählung.

»Wir sind beide Waisen«, stellte Dimitri Pawlowitsch Romanow fest. »Das verbindet. Finden Sie nicht?« Dabei streiften seine Finger wie zufällig die zarte Innenseite ihres Unterarms.

Ein leichtes Frösteln ließ ihre Haut vibrieren. Sie reagierte auf seine Berührung wie die lange nicht gespielte Saite eines Instruments, das gespielt werden wollte, um perfekte Töne zu vollbringen. Doch es war nicht nur das plötzlich wieder erwachende Verlangen nach den Händen eines Mannes auf ihrem Körper, das sie schwindelig machte: Der Cousin des letzten Zaren fühlte sich eins mit der unehelich geborenen Tochter einer Wäscherin und eines Hausierers. Zudem erinnerte er sie an Boy.

Gabrielle spielte mit dem fremden Taschentuch und war sich nicht sicher, ob sie lachen oder weinen sollte.

KAPITEL 4

»Er ist acht Jahre jünger als ich.«

»Wen interessiert das?«, gab Misia schläfrig zurück. »Vergiss das Alter, das sind nur Zahlen.«

»Er ist ein russischer Großfürst.«

»Na, und?«

»Er ist arm wie eine Kirchenmaus.«

»Du hast Geld für zwei.«

»Er könnte der neue Zar sein.«

»O Coco!« Der Ausruf klang wie ein Schmerzensschrei.

Misia hob den Kopf, langte spielerisch in den Sand und sah dabei zu, wie die feinen Körnchen über ihre nackten Beine rieselten. »Alte Aristokratie trifft auf moderne Geschäftsfrau. Das ist die neue Welt, *ma chère*.« Als sei damit alles geklärt, lehnte sie sich wieder auf ihrem Liegestuhl zurück.

Gabrielle hatte gehofft, in Misia eine Verbündete zu finden. Eine Freundin, die ihre Bedenken gegen eine Affäre mit Großfürst Dimitri Pawlowitsch Romanow teilte. Genau genommen wollte sie, dass Misia ihr zuredete, die Finger von diesem Mann zu lassen. Sie fühlte sich so stark zu ihm hingezogen, dass sie nicht die Kraft aufbrachte, zu verhindern, was sich nach ihrem ersten Treffen fast zwangsläufig ergeben würde. Es war keine Frage des Ob, sondern des Wann. Aber sie war noch gar nicht bereit für einen neuen Geliebten. Sie trauerte unverändert und würde in den Armen des anderen vermutlich ohnehin nur an den Toten denken – und damit alles zerstören. Es war ungerecht gegen Dimitri, wenn sie ihn mit Boy verglich. Und sie fürchtete sich, einen anderen Mann zu lieben. Nicht einmal so sehr zu lieben wie Boy, sondern überhaupt Zuneigung für einen anderen zu empfinden. Sie fürchtete ihr eigenes Versagen. Aber da war ihr Körper, der nach Zärtlichkeit und Befriedigung verlangte. Und letztlich war da auch ihre Seele, der die Aufmerksamkeit und Bewunderung guttaten. Dimitri war attraktiv, gebildet, elegant. Er war ein Prinz, nicht nur wie aus dem Märchen. Natürlich gefiel er Gabrielle.

Sie hatte die Mußestunde am Strand genutzt, um sich Misia anzuvertrauen. Da José einige Telefonate führen musste, war er im Hotel geblieben, so dass die Gelegenheit zu einem Plausch unter Freundinnen günstig war. Sie lagen nebeneinander unter einem Sonnenschirm nah am Ufer, den Klang der flachen Wellen im Ohr. Ihr Platz war weit entfernt von den anderen Badegästen, so dass niemand ihre Unterhaltung störte. Anfangs hatte Gabrielle die letzten Seiten von »Chéri« gelesen und sich seltsam betroffen gefühlt. Die Geschichte über eine erfahrene Frau und ihren jugendlichen Liebhaber nahm kein gutes Ende. War es ein böses Omen, dass sie ausgerechnet diesen Roman las, als ihr Dimitri begegnete? Jedenfalls erschien ihr der Altersunterschied das schlagkräftigste Argument gegen eine Liaison zu sein. Aber das hatte bei Misia ja nicht verfangen.

»Er ist nicht Boy«, sagte Gabrielle leise.

Die Hand, die eben noch in den Sand gegriffen hatte, langte neben sich und nach Gabrielles Hand. Sie drückte ihre Finger, und ein paar Körnchen kratzten auf ihrer Haut. Misia sagte nichts. Was sollte sie auch sagen?, dachte Gabrielle. Natürlich war Dimitri nicht Boy.

»Ich bin nicht bereit für eine neue Liebe«, erklärte sie in energischem Ton.

Misia zog ihre Hand zurück. »Wer spricht von Liebe? Du sollst dich amüsieren. Deshalb sind wir in Venedig. Wenn Dimitri Pawlowitsch dich anbetet, ist es vollkommen gleichgültig, was du empfindest.« Ihre Stimme wurde milder, als sie hinzufügte: »Coco, deine Wunden müssen endlich heilen. Dafür scheint er mir der perfekte Balsam zu sein.«

Das war er. Natürlich war er das. Misia hatte recht, und Gabrielle wusste es. Aber es kam ihr wie ein Verrat an der großen Liebe vor, wenn sie die Trauer um Boy ebenso still in einem Winkel ihres Herzens begraben würde wie Diana den Leichnam auf dem Friedhof Montmartre. Sie hatte ihn ja bereits für ein paar Stunden vergessen. Und deshalb fühlte sie sich auch noch schuldig.

An der Seite von Dimitri war sie durch die schönen alten Gassen von Dorsoduro und San Polo geschlendert. Sie hatten geredet, geschaut, gestaunt und sich unterhalten. Wenn sie sich nicht gegenseitig auf eine Besonderheit etwa an einer Fassade oder einem Brückengeländer aufmerksam machten, die schnarchende Katze auf einem Fenstersims belächelten oder einer Gondel zusahen, die einen kleinen Kanal entlangtrieb, sprachen sie über Verlassensängste und Vertrauensbrüche. Die Gemeinsamkeiten waren nicht von der Hand zu weisen; wenngleich ihre Erfahrungen aus völlig anderen Welten stammten, ähnelten sich doch ihre Gefühle, die sie dabei hatten.

Dimitris Mutter, Prinzessin Alexandra von Griechenland und Dänemark, war bei seiner Geburt gestorben. Obwohl der Zar die Eheschließung untersagte, heiratete sein Vater daraufhin eine Frau aus dem einfachen Landadel, die bereits seit Jahren seine Geliebte war. Das Paar musste Russland verlassen, floh nach Paris, Marija und Dimitri blieben jedoch im Zarenreich. Onkel Sergej Alexandrowitsch Romanow, der Statthalter von Moskau, nahm sich der Kinder an. Dieses relativ liebevolle Familienleben hielt nicht lange: Sergej fiel einem Attentat zum Opfer, als Dimitri dreizehn Jahre alt war. Wieder wurden die Kinder entwurzelt, diesmal kamen Marija und Dimitri zur weiteren Erziehung an den Hof, Dimitri direkt unter die Obhut der Zarenfamilie. Für ihn bedeutete dies den frühen Beginn einer Offizierslaufbahn. »Wahrscheinlich ist es beim Militär wenig anders als in einem Waisenhaus«, bemerkte Dimitri, und Gabrielle nickte zustimmend. Sie wusste, was er meinte. Dennoch offenbarte sie ihm nichts über die dunkelste Zeit ihres Lebens, die fast auf dieselben Jahre fiel.

Sie liefen stundenlang durch Venedig und redeten so lange, dass sich eine tiefe Vertrautheit einstellte. Schließlich musste Gabrielle zurück an den Lido, die Serts würden sich sorgen, wenn sie noch länger ausblieb. Sie verabschiedete sich von Dimitri an einer Anlegestelle.

Er küsste zum Abschied ihre Hand und fragte nach ihrem Hotel.

Natürlich sagte sie ihm, wo sie logierte. Als sie sich am nächsten Tag mit Misia auf dem Weg zum Strand befand, übergab ihr der Hotelportier eine Nachricht des Großfürsten: ein handgeschriebenes Billett mit der Bitte um ein Wiedersehen am Abend. Dimitri schlug ihr einen Besuch des Spielcasinos vor, das im Grand Hotel Excelsior am Lido, nicht weit von Gabrielles Unterkunft, untergebracht war. Wahrscheinlich nahm er an, dass sie eine Verabredung in der Nähe vorziehen würde. Das passte zu seiner vornehmen Höflichkeit. Ein Spaziergang nach dem Abendessen, ein Glücksspiel in jeder Beziehung. Alles blieb offen.

Doch in Gabrielles derzeitiger Lage war es anders. Die Verabredung anzunehmen bedeutete, eine folgenschwere Entscheidung zu treffen. *Rien ne va plus.*

»Wovor fürchtest du dich?«, fragte Misia leise. »Du warst bislang die einzige Person, die ich kannte, die niemals Angst zu haben schien.«

Natürlich war mir niemals bange, fuhr es Gabrielle durch den Kopf, ich hatte ja Boy.

Im selben Moment wurde ihr klar, dass das nicht stimmte.

Ihre ersten Schritte in ein freies Leben hatte sie allein gewagt. Damals, als sie das Kloster verließ. Und später waren es ganz allein ihre Entscheidung und die Hoffnung auf ein besseres Leben gewesen, die sie vor Étienne Balsans Anwesen in Royallieu auftauchen ließen. Sie war vorher ein paarmal mit ihm im Bett gewesen, aber mehr war da nicht. Eigentlich nichts, worauf sich ihre Impertinenz stützte. Doch als er ihr öffnete, tat sich vor ihr eine neue Welt auf, die sie mit Mut, Tapferkeit und Durchhaltevermögen eroberte. Es war die Tür zu ihrem Glück gewesen. Und ihrer größten Niederlage.

Sie rätselte, wie sie das Durcheinander in ihrem Herzen und in ihrer Seele in Worte fassen könnte, um Misia zu erklären, was sie eigentlich tun wollte, aber nicht konnte. Noch nicht jedenfalls. Doch noch während sie grübelte und in ihrem Innersten forschte, tauchte José Sert neben Misias Liegestuhl auf, einen Kellner im Gefolge, der ein Tablett mit gefüllten Limonadegläsern und einer Silberschale trug, in der die Eiswürfel bereits zu schmelzen begannen.

»Meine Damen, was haltet ihr davon, wenn wir einen Abstecher nach Rom machen?«

»Was willst du in Rom?«, erkundigte sich Misia, während sie ihre Sonnenbrille zurechtrückte.

Doch José strahlte nur unbekümmert. »Bernini die Ehre erweisen. Und Michelangelo«, sagte er dann.

Misia erwiderte Serts Lächeln, dann wandte sie sich an Gabrielle: »Du solltest dich mit deinem Rendezvous beeilen, Coco, sonst sind wir noch vor dem ersten Kuss abgereist.«

»Habe ich etwas verpasst?«, fragte José.

»Nein«, versetzte Gabrielle hastig, »es ist nichts.«

Sie griff nach einem der angebotenen Gläser und beendete das Gespräch mit einem großen Schluck eisgekühlter Limonade.

Champagner, dachte sie, heute Abend werden wir Champagner trinken. Und ein Prickeln zog durch ihren Körper.

KAPITEL 5

Die Gläser stießen mit einem leisen Klirren aneinander.

»*Santé*«, wünschte Dimitri und sah Gabrielle tief in die Augen. Für einen Moment schien die Zeit stillzustehen, die Musiker auf der Terrasse schwiegen, und die vielen Gäste in der Bar des Hotel Excelsior erstarrten zu Puppen. Selbst die Luft rührte sich nicht, die Palmenwedel erzitterten nicht mehr in der milden Brise, die Zikaden unterbrachen ihr Trommeln, die Wellen schwappten lautlos um die Pfeiler der hoteleigenen Mole. Da waren nur der Klang von Dimitris sanfter Stimme und sein bis in ihre Seele vordringender Blick.

»*Cheers*«, erwiderte Gabrielle auf Englisch. Es war mehr Zufall als Absicht, stellte sie verwundert fest. Sie kannte den Ausdruck von Boy.

Der Zauber zerbrach, die übliche Geräuschkulisse stellte sich wieder ein: Die Kapelle spielte den Song »Whispering«, den man allerorts hörte, und der Sänger pfiff den Refrain, auf der Tanzfläche bewegten sich die Paare, die Kellner eilten von Tisch zu Tisch. Bar und Restaurant befanden sich unter freiem

Himmel, begrenzt von orientalisch anmutenden Mauern und dem von üppigen Grünpflanzen beherrschten Garten, der sich zum Strand hin öffnete. Millionen von Sternen brachten das Himmelsdach zum Glitzern, und im Gebüsch setzten die Grillen ihr Brautwerben fort.

»Wie sagt man *zum Wohl* auf Russisch?«, fragte Gabrielle, die ihren Champagnerkelch nach einem ersten kleinen Schluck wieder abgestellt hatte.

»Bei Hofe sprachen wir alle Französisch. Deshalb tranken wir stets in Ihrer Sprache auf unser Wohl.« Versonnen drehte Dimitri den Stiel des Glases zwischen seinen Fingern. Er schwieg einen Moment, hing wohl seiner Erinnerung nach, dann schmunzelte er. »Das Französische hatte durchaus seine Vorteile, denn *Santé* ist erheblich kürzer, man kam schneller zu seinem Genuss. Die russischen Trinksprüche sind meist sehr lang, weil man damit die Lebensfreude und diesen und jenen ehrt und natürlich auch das Leben und die Gesundheit und was weiß ich noch alles. Das dauert. Aber bei uns sagte man eben auch, Trinken ohne Trinkspruch sei eine unwürdige Sauferei.«

»Ich mag solche Geschichten.« Sie erwiderte sein Lächeln.

»Eigentlich sind es traurige Geschichten, weil sie von der Vergangenheit handeln und nicht von der Zukunft.«

»Welchen Toast würden Sie jetzt auf Russisch anbringen?« Erwartungsvoll hob sie wieder ihr Glas.

»*Sa ljubow!*«

»Und was heißt das?«

Seine Augen verrieten es ihr, bevor er es sagte: »Auf die Liebe!«

Gabrielle zögerte. Die Musik hallte plötzlich in ihren Ohren, alles um sie herum wirkte lauter und deutlicher, sogar Dimitris Blick. Wie unter einer Lupe. Als sollte sie den Moment in all seiner Klarheit in sich aufnehmen. Ihr Verstand wusste, dass sie sich entscheiden musste – und ihr Herz kapitulierte vor ihrem Körper. Diesmal stieß sie nicht mit Dimitri an, sondern ließ einzig ihre Augen sprechen, die in den seinen versanken, während sie von ihrem Champagner nippte.

Wenig später lag sie in seinen Armen. Sie schwebten zu der von der Tanzkapelle verjazzten Version des neapolitanischen Liedes »O sole mio« über das Parkett. Dimitri war ein wundervoller Tänzer, so leidenschaftlich wie elegant. Er führte sie mit einer verborgenen Kraft, die ihr Begehren auf verheißungsvolle Weise weckte. Unter ihren Fingern spürte sie das Muskelspiel an seinen Schultern, nahm seinen Duft wahr, seine Wärme übertrug sich auf sie. Sie ließ es zu, dass er sie enger an sich zog, so dass sich ihre Hüften berührten. Ihre Schenkel bewegten sich im Einklang, als wären sie eine einzige Person. Ihre Drehungen wurden langsamer, fanden einen eigenen Rhythmus und verloren den Kontakt zu der schwungvollen Melodie. Der Tanz war wie ein Versprechen.

Als sie Hand in Hand an ihren Tisch zurückkehrten, wanderte Gabrielles Blick zufällig zum Eingang, einem in die maurische Wand eingelassenen Durchgang. Sie war noch ganz benommen, vibrierte unter dem Eindruck der Lust und Musik.

Deshalb musste sie zweimal hinschauen, um Sergej Djagilew zu erkennen. In Begleitung mehrerer Herren, darunter auch sein Sekretär Boris Kochno, wurde er von dem Oberkellner gerade an einen Tisch gebeten. Die Gruppe setzte sich in Bewegung, wobei deutlich zu erkennen war, wer sich mit der Geschmeidigkeit eines Balletttänzers bewegte und wer die Geschäftsleute waren, die wahrscheinlich an diesem Abend die Rechnung bezahlen würden. Möglicherweise gewährte Djagilew diesen Herren seine Aufmerksamkeit nur in der Hoffnung auf eine großzügige Spende. Keiner aus diesem Kreis sah zu ihnen herüber.

Dimitri bemerkte ihren Blick. »Kennen Sie Sergej Pawlowitsch Djagilew? Möchten Sie ihn begrüßen?«

»Ja. Nein. Ich meine, das ist nicht nötig.« Obwohl es sich nicht gehörte, konnte sie die Augen nicht von dem Impresario abwenden. Als Djagilew sein Einstecktuch herauszog und sich damit kurz Luft zufächelte, entfuhr ihr: »Ich wünschte, ich könnte erfahren, welches Parfüm seine Großfürstin benutzte.«

»Welche Großfürstin?«

Gabrielle, die sich gerade auf ihrem Stuhl niedergelassen hatte, sah zu Dimitri auf. Erstaunen über die eigene Dummheit erfasste sie. Warum hatte sie nicht gleich daran gedacht, ihren neuen Verehrer nach dem Duft der verstorbenen Maria Pawlowna zu fragen? Die Großfürstin war seine Tante gewesen, wenn sie Misias Exkursion in den Stammbaum der Romanows richtig verstanden hatte. Jedes Mitglied des russischen Hochadels schien Großfürst und Großfürstin zu sein, da kam man leicht durcheinander. Außerdem war fraglich, ob ein Neffe überhaupt wusste, welches Toilettenwasser seine Base bevorzugte. Dennoch war es einen Versuch wert.

»Großfürstin Maria Pawlowna, geborene Prinzessin zu Mecklenburg«, erklärte sie und schickte ein Dankesgebet in den Himmel für Misias Wissen über die Genealogie des Hauses Romanow.

Ohne zu zögern, antwortete Dimitri: »Ich vermute, dass es sich um *Le Bouquet de Catherine* handelt. Meine Schwester benutzt es auch.«

Ihre Augen weiteten sich. »Oh!« Mehr brachte sie vor Überraschung nicht über die Lippen.

Er wartete, bis der Kellner ihre Champagnergläser auffüllte und sich entfernte, dann fragte er: »Warum interessieren Sie sich dafür?«

Aus der körperlichen Sehnsucht, die Gabrielle in seinen Armen erfasst hatte, wurde mit einem Mal geschäftiger Jagdeifer, aus der trauernden Geliebten die zielgerichtete Geschäftsfrau. Selbst als Dimitri eine Zigarette anzündete und diese wortlos an sie weiterreichte, stellte sich die erotische Magie nicht mehr ein. Gabrielle nahm einen Zug, bevor sie erklärte: »Ich hatte bei einer Begegnung mit Monsieur Djagilew den Eindruck, ein besonderes Aroma gerochen zu haben. Das Taschentuch, das ihm die Großfürstin schenkte, duftet nach einem Parfüm, das anders ist als alles, was ich kenne. Es war nicht dieser stereotype Rosenduft, der nur dazu da ist, den eigenen Körpergeruch zu überdecken. Es war eine wunder-volle Mischung, ganz ungewöhnlich. Ein bisschen wie *Chypre* von Coty, aber viel, viel besser. Leider ergab sich keine Gelegenheit, Monsieur Djagilew nach dem Namen des Parfüms zu fragen.«

Dimitri steckte sich eine eigene Zigarette an. Sein Mund stieß kleine Rauchwolken aus, als er sprach: »Ich bin sicher, dass es sich um *Le Bouquet de Catherine* handelt. Es wurde zu Ehren der Zarin Katharina die Große kreiert, aber wegen ihrer deutschen Herkunft zu Beginn des Krieges nach dem Namen des Hoflieferanten in *Rallet No 1* umbenannt. Nur die allerhöchsten Damen in Petrograd und Moskau durften es tragen.«

»Ich beglückwünsche die Damen zu ihrem Geschmack.«

»An keinem Hof Europas waren Düfte ein so großes Thema wie in Petrograd. Wir waren ganz versessen auf Parfüms.« Wieder versank er kurz in seiner Erinnerung, blickte versonnen und ernst über die Tanzfläche, dann wieder Gabrielle in die Augen, und ein Lächeln erhellte sein Gesicht. »Sie haben meine Frage nicht beantwortet: Warum interessieren Sie sich für diesen Duft? Sie selbst tragen kein Parfüm, nicht wahr?«

»Stimmt. Ich benutze meist nur Seife.«

»Weil Sie auf ein einzigartiges Parfüm gewartet haben?« Dimitri schüttelte traurig den Kopf. »Ich würde Ihnen gern einen Flakon des *Bouquet de Catherine* schenken, aber ich fürchte, es gibt keinen mehr. Dieser Duft ist wie das alte Russland – als flüchtiger Hauch der Erinnerung hat er überlebt, dennoch ist er für immer verloren.«

»Die chemische Formel würde genügen«, entfuhr es ihr.

Seine Augenbrauen hoben sich erstaunt, aber er schwieg, offensichtlich erwartete er eine weitere Erklärung.

Gabrielle ärgerte sich über ihre Unbedachtheit. War es richtig, diesen Mann ins Vertrauen zu ziehen, ihn in ihre Pläne einzuweihen? Hier ging es nicht um Persönliches, sondern ums Geschäft. Ihr Herzschlag beschleunigte sich vor Aufregung. In dem Versuch, ihm auszuweichen, versprach sie: »Worum es mir geht, erzähle ich Ihnen, wenn wir uns wiedersehen. Das ist zu viel für einen Abend.«

Zärtlich umschloss seine Hand die ihre, die gerade die Zigarettenkippe in den Aschenbecher drückte. »Sie machen mich glücklich, Mademoiselle Chanel.«

Sie wünschte, der Zauber von vorhin wäre nicht verflogen. Aber ihr Herz schlug nicht wegen dieses attraktiven Mannes schneller, sondern wegen eines Duftes, dessen Namen sie nun zumindest kannte. Sie lächelte Dimitri freundlich an. »Wollen wir spielen gehen?« Ihr Blick schloss jede Zweideutigkeit aus.

In ihrem tiefsten Inneren fragte sie sich, wie es wäre, wenn er sie absichtlich missverstand. Doch Dimitri Pawlowitsch Romanow war kein Mann für doppelsinnige Frivolitäten.

* * *

Gabrielle verlor. Sie gewann. Sie verlor noch mehr. Doch obwohl sie am Ende das Doppelte ihres Einsatzes beim Roulette verspielt hatte, ging sie bedachtsamer mit dem Geld um als Dimitri. Der Großfürst verjubelte seine Jetons mit einer Leichtsinnigkeit, als gäbe es noch den Hof in Sankt Petersburg. Das Vergnügen, mit Dimitri angespannt auf die kleine Kugel im Rouletterad zu starren, zu hoffen, zu jauchzen, wenn die Kugel im richtigen Nummernfach liegen blieb, oder für ein paar Sekunden maßlos enttäuscht zu sein, wenn es nicht so war, war jede einzelne Lira wert. Es war wundervoll, mit ihm zu lachen, verschwenderisch und gleichzeitig großzügig sein zu dürfen. Es war wie ein Rausch. Gabrielle amüsierte sich – und vergaß ihre Trauer.

Als sie schließlich zum Aufbruch drängte und er sie zu ihrem Hotel begleitete, war dieser Abend längst mehr als nur eine flüchtige Episode. Im Bewusstsein einer tiefen Verbundenheit hielten sie einander an den Händen. Keiner schien wirklich bewusst nach der Hand des anderen gegriffen zu haben. Ihre Finger hatten sich gefunden und ineinander verschlungen. Sie schlenderten im Gleichschritt, und wieder fiel Gabrielle auf, wie leicht ihre Körper im selben Takt verschmolzen.

»Mit Ihnen möchte ich die Spielbank in Monte Carlo sprengen«, sagte er. Obwohl er leise sprach, hallte seine Stimme laut durch die nächtliche Stille. Außer ihnen beiden war zu dieser Stunde kaum jemand zu Fuß unterwegs am Lungomare. Das leise Rauschen des Meeres und das Knattern eines Automobils waren die einzigen Geräusche in der Nacht.

Ein Traum, dachte sie, es ist nur ein Traum. Irgendwann

würde sie erwachen und in ihr altes Leben zurückkehren.

»Monte Carlo ist immer eine gute Idee«, erwiderte sie vage.

»Dann lassen Sie uns sofort abfahren.«

»Ich reise morgen mit den Serts nach Rom. Nur ein Abstecher. Wir kommen in ein paar Tagen zurück. Vielleicht ergibt sich danach die Gelegenheit für Monte Carlo.«

Sie waren vor dem Eingang des Hotel des Bains angelangt. Schweigend standen sie einander gegenüber. Erwartungsvoll. Gabrielle rechnete damit, dass er sich irgendeine Frage überlegte, deren Antwort ihm Einlass in ihr Zimmer bescherte. Dabei wären gar nicht viele Worte nötig. Einem Abend wie diesem konnte eigentlich nur eine gemeinsame Nacht folgen. Sie waren erwachsen, wussten, worauf sie sich einließen. Sie nahmen niemandem etwas und würden einander viel geben.

Da zog er sie sanft an sich und küsste sie auf beide Wangen. Eine freundschaftliche Geste voller Vertrauen, nicht die leidenschaftliche Zärtlichkeit eines Liebhabers. Aber deshalb nicht weniger aufwühlend. Es war die respektvolle Geste eines Mannes, der warten konnte.

»Leider bliebe uns nur wenig Zeit für Monte Carlo. Ich habe eine Einladung nach Dänemark erhalten, und dem britischen Botschafter in Kopenhagen darf ich nicht absagen. Er ist mehr als ein Freund – er hat mein Leben gerettet, als ich auf der Flucht vor den Roten war. Deshalb werde ich nicht mehr in Venedig sein, wenn Sie zurückkommen …« Er legte eine Pause ein, als überlegte er es sich gerade anders, doch dann sagte er mit fester Stimme: »Wir sehen uns wieder. Das verspreche ich Ihnen.«

Er wartete nicht ab, was sie dazu sagte, sondern machte kehrt und ging mit leichten Schritten davon. Ein Mann, der Zar von Russland sein könnte, ging offenbar davon aus, dass eine Frau seinem Versprechen ohne Widerrede glaubte.

Und das tat sie tatsächlich.

Lächelnd sah sie ihm nach. Er ist ein Meister des Spiels mit der Liebe, fuhr es ihr durch den Kopf. Ein Kavalier, der höflich und zurückhaltend wartete, anstatt forsch und geistlos zu fordern, was viele seiner Geschlechtsgenossen als ihr Recht ansahen. Dimitri wusste genau, dass er auf diese Weise eher ans Ziel kam. Das hatte sie an dem Schimmern seiner Augen erkannt. Ein Glanz, der sie anzog und ihre Vorfreude schürte. Ihr Verlangen forderte, dass sie ihn zu sich rief. Vielleicht erwartete Dimitri sogar, dass sie den ersten Schritt unternahm. Doch stattdessen trat sie wie beseelt in das Hotelfoyer.

Auch Gabrielle verstand sich auf das Spiel der Spiele.

KAPITEL 6

Italien veränderte Gabrielle. Dem einen Flirt sollte zwar kein zweiter folgen, aber als sie zurück nach Paris reiste, fühlte sie sich erholt wie nie zuvor und von neuer Lebenslust bereichert.

Es kam ihr vor, als würde sie aus einem dunklen Traum erwachen. Allein die Tatsache, dass sie von einem Mann der gesellschaftlichen Klasse eines Dimitri Pawlowitsch Romanow so respektvoll umworben wurde, gab ihr Auftrieb. Natürlich, Boy war viel vermögender gewesen als Dimitri in der Emigration. Aber er gehörte eben nicht zum Hochadel, sondern kam aus großbürgerlichen Verhältnissen und hatte sich seinen Status selbst erarbeitet. Letzteres war im Frankreich der Vorkriegsjahre ebenso imponierend wie heute der Glanz, den die aus Sankt Petersburg und Moskau geflohenen Großfürsten nach Westeuropa mitbrachten. Hinzu kam, dass Gabrielle nicht nur in diesem einen Russen einen Seelenverwandten ausmachte, sondern eine echte Affinität zu der schwermütigen russischen Kultur entwickelte. Sie wusste nicht mit letzter Gewissheit, ob Dimitri sein Versprechen wahr machen und sie ihn jemals wiedersehen würde, aber sie nahm aus ihrer Begegnung mehr mit als die wiederentdeckte körperliche Lust. Es war wie ein wunderschöner Traum, aus dem sie gestärkt erwachte.

Zu ihrer neuen Stärke trug auf seine Weise auch José Sert bei. Durch ihn erfuhr sie fast alles über die Malerei der italienischen Renaissance und die Bildhauer des Barock. Misias Mann war ein Meister seines Fachs und führte seine Schülerin behutsam in die Kunstgeschichte ein. Plötzlich öffnete sich ihr Blick für diese neue Welt – genauso, wie sie sich vor vielen Jahren der Literatur geöffnet hatte.

Als junge Frau hatte sie alle Romane aufgesogen, die ihr zwischen die Finger kamen, gleichgültig, ob Schund, gute Unterhaltung oder höhere Literatur. Sie war überzeugt, dass in jedem geschriebenen Text etwas stand, das sie irgendwie weiterbrachte. Boy hatte ihr dann die Klassiker nahegebracht, so dass sie inzwischen ausgesprochen belesen war. Die bildende Kunst hatte bis jetzt hintangestanden. José jedoch zeigte ihr Magie und Faszination seines Fachs, und es bereitete ihr große Freude, sich mit diesem neuen Thema zu befassen. Nicht, dass sie selbst Bilder oder Skulpturen kaufen und in ihrem Haus ausstellen wollte. Sie fand, dass die Kunstobjekte in den Museen, in denen sie sie betrachten durfte, am besten aufgehoben waren.

Ihre Begehrlichkeiten entwickelten sich in eine andere Richtung: Sie begann davon zu träumen, ein Theaterstück oder ein Ballett auszustatten, so wie damals Paul Poiret die Uraufführung von *Le Sacre du Printemps*. Sie hatte keine Ahnung, wie man ein Bühnenbild erschuf, aber sie konnte Kostüme entwerfen, davon war sie überzeugt. Um dieses Ziel zu erreichen, musste sie von Männern wie Sergej Djagilew jedoch nicht nur bemerkt, sondern womöglich ebenso angebetet werden wie Misia Sert. Wäre es nicht eine glückliche Fügung, wenn die Arbeit mit berühmten Kulturschaffenden die Lücke in ihrer Gefühlswelt füllte, die Boys Tod gerissen hatte? Natürlich kannte sie durch die Serts eine Reihe von bekannten Malern, aber Männer wie etwa Pablo Picasso waren Einzelgänger. Diese Künstler besaßen zwar Freunde, vielleicht auch einen Galeristen, waren aber bei ihrer Tätigkeit mit sich allein. Eine Balletttruppe indes war auf Helfer und Unterstützer angewiesen.

Während sie noch darüber nachdachte, fiel ihr auf, dass ihr die Serts mit der Reise nach Italien ein großes Geschenk gemacht hatten: Gabrielle begann sich über sich selbst zu identifizieren und nicht mehr über den Mann, den sie mehr geliebt hatte als ihr eigenes Leben.

Nach ihrer Rückkehr wurde sie von ihrem Alltag stark in Anspruch genommen, doch ihre Gedanken kreisten um ihre künftige Rolle in der Bohème. Die Kunst kam ihr vor wie ein schönes Spielzeug, die Theater glichen einem Puppenhaus und die Darsteller den Figuren darin. Als kleines Mädchen hatte sie keine Puppen besessen, dafür war sie zu arm gewesen, doch dieses Manko wollte sie nun durch reale Menschen wettmachen. Da Misia und José Sert von Venedig aus in Richtung Balkan aufgebrochen waren und nicht so bald zurückerwartet wurden, erschien ihr die Gelegenheit günstig, allein in die Fußstapfen der Freundin zu treten. Außerdem war da noch eine andere Mission.

So stand sie eines späten Nachmittags vor dem Spiegel, rückte ihren schwarzlackierten Strohhut zurecht und sprach der künftigen Mäzenin leise Mut zu. Sie verließ ihr Atelier nicht wie sonst erst um sieben Uhr abends, sondern machte sich zwei Stunden früher auf zu einem Spaziergang. War die Teestunde nicht die beste Zeit für einen unangemeldeten Besuch? Derartige Gedanken waren ein Überbleibsel der gesellschaftlichen Erziehung eines Engländers, fuhr es ihr durch den Kopf, und sie lächelte amüsiert.

Gabrielle war überrascht, wie wohl es ihr tat, dass sie nun ohne Schmerz an Boy denken konnte. Voller Wehmut – ja. Aber nicht mehr ganz so verzweifelt. Er hätte mit ihr gelacht, wenn sie ihm erzählt hätte, was sie gerade dachte. Konnte man Trauer mit Humor nehmen? Jedenfalls ließ es die Sehnsucht nach einem Toten erträglicher werden, wenn man nach vorn blickte. Es machte ihn nicht wieder lebendig, dass sie ein Leben wie in einer Gruft führte. Das hatte sie in den vergangenen Wochen gelernt.

Frohen Mutes lief sie über die Rue Saint-Honoré zur Rue Royale. Es war ein milder Septembertag, fast noch sommerlich, wie geschaffen für einen Bummel, und ihr Weg führte sie durch eine der ältesten und schönsten Straßen der Stadt. Doch Gabrielle schlenderte nicht, sie schritt zielstrebig in Richtung der Place de la Concorde. Sie hatte in Venedig gut zugehört und erfahren, dass Sergej Djagilew nach seiner Abreise aus der Lagunenstadt im Hôtel de Crillon in Paris logieren würde.

Das Crillon war ein luxuriöses Haus, nicht ganz so feudal wie das Ritz, wo Gabrielle nächtigte, wenn sie abends nicht mehr nach Garches in ihre neue Villa fuhr. Aber das Crillon war zweifellos in einem der schönsten Palais untergebracht und dazu modern ausgestattet, da es erst kurz vor dem Großen Krieg von einem Privathaus umgewandelt worden war. Gabrielle wunderte sich ein wenig, wie Djagilew die Zimmerrechnung bezahlen konnte, aber es war natürlich angenehmer, sich an der Rezeption eines Luxushotels zu melden, als mit der zweifelhaften Wirtin irgendeiner Kaschemme verhandeln zu müssen.

Der Lift brachte sie in die zweite Etage. Vorbei an in Elfenbeintönen gehaltenen Wänden schritt sie zu der Zimmerflucht, die der Ballettmeister bewohnte. Als Boris Kochno, der ihr bereits die Tür aufhielt, die Besucherin sah, verbeugte er sich formvollendet. »Monsieur Djagilew erwartet Sie.«

Der Impresario stand am Fenster des Salons. Im Licht wirkte er beinahe wie ein lebendig gewordenes Auferstehungsgemälde. Der Heiland des Balletts, fuhr es Gabrielle durch den Kopf.

»Mademoiselle Chanel«, hob er an, »ich bedauere, mich nicht an Ihren Namen zu erinnern. Sind wir uns schon einmal begegnet? In Venedig vielleicht? Wie auch immer, eine Freundin der wundervollen Misia Sert ist mir natürlich willkommen.«

Sie schenkte ihm ein freundliches Lächeln, sagte aber nur: »Guten Tag, Monsieur Djagilew.«

Offensichtlich zerbrach er sich weiter den Kopf darüber, wo er Gabrielle schon einmal gesehen hatte. Doch dann schüttelte er wie zur Kapitulation so heftig sein Haupt, dass sein volles Haar wie elektrisiert nach allen Seiten abstand. Mit der einen Hand versuchte er es zu bändigen, während er mit der anderen auf die kleine Sitzgruppe deutete. »Ich kann mich wirklich nicht entsinnen, woher wir uns kennen sollten. Aber wir werden es herausfinden, nicht wahr? Bitte, nehmen Sie Platz. Was kann ich für Sie tun?«

»Ich möchte etwas für *Sie* tun«, erwiderte Gabrielle, während sie sich setzte.

Hochgezogene Augenbrauen waren seine einzige Antwort.

Sie registrierte, dass er ihr nichts anbot. Das war aber möglicherweise eher ein Zeichen von Verwirrung als von Unfreundlichkeit. Sie beschloss, rasch zur Sache zu kommen, und zog das Ledermäppchen aus ihrer Handtasche, in dem sich ihre Scheckformulare befanden.

»Ich möchte, dass Sie *Le Sacre du Printemps* aufführen«, erklärte sie mit fester Stimme, während sie die Schecks auf den niedrigen Tisch vor sich legte. Der zuoberst befindliche Vordruck war bereits ausgefüllt und mit ihrer Unterschrift versehen. Ohne ein weiteres Wort schob sie das Dokument zu Djagilew. »Mit dieser Summe sollten Sie die Wiederaufnahme realisieren können.« Es war ein sechsstelliger Betrag.

Seine Augenbrauen rutschten noch ein wenig höher. Ungläubig griff er nach seinem Monokel, doch die Summe blieb dieselbe. »Mademoiselle!« In seinem Ausruf mischte sich die Empörung eines Mannes, der sich zum Narren gehalten fühlt, mit Überraschung – und einem Funken ungläubiger Freude.

»Meinen Sie, dass das nicht ausreicht?«, fragte sie, nun ebenfalls erstaunt.

»Dreihunderttausend Francs!« Er griff rasch nach dem Scheck, bevor sie es sich anders überlegte. »Ich bitte Sie, Mademoiselle Chanel, das ist überaus großzügig.« Mit der freien Hand fingerte er nach seinem Einstecktuch, zog es heraus und presste es sich an die Nase, als wäre der Duft darin sowohl Lebenselixier als auch Beruhigungsmittel. Gabrielle fiel auf, dass er zitterte. »Boris, nimm das hier an dich und verwahre es gut.«

Erst jetzt bemerkte sie, dass sich der jugendliche Sekretär im Hintergrund gehalten hatte. Mit einer leichten Verbeugung kam er dem Wunsch seines Herrn nach.

»Ich bin überwältigt«, gab Djagilew zu. »Wenn Sie als Gegenleistung die beste Aufführung erleben wollen, die die Compagnie der *Ballets Russes* jemals gegeben hat, können Sie dessen sicher sein.«

»Davon bin ich überzeugt.« Sie lächelte ihn an. »Ich möchte Sie allerdings um etwas anderes bitten.« Sie legte eine kleine Pause ein, um ihn ein bisschen auf die Folter zu spannen. Als sich seine Gesichtsfarbe von Puderrosa in Dunkelrot zu verwandeln begann, fügte sie hastig hinzu: »Es geht um Ihr Einstecktuch. Da ich annehme, dass Sie sich nicht für immer von dem Geschenk der Großfürstin trennen möchten, würde ich es mir gern ausleihen.«

Sie hatte lange darüber nachgedacht, wie sie an die Zusammensetzung des Duftes der Großfürstin Maria Pawlowna kommen könnte. Da ihr Dimitri wenig Mut gemacht hatte, noch einen Flakon des *Bouquet de Catherine* aufzutreiben, würde sie die Formel auf andere Weise finden müssen. Es erschien ihr logisch, dafür das Tüchlein zu benutzen, in dem das Parfüm noch immer hing. Sie hoffte, dass in den Labors von François Coty ein fähiger Chemiker arbeitete, der in der Lage wäre, die einzelnen Essenzen zu erkennen. Sie wusste nicht genau, ob ihr Vorhaben umsetzbar war, aber sie musste es versuchen. Selbst wenn nicht alle Ingredienzien identifiziert werden konnten, würde die Basis ausreichen, um damit zu experimentieren. Allein die Präsentation dieses ungewöhnlichen Aromas sollte genügen, um ihre Vorstellungen in eine Formel zu kleiden. Das brächte sie ihrem Ziel näher als alle bisherigen Versuche.

Verwirrung und Unglaube lagen in Djagilews dunklen Augen. Er umklammerte das Tuch, als befürchte er, seine Besucherin würde es ihm jeden Moment entreißen.

»Es wird Ihrem Tuch nichts geschehen«, versicherte Gabrielle. »Selbstverständlich gebe ich es Ihnen so rasch wie möglich zurück – unversehrt.«

»Wofür brauchen Sie es?« Seine Stimme klang heiser.

Angesichts ihrer großzügigen Spende fand Gabrielle seine Frage geradezu vermessen. Andererseits zeugte sein Verhalten auch von seiner tiefen Verbundenheit mit seiner verstorbenen Förderin. Ein Mann mit diesem Gefühl für Loyalität war durchaus nach ihrem Geschmack.

Also erzählte sie ihm von ihrem Erfolg als Modeschöpferin. »Vor vielen Jahren begann ich damit, Hüte für die weiblichen Gäste meines Freundes Étienne Balsan zu entwerfen. In einer Zeit, in der die Frauen regelrechte Wagenräder auf dem Kopf trugen, sorgten meine schlichten Modelle für ziemlich viel Aufmerksamkeit in der Pariser Gesellschaft. Also fertigte ich noch mehr Hüte und konnte schließlich mit Étiennes Unterstützung ein erstes Putzmachergeschäft in der Rue Cambon eröffnen. Dann begann ich zu schneidern, zunächst Matrosenblusen und Hosenröcke. Ich bevorzuge schon immer einen sehr schlichten Stil, die klaren Formgebungen des Mittelalters inspirieren mich. Jedenfalls wurde meine Mode so beliebt, dass ich ein Jahr vor dem Krieg Boutiquen in Deauville und später in Biarritz eröffnete.

Heute arbeite ich in einem Haus in der Rue Cambon, und die Damen der Gesellschaft sind meine Kundschaft. Ich möchte den besten und treuesten meiner Kundinnen ein Geschenk machen, aber mein Toilettenwasser soll etwas ganz Besonderes sein. So besonders wie der Duft der Großfürstin. Um die Formel herauszufinden, brauche ich das Tuch ...«, sie hielt kurz inne, dann: »Und Ihre absolute Diskretion. Ich bitte Sie, über alles, was wir hier sprechen, Stillschweigen zu bewahren. Auch meine Spende sollte unter uns bleiben. Ich möchte, dass nicht einmal unsere gemeinsame Freundin Misia davon erfährt.«

Mit einem Nicken reichte Djagilew ihr sein Einstecktuch. »Ich verstehe. Die Großfürstin trug übrigens das Parfüm *Rallet No 1* beziehungsweise *Le Bouquet de Catherine* ...«

»Ich weiß«, fiel sie ihm ins Wort.

Was würde Dimitri Pawlowitsch sagen, wenn sie eine Neufassung des Duftes der Zarin herstellen ließ? Keine Kopie. Das war nicht ihr Stil. Aber eine neue, zeitgemäße Variante entspräche durchaus ihren Vorstellungen. So wie eine neue Aufführung von *Le Sacre du Printemps* keine Wiederholung des Vorkriegsballetts sein würde. Was würde er sagen, wenn er wüsste, dass sie diese Erinnerung an die alte russische Folklore finanzierte? Seine Vergangenheit und ihre Zukunft verbanden sich.

Ich denke zu viel an Dimitri, fuhr es ihr fast erschrocken durch den Kopf, das sollte ich lassen. Es gab Wichtigeres in ihrem Leben als einen neuen Mann.

Zusammen mit ihrem Scheckbuch steckte sie das Tuch in ihre Handtasche.

KAPITEL 7

Als ihr Wagen ein paar Tage später durch den Bois de Boulogne rollte, beschlichen Gabrielle erste Zweifel an ihrem Vorhaben. Sie starrte auf die sich herbstlich verfärbenden Bäume und fragte sich, ob sie nicht zu ungestüm vorging. Eine so hohe Summe für ein Taschentuch zu bezahlen, das sich im Labor womöglich als wertlos erweisen könnte, war verrückt. Natürlich hatte sie Djagilew den Scheck auch aus anderen Gründen gegeben, aber die Sache mit dem Parfüm grenzte schon an Besessenheit.

Boy hätte sich wahrscheinlich köstlich amüsiert, aber hätte er sie nicht auch gescholten, weil sie so leichtsinnig handelte? Das *Eau de Chanel* war eine gemeinsame Idee, aber nicht die einzige. An vielen ruhigen Abenden hatte sie sich vor dem Kamin in seine Arme geschmiegt, dem Knistern des Feuers gelauscht und von ihren Plänen erzählt, die er dann befürwortete oder auch mit guten Argumenten zerstreute. Sie sprachen nur von ihrer beruflichen Zukunft, Privates diskutierten sie so gut wie nie. Es gab ja auch nichts zu bereden, zumindest für Gabrielle stand fest, dass sie den Rest ihres Lebens an Boys Seite verbringen würde. Und sie glaubte daran, dass es ihm ebenso erging. Als sie zum ersten Mal durch das Eingangsportal des Hauses Rue Cambon 31 geschritten war, meinte sie, nicht nur diesen Laden für alle Ewigkeit für die Welt der *Modes Chanel* zu öffnen, sondern auch jene Hand, die sie hineinführte, für immer halten zu dürfen. Warum also konzentrierte sie sich so stark auf einen Duft statt auf all die anderen Ideen, die es noch zu verwirklichen galt? Wie etwa ihren Plan, ein elegantes, aber schlichtes Kleid zu entwerfen, das eine Frau zu jeder Tageszeit tragen konnte ...

Eine Träne stahl sich aus ihren Augen. Gabrielle war versucht, mit dem Taschentuch über ihre Wange zu wischen. Doch nach einem kurzen Zögern tupfte sie nur mit den Fingerspitzen über das Gesicht. Dabei achtete sie darauf, ihr Puder nicht zu verwischen. Das hochwertige Puder, das sie jeden Morgen mit der weißgoldenen Quaste auf ihrer stets leicht gebräunt wirkenden Haut verteilte, war ein Produkt des geschäftstüchtigen François Coty, ebenso wie die Kompaktversion in ihrer Tasche. Auf dem Markt der Schönheitsindustrie kam man an Napoleon eben nicht vorbei. Gabrielle betrat die Villa *La Source* inzwischen wie eine alte Bekannte. Tatsächlich war sie im vergangenen halben Jahr so oft hier gewesen, dass François Cotys Mitarbeiter sie womöglich für eine der Ihren hielten. Ohne große Umstände wurde sie auch heute in das Allerheiligste der Direktion geführt, wo der Chef sie bereits mit einem frisch zubereiteten Mokka erwartete.

»Arabicabohnen sind das am besten geeignete Mittel, einen Tag gut zu beginnen«, verkündete er heiter und führte ihre Hand an seine Lippen. »Sie öffnen die Nase und die Seele. Ich freue mich, mit Ihnen frühstücken zu dürfen. Möchten Sie ein Croissant?«

Sie lehnte kopfschüttelnd ab.

»Was hat Ihnen den Appetit auf ein frisches Croissant genommen? Als Sie um den schnellstmöglichen Termin baten, klangen Sie ziemlich aufgeregt, meine Liebe. Ich bin auch aufgeregt, weil Sie mir nicht sagen wollten, worum es sich handelte. Darf ich nun wissen, was Sie hierherführt?«

»Natürlich.« Sie lächelte ihn an. Statt ihre Handtasche zu öffnen, klopfte sie mit den Fingerknöcheln gegen das Schloss. »Können Sie aus einem mit Toilettenwasser besprühten *Mouchoir* die Ingredienzien herausfiltern, François?«

»Nein«, erwiderte er, ohne zu überlegen. »Das geht nicht.«

Sie schnappte nach Luft. »Ich habe hier ein Taschentuch mit eben jenem Duft, der die Grundlage für den meinen sein soll, und ich muss unbedingt herausfinden, aus welchen Bestandteilen das Toilettenwasser besteht, mit dem es die ursprüngliche Besitzerin parfümierte.«

»Es gibt keine chemische Möglichkeit, die einzelnen Substanzen aus einem Stofffetzen herauszufiltern.« Coty sah sie irritiert an, die Mokkatasse schwebte in seiner Hand in der Luft. »Aber warum fragen Sie die Dame nicht einfach nach einer Probe von ihrem Parfüm?«

»Sie ist tot.«

»Das tut mir leid.«

Gabrielle gestattete sich eine wegwerfende Handbewegung, die nicht das Ableben der Großfürstin, sondern vielmehr die Eile betraf, mit der sie agierte. Sie hatte keine Zeit für Nebensächlichkeiten – und schon gar keine Lust, gleich aufzugeben. »Es soll sich um *Le Bouquet de Catherine* von Rallet handeln ...«

»Das ist der Duft der Zarenfamilie«, unterbrach Coty, der das Tässchen endlich abstellte. Es war ihm anzusehen, wie unbehaglich er sich fühlte. »Wer sich ein bisschen mit dem Thema beschäftigt, kann sich an den Duft und seine Geschichte erinnern. Rallet brachte es vor dem Krieg in Moskau heraus, und es halten sich die Gerüchte, dass es sich an *Quelques Fleurs* von Houbigant orientiert. Oder umgekehrt. Aber vielleicht ist die Ähnlichkeit auch nur ein Zufall, ebenso die Präsentation der beiden Düfte innerhalb eines Jahres. Wir werden die Wahrheit nie erfahren.«

»Dann kennen Sie die Bestandteile des Parfüms?«, hob Gabrielle hoffnungsvoll an.

»Es ist eine ungewöhnliche Mischung aus verschiedenen Ingredienzien. Mehr weiß ich nicht. Niemand weiß es. Wahrscheinlich ist die Formel mit dem Russischen Reich untergegangen. Und wenn nicht, gehört sie den Bolschewiki. Wie ich hörte, soll die alte Fabrik von Rallet in Moskau jetzt *Seifen- und Parfümwerk Nr 5* heißen. Angeblich wollen die Sowjets dort einen Duft herstellen, der *Freiheit* heißt. Unfassbar, nicht wahr?« Er wartete ihre Antwort nicht ab, sondern fügte eine weitere Frage hinzu: »Warum interessiert Sie ausgerechnet die Zusammensetzung dieses alten Parfüms?«

»Ich möchte es zu neuem Leben erwecken.«

Coty stutzte. »Unter diesen Umständen wäre es am einfachsten, Sie versuchten, einen Flakon von Rallet aufzutreiben. Mit dem Duftwasser könnte ich besser arbeiten als mit einem Taschentuch.«

»Ich habe nur dieses Taschentuch«, erwiderte sie einfach.

»Tja, wahrscheinlich gibt es auch keine Bestände mehr.« Mit einem Mal brach er in schallendes Gelächter aus. Nachdem er sich beruhigt hatte, meinte er: »Mit Verlaub, Mademoiselle Coco Chanel, Ihr Ansinnen klingt wie ein Scherz. Aber ich mag Ihren Humor.«

»Mir war es noch nie so ernst.« Sie öffnete ihre Handtasche und zog das Tuch hervor. Sofort verströmte es seinen einzigartigen Duft.

»Sie wollen also den Bolschewiki ein Schnäppchen schlagen.« Coty grinste. »Ich glaube zwar nicht, dass wir dies mittels eines Taschentuchs erreichen können, aber versuchen sollten wir es. Mein Herz schlägt hier meinen Verstand.«

Noch immer lächelnd versprach er ihr, sich so bald wie möglich bei ihr zu melden.

KAPITEL 8

»Was tust du da?«, erkundigte sich José Sert. Staunend beobachtete er, wie seine Frau eine Karte in ein Kuvert schob. Ein flüchtiger Blick auf das dicke, handgeschöpfte Bütten genügte, er hätte nicht auch noch die steile Schrift zu lesen brauchen, um zu wissen, worum es sich handelte. Er stand hinter Misia, die an ihrem Sekretär saß und sich zu seiner größten Verwunderung benahm, als würde sie eine heilige Handlung vollziehen.

Sie war über einen Berg privater Post gebeugt, die während ihrer monatelangen Abwesenheit eingegangen war. Die meisten Briefe lagen geordnet auf verschiedenen kleinen Stapeln, nur dieser eine wurde anders behandelt.

Ohne von ihrer anscheinend wichtigen Tätigkeit aufzusehen, erklärte sie: »Ich schicke unsere Einladung zu dem Kostümball des Comte de Beaumont zurück an den Absender.«

»Das sehe ich. Ich verstehe nur nicht, warum du das tust.«

»Ich weigere mich, zu diesem Fest zu gehen.«

»Es wird das größte gesellschaftliche Ereignis dieser Saison!«

Misia drehte ihren Kopf und lächelte ihn geheimnisvoll an. »Das mag sein, aber wir werden dafür sorgen, dass es der größte Skandal der Saison wird.«

»Aha.« José überlegte, was es gegen Étienne de Beaumont einzuwenden gab. Der Comte war einer der größten Förderer moderner Kunst. Der Aristokrat sammelte kubistische Gemälde von Pablo Picasso, Juan Gris und Georges Braque, was wiederum den Malern eine gewisse finanzielle Sicherheit bescherte. Außerdem verband Beaumont und die Serts eine enge Freundschaft mit dem Dichter Jean Cocteau. José konnte sich an kein Fehlverhalten Beaumonts oder dessen Frau Edith erinnern, das Misias Aufruhr rechtfertigen könnte. Im Gegenteil. Das gräfliche Palais im 17. Arrondissement war eines der kulturellen Zentren von Paris, und Misia hatte sich bisher glücklich geschätzt, deren Mittelpunkt zu sein.

»Warum tun wir das? Ich meine, was veranlasst uns, für einen Skandal zu sorgen?«

»Étienne und Edith de Beaumont weigern sich, Coco Chanel auf die Gästeliste zu setzen.« Misias Stimme bebte vor Zorn. Mit einer fast automatischen Geste fuhr Misias Hand nach oben und schloss sich um Josés Finger, die auf ihrer Schulter ruhten. Vielleicht suchte sie seinen Halt, vielleicht wollte sie sich aber auch seiner Unterstützung versichern. »Das ist unerhört! Und ich werde dafür sorgen, dass auch unsere Freunde nicht hingehen. Die Pariser Kunstszene wird geschlossen zu Hause bleiben oder – noch besser – woanders feiern. Picasso und Cocteau wissen bereits Bescheid und sind absolut meiner Meinung.«

»Oh, eine Intrige.«

»Nein. Eine offene Kriegserklärung.«

»Findest du nicht, dass es Sache der Beaumonts ist, wen sie zu ihrem Ball einladen? Natürlich ist es bedauerlich, dass sie Coco meiden. Aber – *¡Dios mío!* – das ist doch kein Grund für einen Krieg.«

»Ich finde schon, dass es das ist.« Sie ließ seine Hand los und trommelte mit den Fingern auf den Umschlag. »Edith de Beaumont lässt ihre Kostüme von Coco entwerfen, aber sie will mit der Modeschöpferin privat nicht verkehren. Ebenso Étienne. Was für Snobs! Ich bin erbost.«

José liebte Misia, und er liebte Coco, weil sie eine wunderbare Frau war und von Misia geliebt wurde. Er respektierte, dass sich Misia für ihre Freundin einsetzte, dennoch verstand er die Dramatik nicht. »Mach dir nichts vor: Coco würde gar nicht zu diesem Fest gehen. Ich bezweifle, dass sie – trotz aller Fortschritte, die sie macht – schon weit genug für ein solches Tanzvergnügen ist.«

»Natürlich würde sie uns begleiten, das weißt du ganz genau.«

»Ja, vielleicht«, gab er halbherzig zu. »Wenn du meinst, gehen wir also nicht zu Beaumonts Maskenball. Von mir aus. Aber warum sagst du nicht einfach ab, anstatt die Einladung zurückzuschicken?«

»Weil ich den feinen Herrschaften klarmachen möchte, wie armselig sie sind.« Endlich drehte sie sich auf dem Stuhl ganz zu ihm um. Ihre schönen blauen Augen funkelten. »Sie übersehen Coco aus keinem anderen Grund als wegen ihres Standesdünkels. Monsieur le Comte und seine Comtesse stören sich an Cocos unehelicher Geburt und an ihrer einfachen Herkunft. Außerdem werfen sie ihr ihre Männerbekanntschaften vor. Sie halten sie nicht für fein genug, um in ihren Kreisen zu bestehen. Dabei kenne ich keine Frau, die sich so vorzüglich benimmt wie Coco. Also, mit dieser Bigotterie will ich nichts zu tun haben. Man muss sie an den Pranger stellen.«

Ihre unabdingbare Loyalität rührte ihn. Er beugte sich hinunter und küsste sie sanft auf den Mund. »Das ist ein gesellschaftliches Problem, das nicht nur die Beaumonts haben. Cocos Herkunft und Lebenswandel konnte nicht einmal ein Arthur Capel ignorieren. Das weißt du, Misia. Es ist eine Geschichte, die sich nicht so schnell erledigen lässt. Ich fürchte, sie wird uns allen noch viel Kopfschmerzen bereiten.«

»Coco ist wie eine Schwester für mich. Ich kann nicht tolerieren, dass sie nicht als der wunderbare Mensch geachtet wird, der sie ist. Deshalb sorgen wir für einen Skandal. Und ich werde auch dafür sorgen, dass Edith de Beaumont keinen Tropfen von dem Parfüm erhält, das Coco für ihre Kundinnen herstellen lassen möchte.«

»Tu das«, murmelte José, während er liebevoll über ihre Wange strich.

»François Coty wurde übrigens auch unehelich geboren«,

insistierte Misia ungeachtet seiner Zärtlichkeit. »Und alle Welt huldigt ihm wie einem Kaiser.«

José seufzte. Er wünschte, er könnte dieses missliebige Thema beenden. »Coty ist ein reicher und mächtiger Mann.«

»Coco erzählte mir, dass sie in diesem Jahr wahrscheinlich Einnahmen in Höhe von zehn Millionen Francs wird versteuern müssen. Sie ist eine wohlhabende und mächtige Frau.«

Und hoffentlich bald eine geachtete Frau, fuhr es José durch den Kopf. Er beugte sich noch einmal zu Misias Gesicht und verschloss ihren Mund mit einem langen Kuss.

KAPITEL 9

François Cotys Rückmeldung ließ überraschend lange auf sich warten. Nach mehreren Wochen meldete er sich telefonisch: »Es gibt keine Ergebnisse, Mademoiselle Chanel.« Seine ernste Stimme hallte durch den Hörer direkt in ihren Kopf. »Wir haben alles versucht. Wir können ein paar Blütendüfte unterscheiden, aber es fehlt ein wesentlicher Bestandteil, den wir nicht ausmachen können. Meiner Ansicht nach sind synthetische Moleküle im Spiel, aber dem Labor ist eine genaue Analyse der Synthese allein aus dem Taschentuch nicht möglich.«

»Was sind ›synthetische Moleküle‹?«, fragte Gabrielle.

»Es ist ein wenig kompliziert, denn es handelt sich um künstliche Stoffe, die in der Chemie gewonnen werden.« Coty seufzte, und sie stellte sich bildlich vor, wie er am anderen Ende der Telefonleitung den Kopf schüttelte. »Vielleicht irre ich mich. Vielleicht auch nicht. Es ist ziemlich ungewöhnlich, ein Parfüm aus einem synthetischen Stoff herzustellen, eigentlich ist das viel zu teuer. Aber möglicherweise war für die Zarenfamilie nichts zu teuer. Andererseits war es meines Erachtens zum Zeitpunkt der Komposition noch gar nicht möglich, die Moleküle zu trennen. Mit dem Taschentuch allein kommen wir jedenfalls nicht weiter. Mit unseren Proben sind wir auch von einer nur ähnlichen Duftkomposition weit entfernt.«

Gabrielle ließ sich nicht anmerken, wie niederschmetternd Cotys Anruf für sie war. Obwohl ihr danach war, ihre Enttäuschung herauszuschreien, sagte sie sanft: »Danke, dass Sie sich so viel Mühe gemacht haben. Ich lasse das Taschentuch morgen von meinem Chauffeur abholen.«

»Sie können mein Laboratorium jederzeit wieder benutzen«, versprach der Parfümkönig, bevor sie das Gespräch beendeten.

Wenigstens Djagilew wird sich freuen, seinen kostbaren Besitz zurückzuerhalten, dachte sie grimmig. Er hatte Gabrielle bereits mehrmals danach gefragt. Stets diskret und auch nicht impertinent, aber sie hatte sich schuldig gefühlt, weil sie sich in der wichtigen Phase seiner Premierenvorbereitungen seines Talismans bediente. Djagilew ließ ihr durch Boris Kochno wiederholt Einladungen zukommen, sich die Ballettproben anzusehen: Der junge Sekretär sprach immer wieder in ihrem Atelier vor, überbrachte Einladungen und persönliche Nachrichten seines Auftraggebers. Doch bislang hatte sie jedes Mal abgesagt.

Während sie am Boden kniete – Stecknadeln zwischen den Lippen und ein auf einem Armreif befestigtes Nadelkissen am Handgelenk, dabei Stoffbahnen um eine Kleiderpuppe drappierend –, vorgeblich in ihre Arbeit versunken, lauschte sie aufmerksam, wie sich Kochno nach der Überbringung einer weiteren Einladung eher beiläufig nach der Leihgabe erkundigte. Sie steckte die Nadeln fest und vertröstete ihn. Doch ihre Beklommenheit wuchs. Sie kam sich bei jedem Besuch des jungen Mannes ein wenig schäbiger vor. Russen waren sehr abergläubisch, das wusste sie von Dimitri. Deshalb mied sie Djagilew, suchte nach Ausflüchten, um seinen Sekretär mit freundlichen Absagen ins Hôtel de Crillon zurückzuschicken. Ihr Einstand als Mäzenin verlief nicht gut. Das Gleiche galt für die Herstellung eines *Eau de Chanel*.

Und nun erwies sich das Souvenir auch noch als wertlos für Gabrielle. Als sie das Gespräch mit Coty beendet hatte, fiel ihr Blick fast automatisch auf den Beistelltisch unter dem Wandtelefon. Auf ihrem in schwarzes Leder gebundenen Kalender, der bei den Terminen der nächsten Woche aufgeschlagen war, lagen lose verstreut ein paar beschriftete Zettel, und zwischen den Seiten für die kommenden Wochen lugte die Ecke eines Billetts mit dem Wappen des Hôtel de Crillon hervor.

Sie schob die Notizen mit der Fingerspitze hin und her, bis sie fand, was sie suchte. Obwohl sie ursprünglich abgesagt hatte, hatte sie Ort, Datum und Uhrzeit eines Soupers, das Djagilew anlässlich des Fortschritts der Proben von *Le Sacre du Printemps* für seine Freunde veranstaltete, notiert. Sie wusste selbst nicht, warum sie einen Termin, den sie nicht wahrnehmen wollte, aufgeschrieben hatte. Nach den schlechten Neuigkeiten von Coty war dieses Essen jedoch eine wunderbare Gelegenheit, die Leihgabe ihrem ursprünglichen Besitzer zurückzugeben.

Entschlossen ging sie zu ihrem Schreibtisch, setzte sich und zog ein Blatt ihres Briefpapiers aus der Schublade. Die Nachricht, die sie an Djagilew schrieb, war kurz: Sie habe es sich anders überlegt und nehme seine Einladung sehr gern an. Das Taschentuch erwähnte sie nicht, sie wollte es ihm als Überraschung mitbringen.

* * *

Es waren seine Künstlerfreunde und ausgewählte Mitarbeiter, die Sergej Djagilew in der Bar La Gaya um sich versammelte. Obwohl sich das Lokal praktisch um die Ecke von ihrem Atelier befand, traf Gabrielle verspätet ein. Die anderen Gäste standen in kleinen Gruppen unter einem riesigen Leuchter bei einem Aperitif zusammen und diskutierten lebhaft, mehrfach reflektiert von den verspiegelten Wänden.

Auf Anhieb entdeckte sie José Sert, der in eine Unterhaltung mit Pablo Picasso vertieft war. Er blickte kurz zu ihr hin, winkte und wandte sich dann wieder seinem Gesprächspartner zu, der ihr ebenfalls nur kurz zunickte, bevor er die Diskussion fortsetzte. Picasso benutzte zum Sprechen nicht nur seinen Mund, sondern gestikulierte wild mit seinen Händen und der Zigarre, die er in der einen hielt. Gabrielle war fasziniert von der Ausstrahlung dieses Mannes, er besaß Esprit, obwohl er eigentlich nicht besonders attraktiv und häufig nicht einmal charmant war. Sie kannte Josés Landsmann durch ihre Freunde, und sie verband durchaus mehr als eine lose Bekanntschaft: Olga Stepanowna Chochlowa, bis zu ihrer Hochzeit mit Pablo Picasso Tänzerin in Djagilews Compagnie, trug Kleider von Gabrielle – und das nicht nur bei gesellschaftlichen Anlässen als eine Art lebendige Schaufensterpuppe: Vor rund drei Jahren war die damals frischgebackene Madame Picasso von Pablo in einem Badeanzug gemalt worden, der aus dem Hause Chanel stammte. »Die Badende« hieß das Gemälde. Ein Liebesbeweis in Öl. Jetzt stand Olga Picasso neben Misia am Fenster, ein Glas in der Hand, an dem sie nur nippte. Gabrielle wusste, dass die frühere Primaballerina schwanger war, doch das Hängerkleid kaschierte ihre beginnenden Rundungen. Sowohl Olga als auch Misia wurden umringt von Bewunderern.

Gabrielle bediente sich von dem Tablett, das ein Kellner herumreichte, und blieb auf einem Beobachtungsposten zwischen Tür und Klavier stehen. Das La Gaya war bekannt für seine Musik, häufig spielten hier der Komponist Darius Milhaud und seine Freunde der *Groupe des Six*. Doch heute bestimmten keine Akkorde die Geräuschkulisse, das Stimmengewirr herrschte vor. Djagilew hatte gut zwanzig Gäste eingeladen, im Wesentlichen Männer, alle erstaunlich formell gekleidet, viele Tänzer darunter, die an ihrer Geschmeidigkeit zu erkennen waren. Gabrielle nippte an ihrem Champagner und sah zu, wie sich die Stimmung seltsam auflud, als warteten hinter den eleganten Fassaden Dramen darauf, wachgerufen zu werden.

Ihre Rolle als stille Zuschauerin wurde von Djagilew selbst unterbrochen, der sie bemerkte und mit ausgebreiteten Armen auf sie zueilte. »Mademoiselle Chanel! Was für eine Freude, Sie zu sehen!«

Niemand in der Bar konnte sich dieser lautstarken Begrüßung entziehen, deren Krönung mehrere Küsse waren, die Djagilew in der Luft rechts und links von Gabrielles Wangen platzierte.

»Ich freue mich sehr, hier zu sein«, erwiderte sie freundlich. Dann reichte sie ihm ihr Mitbringsel. »Vor allem aber bin ich gekommen, um Ihnen etwas wiederzugeben.«

In einer theatralischen Geste presste Djagilew das Taschentuch auf Mund und Nase, offensichtlich zu gerührt, um ein Wort des Dankes zu finden.

Die Szene war Gabrielle ein wenig peinlich, zumal die Gespräche um sie herum weitgehend verstummten. Nur Picassos spanisches Lamento prasselte unverändert weiter.

»Ich hatte Ihnen versprochen, dass ich Ihnen Ihr Eigentum unversehrt zurückgebe.«

»Coco!« Misia löste sich von ihren Bekannten und stürzte auf Gabrielle zu.

»Was tust du denn hier?«, flüsterte sie in ihr Ohr, als sie die Freundin umarmte. »Ich wusste gar nicht, dass du den Maestro kennst.« Der beleidigte Unterton war selbst bei Misias gesenkter Stimme nicht zu überhören.

»Du hast mich in Venedig vorgestellt«, erinnerte Gabrielle mit einem erzwungenen Lächeln.

»Ja, aber …«, hob Misia an, unterbrach sich dann jedoch. Ihre Augen flogen von Gabrielle zu Djagilew.

Er zog das bisher dort untergebrachte Ersatztuch aus der Einstecktasche an seinem Jackett, ließ es achtlos zu Boden fallen und ersetzte es durch sein Andenken an die verstorbene Großfürstin. »Misia, Ihre wundervolle Freundin muss unbedingt Strawinsky kennenlernen«, flötete er. Bei seinen letzten Worten war er bereits auf dem Weg zu der Gruppe am Fenster. Ein Dutzend Augen folgten ihm und den beiden Frauen in seinem Schlepptau.

»Was machst du hier?«, wiederholte Misia neben Gabrielle. Misias Ton war ein Wispern, die Unwilligkeit, mit der sie ihren Platz in dieser Gesellschaft verteidigte, deutlich herauszuhören. Offensichtlich war sie verärgert. Zum ersten Mal kam Gabrielle der Gedanke, dass ihre Freundin eifersüchtig sein könnte. Misia Sert war die große Förderin der *Balletts Russes* – und wollte es auch bleiben. Wen immer sie hinter der Spende vermutete, die zu der Neuaufführung führte, an Gabrielle Chanel dachte sie dabei natürlich nicht.

»Monsieur Djagilew war so freundlich, mir eine Einladung zu schicken«, erwiderte Gabrielle. »Und die habe ich angenommen.«

»Aber du hast mir nichts davon erzählt!«, protestierte Misia.

»Ich hab's vergessen«, murmelte Gabrielle.

»Aber wir … wir sprechen doch sonst über alles.«

Gabrielle hörte ihrer Freundin kaum noch zu, gefesselt von den klugen Augen eines Mannes, die sie hinter einer goldgerahmten Brille anstarrten, als sei er in diesem Moment vom

Blitz getroffen worden. Er stand neben Olga Picasso, mittelgroß, eher schmächtig, vielleicht vierzig Jahre alt, sein Haar begann sich hinter der hohen Stirn zu lichten, über den vollen, ernsten Lippen trug er einen Schnurrbart. Sein Anzug war einst sicher von vorzüglicher Qualität gewesen, wirkte inzwischen jedoch abgetragen, seine Haut fahl – der optische Eindruck eines Menschen, dem es weder finanziell noch durch seine Lebensumstände besonders gutging, der jedoch ein anderes Leben gewohnt war.

»Das ist Igor Strawinsky, der Komponist«, stellte Djagilew vor. »Mademoiselle Coco Chanel, die Modeschöpferin.«

Der durchdringende Blick tauchte in ihre Augen ein. »Guten Abend.« Er neigte sich über ihre Hand, als befänden sie sich auf einem Ball in seiner untergegangenen Heimat.

Igor Strawinsky hatte etwas ebenso Beklemmendes wie Einnehmendes an sich. Auch etwas Selbstherrliches, wie Gabrielle schien, obwohl dies so gar nicht zu seinem bescheidenen Aufzug passte. Gabrielle konnte sich seiner Präsenz kaum entziehen, hin- und hergerissen zwischen Abneigung und Neugier. Selbst als sie mit seinem Choreografen Léonide Massine bekannt gemacht wurde und den Kunstkritiker und Bühnenbildner Alexander Benois kennenlernte, blieb ihre Aufmerksamkeit mehr bei Strawinsky. Die Namen der Tänzer, die sich in der Gruppe um Misia und Olga Picasso befanden, vergaß sie sofort wieder.

»Ich möchte, dass Sie beim *dîner* neben mir sitzen, Mademoiselle Chanel«, verkündete Strawinsky.

»Wollen wir die Tischordnung nicht lieber unserem Gastgeber überlassen?«

»Nein. Warum sollten wir?« Als er den Kopf wandte, blitzten seine Brillengläser im Licht der Lampen wie die Klingen von Schwertern in der Sonne. »Es obliegt den Gästen, einen besonderen Abend zu genießen. Oder sind wir eingeladen worden, um dem Gastgeber einen Gefallen zu erweisen?«

Gabrielle wurde einer Antwort enthoben. Offenbar entwickelte sich Picassos Diskussion mit Sert zu einem Streit, denn Pablos aufgebrachte Stimme übertönte plötzlich die Kulisse aus leiser geführten Gesprächen: »Max Jacob sagt, dass guter Stil die Abwesenheit von Klischees bedeutet, und ich teile diese Meinung unbedingt.«

Sofort ging ihr durch den Kopf, dass auch sie das dachte. José Sert liebte indes das Opulente in der Kunst, das durchaus klischeebehaftet sein konnte.

»Spanische Leidenschaft«, kommentierte Strawinsky amüsiert. »Das ist der Gegensatz zur russischen Schwermütigkeit. Natürlich bedeutet dies nicht, dass wir nicht auch leidenschaftlich sein können.«

Gabrielle lächelte still in sich hinein, zum ersten Mal nicht ganz bei Strawinsky, sondern bei einem anderen Mann. O ja, Dimitri Romanow wirkte in seiner Zurückhaltung wie ein Brunnen, in dessen Tiefe sich ein loderndes Temperament verbarg. Bei Strawinsky war diese Eigenschaft offensichtlicher. Aber der war auch ein Künstler, und Dimitri hatte bis zu seiner Flucht wenig anderes kennengelernt als die strengen Zeremonien bei Hofe und das Leben beim Militär. Letztlich war ihr die slawische Mentalität jedoch lieber als die südländische Offenheit. Auch Boy war auf den ersten Blick von vornehmer Distanz gewesen, aber ein Mann, unter dessen unbewegter britischer Oberfläche ein helles Feuer loderte. Ihr Herzschlag schien bei dem Gedanken an den Geliebten für einen Moment auszusetzen. Sie fing sich jedoch rasch, und das Pochen folgte wieder seinem gleichmäßigen Rhythmus.

»Du sitzt neben Strawinsky?«, fragte Misia überrascht, als man sich zu Tisch begab. Sie starrte auf die Platzkarten, die trotz der legeren Atmosphäre in dem Lokal vor den Gedecken deponiert worden waren. Ihre dünnen Augenbrauen hoben sich. Sie neigte ihren Kopf zu Gabrielle und flüsterte: »Pass auf, dass du dich nicht ansteckst. Seine Frau soll an einem chronischen Lungenleiden erkrankt sein. Tuberkulose, nehme ich an. Bei seinen prekären Verhältnissen ist das natürlich kein Wunder, aber traurig für seine Kinder. Vier sind es. Und sie sind noch klein, glaube ich. Die Schwindsucht ist ja so ansteckend.«

Gabrielle schenkte der Freundin ein gewinnendes Lächeln und schwieg. Sollte Misia in ihrer Eifersucht doch behaupten, was sie wollte. Immerhin nahm Misia den Ehrenplatz neben dem Gastgeber ein. Sie konnte sich also nicht beschweren. Wahrscheinlich hätte sie sich über jeden möglichen Tischherrn für Gabrielle entrüstet, selbst wenn dieser das letzte Glied der Balletttruppe wäre. Sie ärgerte sich über Gabrielles Anwesenheit, weil sie nichts damit zu tun hatte. So war Misia, und Gabrielle maß dem keine sonderlich große Bedeutung bei. So war ihre Freundschaft. Es gab Auf und Abs, Hochs und Tiefs am laufenden Band. Jedoch keine echte Missgunst, die zu einem endgültigen Zerwürfnis führen würde. Und dabei würde es bleiben. Dessen war sich Gabrielle sicher.

Während die Kellner die Vorspeise auftrugen, wurde sie von Igor Strawinsky unterhalten. Er redete erstaunlich viel, aber es war auch anregend und lehrreich, was er zur Musikgeschichte im Allgemeinen und der sogenannten Neuen Musik mit all ihren Möglichkeiten und Stilrichtungen im Besonderen zu sagen hatte. Gabrielle hing an seinen Lippen, wie sie einst an denen Boys hing oder wie sie José Sert lauschte, wenn der über die bildenden Künste referierte.

Strawinsky sprach mit lauter, deutlicher Stimme und hielt unentwegt intensiven Blickkontakt mit ihr, um sich ihrer ungeteilten Aufmerksamkeit zu versichern. Als der Komponist seine Ausführungen kurz unterbrechen musste, weil der junge Kellner derart ungeschickt das Fischgericht auftrug, dass beinahe die Sauce auf das Sakko des berühmten Gastes getropft wäre, wagte Gabrielle die Frage nach seiner Familie.

»Meine Frau Jekaterina ist leidend und hütet die meiste Zeit das Bett«, antwortete er bedrückt, um dann mit der unverhohlenen Begeisterung eines stolzen Vaters hinzuzufügen: »Meinen Kindern geht es hingegen ausgezeichnet. Sie sind wunderbar. Zwei Jungen und zwei Mädchen, immer abwechselnd, dreizehn, zwölf, zehn und sechs Jahre alt.«

»Wie schade, dass Ihre Frau Sie nicht zu einem Abend wie diesem begleiten kann.«

Seine Augen wanderten über das schlichte, elegante Kleid, das Gabrielle trug. Die cremefarbene Seide mit den schwarzen Applikationen schmiegte sich um ihren zarten Körper und harmonierte mit ihrem dunklen Teint und dem schwarzen Haar.

»Sie ist nicht kräftig genug, und vermutlich hätte sie nichts Passendes anzuziehen für einen solchen Anlass. Außerdem muss jemand auf die Kinder aufpassen.« Verlegen geworden, wandte Strawinsky den Blick ab und konzentrierte sich auf sein Essen.

Zufällig bemerkte Gabrielle, dass Misia sie beobachtete. Da die Freundin am anderen Ende der Tafel thronte und sich alle Gäste gut unterhielten, konnte sie sicher nicht an den einzelnen Gesprächen teilhaben, schon gar nicht mithören, was Strawinsky sagte. Doch genau daran schien sie besonders interessiert. Gabrielle schüttelte unmerklich den Kopf und wandte sich demonstrativ ihrem Tischherrn zu, indem sie ihm in einer vertraulichen Geste die Hand auf den Arm legte.

»Wie traurig für Ihre Frau, dass sie sich nicht wohl fühlt. Haben Sie hier in Paris ein angenehmes Zuhause für sich und Ihre Familie gefunden?«, fragte sie, obwohl sie wusste, dass das Gegenteil der Fall war.

Der Komponist zögerte – und das war eigentlich Antwort genug. Doch dann erwiderte er mit beeindruckender Offenheit: »Bedauerlicherweise kann ich es mir nicht leisten, meine Frau und meine Kinder in einer angemessenen Unterkunft unterzubringen. Wir mussten nehmen, was wir unter den gegebenen Umständen bekommen konnten. Gustave Lyon, der Geschäftsführer der Klavierfabrik Pleyel, ist so freundlich, uns zu unterstützen. Dennoch ist die Lage unerfreulich, wenn auch unabänderlich.«

»Wie können Sie unter diesen Bedingungen arbeiten?«

Strawinsky zuckte mit den Achseln. »Es geht. Irgendwie. Aber machen Sie sich bitte um mich keine Sorgen.«

»Ich bin eine große Bewunderin Ihrer Musik. Sie ist dramatisch – und so dominant. Sie hat nicht die Leichtigkeit, die wir nach diesem schrecklichen Krieg ersehnen. Aber *Le Sacre du Printemps* hat sich mir unvergesslich eingebrannt. Deshalb freue ich mich auf die Wiederaufnahme des Balletts.«

Er hatte sein Besteck ruhen lassen, als sie ihre Hand auf seinen Arm legte. Nun tastete seine Rechte nach ihren Fingern. »Sie sind wunderbar, Mademoiselle Chanel.«

Amüsiert entzog sie ihm ihre Hand. Natürlich verstand er nicht, dass sie mit ihm flirtete, um ihre beste Freundin zu ärgern. Es war ein Spiel zwischen ihr und Misia, das im Grunde nichts mit Igor Strawinsky zu tun hatte. Er war ihr Spielball. Sie spürte Misias entrüsteten Blick mehr, als dass sie ihn sehen konnte. Warum neidete ihr die Freundin das Geplänkel mit einem charmanten Künstler, der vollkommen harmlos war, weil Strawinsky eine Ehefrau besaß? Misia besaß so viel mehr als sie – einen Mann, der sie liebte und der sie geheiratet hatte. Es war so ungerecht.

Gabrielle konnte nicht verhindern, dass ihr Blick doch irgendwann Misias Augen traf. Ratlosigkeit schlug ihr entgegen. Offenbar war Misia mehr erstaunt als verärgert über die neuen Verbindungen, die sich vor ihr auftaten.

Seufzend wandte sich Gabrielle wieder Strawinsky zu. Sie musste sich zwingen, ihrem Ton die Schärfe zu nehmen, die eigentlich Misia galt und nicht dem Komponisten. »Wissen Sie was? Ich lade Sie und Ihre Familie in mein Landhaus bei Paris ein. Sie können dort wohnen und arbeiten, und ich bin sicher, der Umzug tut Ihrer Frau und den Kindern gut.«

»Das ist ein sehr großzügiges Angebot. Sind Sie sicher?«, fragte er verwundert. Möglicherweise meinte er auch, sie nicht richtig verstanden zu haben.

»Natürlich bin ich das.« Sie lachte auf. Gekünstelt und freudlos, weil die Situation gänzlich unbefriedigend war. Wegen Misia. Und auch wegen Boy, der das neue Haus gekauft hatte, damit dort Leben einzog und nicht die Traurigkeit einer verlassenen Frau. »Ich besitze ein Landhaus in Garches. Dort gibt es viel Platz für eine große Familie.«

Misia würde einen Tobsuchtsanfall bekommen, wenn sie davon erfuhr, dass Gabrielle die neue Mäzenin von Igor Strawinsky wurde. Aber sie würde verstehen, dass Gabrielle bei dieser traurigen Familiengeschichte an den Verlust ihrer eigenen Mutter dachte. Der Hinweis auf seine Kinder und das Leuchten in Strawinskys Augen, als er von ihnen sprach, hatten Gabrielle berührt. Sie wollte die kleinen Mädchen und Jungen ebenso wenig ihrem Schicksal überlassen wie die kränkelnde Frau. Wenn sie nichts für die Strawinskys tat und die Kinder aus der Not heraus eines Tages zu Halbwaisen wurden und gar in einem Heim endeten, würde sie sich schuldig fühlen. Das könnte sie sich niemals verzeihen.

»Ich meine es ernst«, bekräftigte sie ihren Entschluss.

»Mademoiselle Chanel!«, rief Strawinsky entzückt. Offenbar fehlten ihm die Worte für mehr.

»Es ist meine Art, Ihnen für Ihre wundervolle Musik zu danken«, gab sie zurück. »Und für Ihre unterhaltsame Gesellschaft bei Tisch. Wie hat Ihnen der Fisch geschmeckt, Monsieur Strawinsky?« Sie schenkte ihm ihr charmantestes Lächeln.

Es war ein wundervolles, höchst befriedigendes Gefühl, sich als Förderin der Kunst, der Musik Strawinskys zu sehen – und als Retterin seiner Familie.

Durch Gabrielles Körper zog die Wärme unendlichen, längst vergessenen Glücks.

KAPITEL 10

»Coco, ich weiß wirklich nicht, warum ich dich anrufe, aber wahrscheinlich ist es an der Zeit, dass ich dir verzeihen sollte.«

Gabrielle betrachtete den Telefonhörer und zählte stumm bis drei.

Seit fast zwei Wochen hatte sie nichts von Misia gehört. Die Freundin war eingeschnappt. Tödlich beleidigt. Das hatte sie bei dem Treffen im La Gaya bereits deutlich gemacht. Ihr Abschied war ausgesprochen frostig verlaufen. Gabrielle hatte damit gerechnet, eine Zeitlang nichts von Misia zu hören, doch zehn Tage waren noch nie ohne ein Lebenszeichen verstrichen. Verwunderlich war vor allem, dass Misia ihre Neugier so lange im Zaum halten konnte. Dass Strawinskys inzwischen in *Bel Respiro* eingezogen waren, hatte sie sicher erfahren, von Djagilew oder einem anderen Mitglied ihres Bekanntenkreises. Es war erstaunlich, dass Misia keine Details wissen wollte. Gabrielle hatte sich gewundert. Sie hatte die Freundin vermisst und schließlich sogar befürchtet, selbst den ersten Schritt gehen zu müssen. Als Misia weiterredete, stellte sich große Erleichterung bei Gabrielle ein.

»Ich hörte, dass Igor Strawinsky mit seiner Familie in deinem Haus logiert. Wie großzügig von dir. Kannst du das Geschrei von vier Kindern tatsächlich den ganzen Tag ertragen?«

Gabrielle lächelte. Wenn die Freundin plauderte, als habe es keine Missstimmung zwischen ihnen gegeben, war alles gut.

»Ich arbeite«, antwortete sie geduldig. »Da ich den ganzen Tag über in meinem Atelier bin, habe ich mit den Kindern nichts zu tun.«

»Spielt er jede Nacht Klavier? Wie kannst du dabei schlafen?«

Gabrielle biss sich auf die Unterlippe, um nicht laut aufzulachen. Glücklicherweise konnte Misia ihr verschmitztes Grinsen nicht sehen, als sie so ernst wie möglich antwortete: »Ich mag die Musik von Igor Strawinsky.«

»Ja. Schon. Sicher. Ich mag sie auch«, meinte Misia gedehnt. Sie geriet ein wenig ins Stocken. Nach einem kurzen Zögern fügte sie hinzu: »Aber so gut seine Kompositionen auch sind – es wäre mir unmöglich, sie Nacht für Nacht stundenlang anhören zu müssen.«

Der Lachanfall, der in Gabrielles Kehle steckte, entlud sich mit einem Kichern. Dann offenbarte sie, noch immer glucksend vor Vergnügen: »Ich habe zwar Strawinsky und seine Familie bei mir zu Gast, aber ich wohne derzeit nicht in meinem Haus. Sie sind ganz für sich, ich übernachte im Ritz.«

Sie verschwieg, dass Igor Strawinsky gestern Abend in ihrem

Hotel vorstellig geworden war, um ihr sein neuestes Werk vorzuspielen, eine Hommage an Claude Debussy. Glücklicherweise stand in dem Salon ihrer Suite ein Flügel, der wohl eher
zur Dekoration dienen sollte, aber immerhin gestimmt war.
Das Privatkonzert schmeichelte Gabrielle in ihrer Rolle als
Gönnerin, und es beflügelte ihre Überlegungen, welche Pro-
jekte sie sonst noch unterstützen könnte. Bei der Wiederauf-
führung von *Le Sacre du Printemps* und einer Beihilfe für die
Lebenshaltungskosten des Komponisten brauchte es nicht zu
bleiben. Sie besaß genug Geld, und es war wundervoll, Menschen in ihrer Kunst zu unterstützen. Weniger reizend war allerdings, dass Strawinsky – im Gegensatz zu Gabrielle – ein
Nachtmensch zu sein schien. Er machte keine Anstalten, ihre
Räume zu verlassen, so dass sie sich gezwungen sah, ihn hin-
auszukomplimentieren. Das war natürlich ein wenig peinlich.
Und sein Blick in ihre Augen war ein wenig zu tief, der Händedruck ein wenig zu lang und sein Abschiedsgruß ein wenig
zu rau. Alles nur ein Ausdruck seiner Dankbarkeit. Dessen war
sie sich sicher – und schickte ihn energisch nach Hause zu seiner Frau. In ihr Zuhause.

»Unser Arrangement ist sehr praktisch«, erklärte sie Misia.
»Ich bin für mich und um die Ecke meines Ateliers. Die dau-
ernde Fahrerei fiel mir schon lange auf die Nerven.«

»Dein Anwesen gegen ein Hotel zu tauschen ist …«, Misia
zögerte und fügte nach einer Gedankenpause hinzu: »Bemerkenswert.«

»Es ist praktisch«, wiederholte Gabrielle.

»Wie auch immer«, flötete Misia am anderen Ende der Leitung, »ich rufe nicht an, um mich nach deinen Hausgästen zu erkundigen.«

Unwillkürlich schnappte Gabrielle nach Luft.

»Heute Morgen habe ich in dem neuen Katalog von Drouot geblättert und darin die Ankündigung einer Auktion gefunden, die dich interessieren dürfte.«

»Versteigern sie wieder Wandschirme?«

Gabrielle sammelte chinesische Modelle aus Koromandellack. Es gab nichts, das ihrer Ansicht nach sinnvoller in einem Haushalt war als ein Koromandelwandschirm, der Dekoration und Blickpunkt zugleich war und dabei noch Stauraum bot, wenn er eine gewisse Unordnung verdeckte. Eines dieser Paneele war von ihren Privaträumen im ersten Stock ihres Ateliers sogar über die Straße ins Hôtel Ritz umgezogen, als sie sich dort einquartierte. Unwillkürlich wanderte ihr Blick von ihrem Schreibtisch zu dem Platz vor der Regalwand, wo das Möbelstück bislang gestanden hatte. Trotz eines mit sandfarbenem Samt bezogenen Sessels, den sie dorthin geschoben hatte, wirkte die Stelle leer. Sie sollte sich ein neues Sammlerstück leisten.

Doch Misia erwiderte: »Nein. Nein, darum geht es nicht. Das hätte eine gute Kundin wie du gewiss vor mir erfahren. Nein. Es geht um Papiere. Dokumente. Alte Schriften …«

Gabrielle hörte nicht weiter zu, weil es an ihrer Zimmertür klopfte. Sie legte ihre Hand über die Sprechmuschel und rief: »Herein!«, woraufhin ihre Direktrice auf der Bildfläche erschien. »Einen Moment, bitte«, bat sie die Angestellte und machte mit einer Geste deutlich, dass sie warten solle. Dann sagte Gabrielle zu Misia: »Ich werde im Atelier gebraucht. Lass uns ein anderes Mal sprechen. An antiquarischen Büchern bin ich ohnehin nicht interessiert.«

»Ich habe doch gesagt, dass es keine Bücher sind!«, protestierte Misia. »Es handelt sich um Manuskripte der Königinnen Katharina und Maria von Medici. Alte Formeln der Alchemie. Man hat die Papiere bei den Renovierungsarbeiten in einer Bibliothek von Schloss Chenonceau gefunden.«

»Bitte, Misia, was soll ich damit?«

»Es handelt sich wohl um die Formel des sogenannten Wunderparfüms der Medici«, schnappte die Freundin und fügte hinzu: »Willst *du* ein besonderes Toilettenwasser herstellen lassen oder ich?«

Unzählige Gedanken kreisten in Gabrielles Kopf. Sie hatte keine Ahnung, ob Misias Entdeckung den Zeitaufwand und das Geld wert waren, die mit einer Auktion einhergingen. Sie wusste nicht einmal sonderlich viel über Katharina oder Maria von Medici, außer dass die beiden Florentinerinnen auf dem französischen Thron wesentlich zur Entwicklung der Seidenwebereien in Lyon und der Handschuh- und Parfümindustrie in Grasse beigetragen hatten. Aber Misias Ratschläge waren niemals unnütz gewesen. Deshalb hielt sie sich nicht mit den Details auf, sondern fragte nur: »Wann findet die Versteigerung statt?«

* * *

Die folgenden Abende verbrachte Gabrielle lesend. Sie hatte sich umfangreiche Lektüre über die Königinnen besorgt, deren Papiere nun zum Verkauf angeboten wurden. Auf einem Sofa sitzend, die Beine hochgezogen, ein Glas Wein auf dem Lampentisch neben sich, informierte sie sich über das Leben der Katharina von Medici, bevor sie sich deren Cousine Maria zuwandte. Sie erfuhr, dass die moderne Parfümherstellung ihren Ursprung im 16. Jahrhundert in Italien hatte. Damals begannen Alchemisten die Duftöle, die man bislang vor allem aus Arabien kannte, mit Alkohol zu versetzen, und in Klöstern wurden die ersten Manufakturen errichtet. Katharina von Medici war ihr Leben lang auf der Suche nach dem »Stein der Weisen« gewesen, einem Elixier, das als Heilmittel gegen alle Widrigkeiten und Krankheiten galt. Die überaus attraktive Maria von Medici indes ließ rund fünfzig Jahre später nach einer Wundertinktur forschen, die ihr zu ewiger Schönheit verhelfen sollte. Von der Formel für ein Toilettenwasser schienen beide Damen weit entfernt. Doch vielleicht wäre gerade das Auffinden einer solchen die Sensation.

Gabrielle überlegte gerade, wie François Cotys Chemiker aus einem Rezept aus der Zeit der Renaissance einen modernen Duft herstellen könnten, als es an ihre Tür klopfte. Überrascht legte sie das Buch zur Seite. Sie erwartete niemanden, war überdies bestens versorgt, so dass auch das Erscheinen des Zimmerservice nicht nötig war, und Fremde wurden üblicherweise vom Portier angemeldet. Sie erwog, den ungebetenen Gast zu ignorieren, vielleicht hatte sich jemand nur in der Tür geirrt, als von neuem, diesmal energischer, geklopft wurde. Und melodischer.

Sie erhob sich und durchquerte auf bloßen Füßen den Salon und den winzigen Flur.

»Guten Abend, Mademoiselle Coco«, grüßte Igor Strawinsky.

»Was tun Sie hier?« Ohne darüber nachzudenken, dass es nicht die Uhrzeit für einen Besuch war, trat sie zur Seite und ließ den Komponisten ein.

»Ich muss mit Ihnen sprechen.«

»Ist etwas passiert?«, fragte sie alarmiert.

Unwillkürlich gingen ihr alle Möglichkeiten einer Katastrophe durch den Kopf. Angefangen bei einer Erkrankung seiner Kinder bis hin zum Tod seiner Frau oder einem Feuer in ihrem Haus. Über ein Unglück wäre sie zuerst telefonisch informiert worden – und dann wäre Strawinsky wohl in anderer Verfassung. Neugier trat an die Stelle der inneren Unruhe.

Mitten in ihrem Salon drehte er sich zu ihr um. »Ich bin gekommen, um Ihnen zu gestehen, dass ich Sie liebe«, verkündete er mit einer Mischung aus slawischer Dramatik, dandyhafter Grandezza und einer gewissen Begeisterung für den Klang der eigenen Worte.

Es kostete Gabrielle einige Mühe, nicht spontan loszulachen. »Was sagt Ihre Frau dazu?«, gab sie spöttisch zurück.

»Sie bewundert Sie sehr.«

Die Dreistigkeit seiner Antwort machte sie sprachlos. Sie wusste nicht recht, ob sie weiterlachen oder vor Schreck erstarren sollte. Eigentlich sollte sie ihn unverzüglich hinauswerfen. Sein Benehmen war unerhört – er war ein verheirateter Mann, sie eine alleinstehende Frau. Und doch war er bar jeder Impertinenz oder gar Lächerlichkeit.

Strawinsky stand vor ihr, besser gekleidet als bei ihrer ersten Begegnung, offensichtlich auch von besserer Gesundheit. Regelmäßige, gute Ernährung, eine luxuriöse Umgebung und eine bescheidene finanzielle Absicherung blieben nicht ohne sichtbares Ergebnis. Ein kluger Mann, der wusste, was er tat. Seine intensiven Augen schienen Gabrielle gefangen zu nehmen. Sie konnte sich diesem Blick nicht entziehen.

»Jekaterina weiß, dass ich Sie liebe«, fügte er seinem Geständnis mit größter Selbstverständlichkeit hinzu.

Das ist die russische Seele, fuhr es Gabrielle durch den Kopf. Vielleicht hat Liebe für diese Menschen eine ganz andere Bedeutung als für Westeuropäer. Ihre Einladung könnte falsch interpretiert worden sein. Sie wünschte, ein wenig besser zu verstehen, was in Strawinsky vorging – und in seiner Frau. Nervös trat sie von einem Bein auf das andere, unschlüssig neben der Zimmertür ausharrend wie ein Page, der nicht wusste, wo er das Tablett mit dem bestellten Champagner abstellen sollte.

Schließlich murmelte sie zögernd: »Sie haben also mit Madame Strawinska über mich gesprochen …«

»Natürlich. Mit wem außer Jekaterina sollte ich eine so wichtige Angelegenheit wie meine Liebe zu Ihnen besprechen?«

Gabrielle hatte in ihrem Leben viele Männer kennengelernt.

Verlotterte Gesellen wie ihren Vater, gelangweilte Offiziere wie ihre ersten Liebhaber, elegante Herren wie ihre große Liebe. In der Schneiderei, in der sie als blutjunges Ding Hosen ausbesserte, hatte sie ebenso gut nähen gelernt wie den Umgang mit ihren Kunden, später als Sängerin im Tingeltangel war es ihr leichter gefallen, sich den einen oder anderen aufdringlichen Verehrer vom Hals zu halten, als die gängigen Schlager zum Besten zu geben. Inzwischen war sie zu einer Dame gereift, die zu alt für verliebte Jünglinge und zu elegant und selbstbewusst für übergriffige Ehemänner geworden war. Die Kühnheit, mit der Strawinsky sie vereinnahmte, war ihr nie zuvor begegnet. Als sie sich bewusstmachte, dass sie niemand Geringerer als ein großer Künstler leidenschaftlich begehrte, stieg in ihr so etwas wie Stolz auf. Er liebte sie ... Im nächsten Moment regte sich in ihrem Kopf jedoch Widerspruch. Es konnte nicht anders sein, als dass er seine Zuneigung zu ihr falsch interpretierte, er verwechselte Dankbarkeit mit Liebe und Liebe mit Bewunderung. Ein Missverständnis, das wohl tatsächlich mit seiner Kultur zu erklären war. Nichts sonst. Nichts für oder gegen ihre Eitelkeit.

Eine Zeitlang begegnete sie still seinem eindringlichen Blick. Zunächst unsicher, dann ebenso stur. Nach einer Weile sagte sie mit fester Stimme: »Als Freund sind Sie mir jederzeit willkommen, Monsieur Strawinsky. Sie sind mein Hausgast und nehmen daher eine besondere Position in meinem Leben ein. Ein vergängliches Gefühl wie die Liebe sollte unsere tiefempfundene Freundschaft nicht zerstören.«

Er setzte zum Widerspruch an, doch ihre Geste brachte ihn zum Schweigen.

»Ich nehme an, Sie sind gekommen, um mir aus Ihren wundervollen Werken vorzuspielen.« Ihre Hand, die noch in der Luft hing, deutete auf das Piano. »Einen anderen Grund für Ihren Besuch kann ich mir nicht vorstellen, Monsieur Strawinsky.« Ihre Augen funkelten wie schwarze Diamanten. »Meinen Sie nicht auch, wir sollten es dabei belassen?«

Sein Kopfschütteln war so leicht, dass es auch nur eine Illusion sein konnte. Er sagte: »Ja, Mademoiselle Chanel, ich sollte Ihnen meine neueste Fassung von *Le Sacre du Printemps* vorspielen. Ich habe einige Sequenzen überarbeitet.« Er lächelte ihr zu. Freundlich. Mit der leichten Überheblichkeit des Genies. Keinesfalls aufdringlich oder anzüglich, obwohl er hinzufügte: »An den Veränderungen ist Ihre Aura in *Bel Respiro* nicht ganz unschuldig – ebenso wie Sie selbst.«

»Ich glaube Ihnen nicht«, erwiderte sie, »aber ich nehme es als großes Kompliment.«

»Hören Sie selbst.«

Mit einer schwungvollen Geste setzte er sich an den Flügel. Im nächsten Moment erfüllten die Suite im Hôtel Ritz kraftvolle Töne, die viel sinnlicher und noch aufwühlender waren als die Ballettmusik, die sie in Erinnerung hatte.

Sie folgte ihrem Instinkt. Statt sich in einiger Entfernung auf dem Sofa niederzulassen, trat sie neben das Instrument. Sie sah ihren Gast an und dachte, dass ein Flügel das perfekte Requisit für einen Mann war. Musik machte selbst den unattraktivsten Mann schön. Vor allem, wenn er nur für eine Frau spielte. Und wenn die Finger dieses Mannes auch noch die eigenen Noten in Laute verwandelten, war dies ein atemberaubendes Erlebnis. Solche Inspiration, dabei auch Stärke, Dominanz und Verletzlichkeit. Eine Schaffenskraft, die direkt aus dem Korpus des Klaviers in den Körper der Zuhörerin drängte. Das war etwas ganz anderes als das Nachspielen eines Stücks, das von einem anderen geschrieben worden war.

Obwohl Gabrielle Strawinsky nicht zum ersten Mal spielen hörte, erfasste sie in diesem Moment eine ungeahnte Bewunderung. Sie fühlte sich dem Komponisten so nah wie nie zuvor, die Töne schienen sie beide zu einer Person zu verschmelzen. Und sie dachte, dass es wundervoll sein musste, ihr Haus von diesen Klängen erfüllt zu erleben. Jeden Tag. Zu jeder Stunde, die ihnen der Alltag erlaubte. Nur sie und er. Die Illusion nahm sie gefangen, drohte die Wirklichkeit zu verdrängen …

KAPITEL 11

Gabrielle hätte gern mit Misia über Strawinskys »Liebe« gesprochen – oder was er eben dafür hielt –, aber sie verkniff
sich jeden Hinweis darauf. Sie erwähnte ihre Affäre nicht und
sprach nicht einmal über seine Bearbeitung von *Le Sacre du
Printemps*. Vielleicht hätte Misia auch gar nicht verstanden,
dass ihr Verhältnis zu Strawinsky eher geistiger Natur war –
auch wenn ihr Körper in seiner Gegenwart ziemlich lebendig
wurde. Es war eine andere Liebe als die zu jedem anderen
Mann in ihrem bisherigen Leben, Boy eingeschlossen. Und
deshalb war Strawinsky keine Konkurrenz für den Toten, ihre
Lust schmälerte ihre Trauer nicht.

Es tat so gut, wieder mit der Freundin zusammen zu sein,
und Gabrielle wollte keinen Keil in ihre neue Verbundenheit
treiben. Sie fühlte sich unendlich wohl, als sie mit Misia durch
die Ausstellungsräume des Hôtel Drouot spazierte, das als
Auktionshaus über ein Monopol in Frankreich verfügte. Entsprechend lagerten in dem fabrikartigen Gebäude mit seinen
hohen Sälen wahrscheinlich mehr Kostbarkeiten als in man-

chen Museen. Antike Möbel, Gemälde, Skulpturen, italienische Kristalllüster, orientalische Teppiche bis hin zu alten Handschriften und Juwelen. Gabrielle fragte sich, wie vielen Russen es wohl gelungen sein mochte, ihre wertvollsten Besitztümer auf der Flucht außer Landes zu schmuggeln; der größte Teil davon war gewiss an diesem Ort versteigert worden.

In einem Ausstellungsraum, ausgelegt mit dicken roten Teppichen, beleuchtet von gedämpftem Licht und unter abgedunkelten Fenstern, wurden die Lose für die nächste große Auktion präsentiert. Vor einem Schaukasten blieben Gabrielle und Misia stehen. Hinter Glas lagen aufgefächert jene Schriftstücke, wegen derer sie gekommen waren. Engbeschriebene Papiere, die schwarze Tinte überraschend gut erhalten, die Buchstaben wohlgesetzt, aber dennoch in ihrer Form nicht zu entziffern, nur die Zahlen wirkten auf den zweiten Blick für sich genommen verständlich.

»Das kann kein Mensch lesen«, sagte Misia enttäuscht.

»Irgendjemanden wird es schon geben, der sich mit alten Handschriften auskennt«, meinte Gabrielle.

»Natürlich. Das weiß ich auch. Aber *wir* können es nicht lesen. Kein Schmökern bei einem Glas Champagner in deinem Salon.« Misia seufzte. »Und diese Mühe! Ich meine, du müsstest erst nach einem Historiker mit diesem Spezialgebiet suchen, und am Ende weißt du nicht, ob er dir die Wahrheit sagt. Nein, Coco, es tut mir leid, aber ich glaube, diese Dokumente sind doch nichts für dich.«

Misia hatte recht. Wie immer. Es war albern, Geld in eine Sache zu investieren, von der Gabrielle nicht wusste, worum es sich eigentlich handelte. Pure Verschwendung.

Dennoch fühlte sie sich magisch angezogen von den gelb verfärbten Papieren. Sie betrachtete die Sache nicht ganz so nüchtern wie Misia. Immerhin besaß sie inzwischen ein größeres Wissen über das Wirken der Medici-Königinnen: Katharina hatte einen Parfümeur aus Florenz nach Paris geholt, der als Begründer der Duftkultur in Frankreich galt. Über diesen René schrieb auch Alexandre Dumas in seinem Roman »Die Bartholomäusnacht«. Gabrielle hatte dieses Detail völlig vergessen, es war lange her, dass ihr Boy die Lektüre empfohlen hatte. Aber zwischen den Büchern, die sie in den vergangenen Tagen verschlungen hatte, war es ihr wieder eingefallen. Darüber hinaus hatte sie gelesen, dass Maria von Medici ein erstes Labor im südfranzösischen Grasse hatte einrichten lassen, in dem sich die Alchemisten ausschließlich mit der Herstellung von Düften beschäftigten.

Gabrielle presste ihre Nase gegen die Glasscheibe. Die Anordnung der Zahlen – und einiger Buchstaben – ließ eindeutig eine Formel vermuten. Es könnte sich also durchaus um die Zusammensetzung des Wunderparfüms handeln, nach dem Maria von Medici hatte forschen lassen. Ein Duft, der die Schönheit einer Frau konserviert. Was für eine Entdeckung wäre dies!

»Ich bin sicher, dass es eine Rezeptur ist.«

»Möglicherweise«, stimmte Misia zu. »Bedenke aber: Wir

können nicht entziffern, ob es sich um ein Nudelrezept oder die Zusammensetzung eines Toilettenwassers handelt.«

So war Misia. In einem Moment unfassbar begeisterungsfähig und im nächsten unerträglich realistisch. Gabrielle lächelte. Wie gut, dass sie ihre Freundin so gut kannte. Sie war hin- und hergerissen zwischen der Faszination, die das Manuskript auf sie ausübte, und ihrer Vernunft, die ihr einflüsterte, dass Misias Zweifel berechtigt waren.

Während sie in den Schaukasten starrte, fiel ihr Blick auf das Kärtchen aus Büttenpapier, das die Objektnummer anzeigte, die für die Versteigerung von Bedeutung war. Der Auktionator würde zunächst diese Nummer aufrufen und danach erklären, worum es sich handelte.

»Misia, ich kann die Zahl nicht genau erkennen«, behauptete Gabrielle. »Das Licht ist hier so schlecht. Alles verschwimmt vor meinen Augen. Was steht dort auf der Karte?«

Die Freundin runzelte verwundert die Stirn, sagte aber nichts zu Gabrielles angeblicher Sehschwäche. Ergeben wühlte sie in ihrer Handtasche und zog ein in Silber gefasstes Lorgnon hervor. »Fünf«, erwiderte sie nach einem Blick durch das Vergrößerungsglas. »Es ist das Los fünf.«

»Meine Glückszahl.« Gabrielles Herz begann schneller zu schlagen. Sie hatte es richtig erkannt, wollte nur noch die Bestätigung ihrer Freundin. *Eins, zwei, drei, vier, fünf ...* Die Mystik des Klosters Aubazine war ihre einzige positive Erinnerung an die Zeit in dem Waisenhaus. »Ich werde das Manuskript kaufen. Und sag mir nicht, dass es ein Fehler ist, wenn ich es um jeden Preis ersteigere. Diese Objektnummer ist ein Wink des Schicksals.«

Misia schüttelte ungläubig den Kopf. »Meine Güte, du hast dich ja Hals über Kopf verliebt.«

Gabrielle hörte kaum zu. Sie starrte auf das Manuskript. Vergeblich versuchte sie, wenigstens ein einziges Wort des Textes zu entziffern. »Was hat denn das hier mit Igor Strawinsky zu tun?«, murmelte sie in Gedanken versunken.

»Oh, là, là!«

Verwundert über diesen Ausruf hob Gabrielle wieder ihren Blick. »Was ist los?«

»Eine ganze Menge ist los, wie mir scheint.« Misias höfliches Lächeln erreichte ihre Augen nicht, die sprühten Funken. »Du verschweigst mir etwas so Wichtiges wie eine Affäre! Coco, das ist nicht nett!«

»Ich habe keine …« Gabrielle unterbrach sich, schluckte den Rest des Satzes hinunter. Ihre Kehle fühlte sich rau an. Langsam dämmerte ihr, dass sie Misias albernen Kommentar missverstanden hatte. Unbedacht war sie in eine Falle getappt, die ihr nicht bewusst gestellt worden war.

Gabrielles Augen wanderten nervös umher. Die Ströme der Besucher, die den Termin zur Vorbesichtigung der Exponate wahrnahmen, flossen wie die Seine an einem ruhigen Herbsttag dahin. Unaufgeregt, gleichförmig. Vor dem einen oder anderen Schaukasten sammelten sich kleine Gruppen, um eine Galeriesäule, auf der eine Bronzestatue präsentiert wurde, bildete sich eine Traube von Menschen. Es gab kein Gedränge und keine Neugier auf die anderen potentiellen Bieter, die einzigen aufmerksamen Beobachter waren die Sicherheitsleute und Saaldiener. Der Geräuschpegel war niedrig, ein sanftes Murmeln wie an der Quelle des Flusses am Plateau de Langres. Außer Misia schien hier niemand an Klatsch interessiert.

Dennoch senkte Gabrielle die Stimme, als sie trotzig wiederholte: »Ich habe keine Affäre.«

Was mit ihr passiert war, als sie neben dem Flügel gestanden und Strawinskys Klavierspiel gelauscht hatte, war so etwas wie ein kleiner Tod gewesen. Ein Gefühl der Bewusstlosigkeit wie nach einem sexuellen Höhepunkt. Ihre Körper waren verschmolzen, als lägen sie in einer Umarmung, und als diese dann tatsächlich darauf gefolgt war, erschien es ihr wie eine Selbstverständlichkeit. Es war fraglos der Beginn einer Eskapade. In jener Nacht hatte sie ihn zurück zu seiner Frau geschickt, aber sie wusste, dass sie die Kraft dafür nicht noch einmal aufbringen und ihn beim nächsten Mal bis zum Morgen bei sich behalten würde.

Die Erinnerung an die Lust des Augenblicks sandte ein Prickeln über Gabrielles Haut. Unwillkürlich schlang sie die Arme um sich, als würde sie frösteln. Tatsächlich war es aber wohl Misias abweisender Gesichtsausdruck, der die Kälte in ihr auslöste.

Misia deutete mit dem Zeigefinger auf das Dokument. »Vielleicht ist das ja gar keine Formel für ein Wunderparfüm«, mutmaßte sie mit spitzer Zunge, »sondern für ein Liebeselixier. Maria von Medici brauchte ein Aphrodisiakum gewiss ebenso nötig wie ein Schönheitswässerchen. Sie soll vollkommen sittenlos gewesen sein und mit fast allen männlichen Mitgliedern der Hofgesellschaft geschlafen haben, einerlei, ob verheiratet oder nicht.« Der Vorwurf war unüberhörbar.

»Ich kaufe es trotzdem.«

»Oder gerade deshalb.«

Misia strahlte Gabrielle in scheinbarer Arglosigkeit an.

KAPITEL 12

Gabrielle hatte fast die gesamte Pariser Bohème in ihr Atelier an der Rue Cambon geladen, um die Premiere des neuen *Le Sacre du Printemps* im Théâtre des Champs-Élysées zu feiern. Handelte es sich anfangs noch um ein Freudenfest zu Ehren von Djagilew und seiner Truppe und von Igor Strawinsky und seiner Musik, verwandelte sich die Feier im Laufe der Nacht zu einem Gelage antiken Ausmaßes. Als das Buffet nur noch aus einer Ansammlung leerer Kristallschalen, gestapelter Porzellanteller und Silberschüsseln mit Essensresten bestand und die geleerten Flaschen über die Teppiche rollten, waren die um diese Uhrzeit verbliebenen Freunde ausnahmslos betrunken. Hemmungslos. Hoffnungslos. Jauchzend und gleichzeitig betrübt.

Für das größte Drama sorgten Djagilew und sein Choreograf und zeitweiliger Liebhaber Léonide Massine. Während der Proben hatte Massine offenbar eine heimliche Affäre mit einer Tänzerin begonnen, die nun aufgeflogen war. Djagilew raste vor Eifersucht. Er war so aufgebracht, dass er beinahe seinen Glücksbringer, das Taschentuch der Großfürstin, zerriss. Während Gabrielle es in einer Schublade in Sicherheit brachte, eskalierte der Streit. Massine verkündete, niemals wieder für die *Ballets Russes* arbeiten zu wollen – und verließ die Party.

Die elegante Comtesse de Greffulhe hob die Stimmung, indem sie sich von Jean Cocteau zu einem skandalösen Cancan auffordern ließ. Musik und Tanz verfehlten ihre Wirkung nicht. Alles klatschte, tanzte ausgelassen, mangels einer Partnerin auch mit einer Schneiderpuppe, viele wischten sich Lachtränen aus den Augen, während Djagilew in sein Glas mit Absinth weinte. Die allgemeine Aufmerksamkeit richtete sich über kurz oder lang auf den Komponisten Georges Auric, der an Gabrielles Flügel für die Musik sorgte. Er spielte die Melodien von Jacques Offenbach derart lebhaft, dass er sich die Finger an der Klaviatur verletzte. Blut rann über die Elfenbeintasten, was jedoch erst auffiel, als es auf den hellen Teppich tropfte. Misia fand, dass diese Stunde geeignet war, dem Dirigenten Ernest Ansermet die Haare zu schneiden. Der rannte wie ein aufgescheuchtes Huhn vor ihr davon. Die Aufregung um Aurics Verletzung nutzte er, sich einen Stoffrest zu schnappen und diesen wie einen Turban um seinen Kopf zu schlingen. Ohne Hut und Krawatte torkelte er schließlich auf die Straße, sicher vor seiner Verfolgerin.

Erschöpft vom Cancan, machte es sich Gabrielle in einem Sessel bequem. Ihre Beine legte sie auf den Tisch daneben. Sie achtete nicht auf ihren Rocksaum, der über die Knie rutschte, was ihr nicht nur dank ihres Rauschs gleichgültig war. Die Blicke von Balletttänzern auf die Beine einer Frau waren allerhöchstens professioneller Natur, und die meisten anderen männlichen Anwesenden sahen vermutlich nicht mehr klar. Vermutlich sahen alle doppelt. Gabrielle erinnerte sich dunkel an mystische Geschichten aus dem Kloster, in denen es um menschliche Wesen mit vier Beinen gegangen war, aber sie wusste nicht mehr genau, worum es sich bei den Legenden handelte. Sie kicherte leise in sich hinein, verwundert, dass sie irgendetwas lustig fand, obwohl ihr eher nach Weinen zumute war.

Ihre Gedanken kreisten um die Aufführung. Strawinskys leidenschaftliche Musik hatte nicht nur ihren physischen Ausdruck in den Bewegungen der Tänzer gefunden, jeder Ton ging Gabrielle durch und durch. Sie spürte die Noten, als hätte der Komponist sie ihr mit eigener Hand auf den Leib geschrieben. Nichts war mehr furchteinflößend, alles war nur noch verzehrend. Ihr Körper vibrierte, erfasst von Verlangen. Dabei verwischten in ihrer Vorstellungskraft der Mann und seine Komposition. Sie hörte mehr seine Musik, als dass sie Strawinsky als Person vor sich sah. Sie fühlte den Klang wie eine zärtliche Berührung, bildete sich ein, seine Finger auf ihrer Haut zu erleben. Die Sehnsucht nach der Erfüllung machte sie bereits im Theater ganz schwindelig. Doch zur Premiere wurde Strawinsky von seiner Frau begleitet, und es passte nicht zu Gabrielles Selbstverständnis, ihm sich unter Jekaterinas Augen an den Hals zu werfen.

Nach der Vorstellung hatte sich Madame Strawinska von

Gabrielles Chauffeur nach Garches zurück zu ihren Kindern fahren lassen. Monsieur Strawinsky blieb in Paris und trank auf Gabrielles Premierenfeier unfassbar viel Wodka und wahrscheinlich auch Absinth, sie hatte ihn nicht ständig beobachtet. Irgendwann war er gegangen, vielleicht getrieben von den Dämonen des Alkohols, womöglich von dem eigenen unerfüllten Begehren oder dem Bewusstsein der Verpflichtungen eines Familienvaters.

Tränen rannen über Gabrielles Wangen, als sie sich fragte, was aus seiner Frau und den Kindern werden würde, wenn sie weiter heimlich mit ihm schlief. War diese Affäre eigentlich mit ihrer Gastfreundschaft vereinbar? Es war traurig. Unfassbar traurig, dass sie diesem wundervollen, künstlerisch ebenbürtigen Menschen unter so schwierigen Umständen begegnet war. Warum waren alle guten Männer bereits verheiratet? Oder heirateten eine andere? Wenn man jedoch bedachte, dass genau diese Herren in ihrer Gegenwart zu Wachs wurden, war deren Charakterschwäche schon ein wenig amüsant. Eigentlich lustig, wenn es nicht so ernst wäre. Der unterdrückte Schluchzer, der eigentlich ein zynisches Lachen war, verwandelte sich in einen Schluckauf. Peinlich berührt, presste Gabrielle die Hand auf den Mund. Sie atmete, hickste, kicherte gleichzeitig und erstickte fast.

»*Mesdames et Messieurs!*« Der Ausruf ließ Gabrielle zusammenfahren wie die drohende Stimme der Mutter Oberin in Aubazine. »Wir haben die Morgenausgabe des *Figaro* gekauft!« Wo kam Strawinsky plötzlich her? Er stand mitten in dem

Raum und wurde von den Freunden umringt, neben sich Boris Kochno, der einen Stapel Zeitungen im Arm hielt. Die anderen liefen zu den beiden, standen oder knieten, robbten auf allen vieren, wenn die Beine allein sie nicht mehr trugen. Ein Stimmengewirr erhob sich, Papier raschelte. Und dann Misia, die erstaunlich nüchtern rief: »Nun seid doch mal still! Igor soll vorlesen.«

Unwillkürlich richtete sich Gabrielle in ihrem Sessel auf, stellte ihre Füße auf den Boden. Das Feuilleton! Wieso hatte sie nicht daran gedacht, dass sich Strawinsky darum kümmern würde, die erste Kritik der Vorstellung so früh wie möglich zu lesen? Daran änderte auch sein Alkoholkonsum nichts. Russen vertrugen eine ganze Menge. Auf der Suche nach einem Zeitungsverkäufer war er von Djagilews Sekretär begleitet worden. Er war nicht zu seiner Frau gefahren, wie sie befürchtete, hatte Gabrielle in dieser besonderen Nacht nicht verlassen. Ihr kam es vor, als wäre er nur zu ihr zurückgekehrt – und nicht zu den Freunden.

Irgendjemand schlug am Piano einen Tusch an.

Atemlose Stille trat ein, unterbrochen nur von José Serts schwerem Atem.

Strawinsky fingerte an seiner Brille herum, bevor er anhob: »*Das Konzert gestern im Théâtre des Champs-Élysées erwies sich als großartiger Abend von höchster musikalischer und tänzerischer Qualität …*«

Beifall brandete auf. Jubel mischte sich mit Worten der Erleichterung. Die Ensemblemitglieder fielen sich in die Arme,

Strawinsky und Djagilew wurden abwechselnd gedrückt und geküsst. Erstaunlicherweise wirkten alle plötzlich nur noch halb so betrunken wie zuvor.

»*Das Konzert gestern Abend hat das Stück von seinem Bann erlöst*«, fuhr der Komponist fort in der Rezitation des Theaterkritikers. »*Die brillante Musikbearbeitung und die choreografischen Änderungen trugen zu einer Aufführung bei, die einfach erhaben war ...*«

Gabrielle sprang auf.

»Champagner!« Sie versuchte die allgemeine Begeisterung zu übertönen, bemerkte aber zu spät, wie heiser sie von den vielen Gesprächen, Gesängen und Gefühlsausbrüchen der Premierenfeier war. Sie ruderte mit den Armen, stieg auf den Sessel und schrie und krächzte gleichzeitig aus ihrer erhöhten Position: »Champagner! Wir brauchen dringend Champagner!«

Niemand widersprach.

Strawinsky vergaß den Rest des Zeitungstextes. Er schob die ihn umringenden Freunde zur Seite und trat vor Gabrielle. Dort breitete er die Arme aus, damit er sie bei ihrem Sprung von dem Sessel sicher auffangen konnte. Und es war ihr egal, dass jeder sie dabei beobachten konnte.

* * *

Das Trommeln eines Unwetters weckte Gabrielle aus einem ohnmächtigen Schlaf. Sie hörte das regelmäßige Pochen, obwohl sie normalerweise nicht von Regentropfen geweckt wurde.

Starker Wind drückte auf die Fensterscheiben und ließ die Holzrahmen knarren. Um sie herum war es dunkel, nur ein schmaler Streifen grauen Tageslichts drang durch die zugezogenen Portieren. Ihr Lager war hart, nicht so weich wie ihr Bett im Ritz üblicherweise. Außerdem war ihr kalt. Und es roch eigentümlich. Süß wie nach Moschus und gleichzeitig säuerlich wie das Strandgut bei Ebbe am Hafen von Deauville. Ein unangenehmes Frösteln zog über ihre Haut. Wie durch dichten Nebel nahm sie wahr, dass sie nackt war und nur unter einer leichten Seidendecke lag. Die vom vielen Reiten trainierten Muskeln in ihren Schenkeln spannten, ihre Schulter schmerzte wie nach einem Sturz vom Pferd. Langsam wurde ihr bewusst, dass sie ungewöhnlich verrenkt und wie versteift dalag. Gabrielle bewegte sich vorsichtig. Etwas Metallisches stach in ihren Arm. Sie griff danach und hielt plötzlich eine Brille zwischen den Fingern.

Im nächsten Moment hob sich der Dunstschleier, das Metallgestell mit den dicken Gläsern glitt aus ihrer Hand. Sie brauchte sich nicht umzudrehen, um zu wissen, dass es nicht die Fensterläden waren, die knarrten. Es war der Atem eines Mannes, sein leises Schnarchen nach dem übermäßigen Genuss von Alkohol. Nach und nach setzte ihr Verstand die Fetzen zusammen. Sie erinnerte sich zwar nicht an die entscheidenden Stunden der vergangenen Nacht, aber das brauchte sie auch nicht, um zu wissen, was geschehen war. Sie lag nackt neben einem Mann unter ihrem Flügel, zugedeckt mit einem Stück Stoff. So weit konnte sie ihre Umgebung identifizieren.

Ihr Körper und der Duft, der ihr Arbeitszimmer erfüllte, wie der Geruch von haltloser Liebe und zu viel Wein jedes dritt-klassige Bordell kennzeichnete, waren der Beweis, dass sie mit Igor Strawinsky geschlafen hatte – und wahrscheinlich hatte die Hälfte ihrer Gäste mitbekommen, dass er nicht mit den anderen gegangen war.

Vorsichtig schälte sie sich aus der Seide. Sie wollte ihn kei-nesfalls wecken. Nicht, bevor sie mit sich selbst im Reinen war. Wie sollte sie ihm begegnen? Ihm sagen, dass der Morgen trübe war und ein Sinnbild ihrer Situation? Er, ein verheirate-ter Mann und Familienvater, sollte keine öffentliche Affäre mit einer alleinstehenden Frau haben, die noch immer aus gan-zem Herzen einen anderen Mann liebte. Dabei spielte es keine Rolle, dass der andere ein Toter war.

Das Feuilleton nannte Strawinsky plötzlich einen *begnade-ten Komponisten* und den *wichtigsten Modernisierer der Mu-sik*. Er war über Nacht nicht mehr nur berühmt, sondern auch bedeutend. Wie könnte sie diesem Mann sagen, dass alles ein Missverständnis war? In aller Heimlichkeit mochte es noch angehen, ihrer Körperlichkeit freien Lauf zu lassen. Aber sie wollte nicht unter den Augen ihrer Freunde eine Liebe leben, die sie nicht empfand. Sie bewunderte Strawinskys Genialität. Vielleicht auch seine Männlichkeit. Doch das genügte nicht.

Gabrielle stand auf und überlegte, dass sie keinesfalls noch einmal schwach werden wollte. Sie würde versuchen, jedes Gerede im Keim zu ersticken.

Sie machte einen Schritt in Richtung Fenster, um ein wenig

mehr Licht in den Raum zu lassen, als etwas unter ihren Füßen raschelte. Die Zeitung, in der die Wiederaufnahme des Balletts gefeiert wurde. Was für ein Triumph! Sie bückte sich, strich die Seite glatt, behielt sie in der Hand auf ihrem Weg zu dem trommelnden Regen.

Als sie ans Fenster trat, entdeckte sie, dass sie den Nachrichtenteil aufgehoben hatte und nicht das Feuilleton. Nicht die fettgedruckte Zeile *Le Sacre du Printemps* stach ihr ins Auge, sondern eine Fotografie: Eine zerstörte Kutsche, mehrere Automobile, davon eines auf der Seite liegend, verstörte Menschen, zumeist Männer. Daneben prangte die Überschrift: *EXPLOSION IN NEW YORK*. Aufgeschreckt las sie den kurzen Artikel. Vor dem Bankhaus J. P. Morgan Inc. an der Wall Street war eine Bombe detoniert. Der Sprengsatz war in einem Pferdewagen versteckt gewesen, achtunddreißig Tote waren zu beklagen und über vierhundert verletzte Bankangestellte und Passanten. Die Polizei vermutete anarchistische Kreise hinter der Tat. Gabrielle presste die Lippen aufeinander, dachte daran, dass solcher Hass sie als Geschäftsfrau ebenso treffen könnte wie jeden Mann auf dem Weg zu seiner Bank. Ihre Geschäftstüchtigkeit war ungewöhnlich für eine Frau ihrer Generation, aber Mut und Stärke machten ihr Wesen aus. Sie war eine selbständige, erfolgreiche Person. Keine Betrügerin – schon allein deshalb wollte sie auch keine Ehebrecherin sein.

Einer Eingebung folgend, blickte sie auf das Datum am Kopf der Zeitungsseite: *Mittwoch, der 15. Dezember 1920.*

Großer Gott, sie hatte ganz vergessen, dass heute ein Arbeitstag war. Wie spät war es? Sie musste nach unten in ihr Atelier, wo hoffentlich bereits die Hinterlassenschaften der Premierenfeier aufgeräumt wurden. Normalerweise war sie jeden Morgen ab sieben Uhr präsent. Aber *normalerweise* traf sie erst nach einer perfekten Toilette in ihrem Badezimmer im Hôtel Ritz ein. Da lief sie nicht splitternackt und übernächtigt durch ihr Büro. Und *normalerweise* schlief auch kein berühmter Komponist auf ihrem Teppich. Kein Mann tat dies. Boy hatte das Sofa vorgezogen, wenn er in Eile war. Aber dieser russische Flüchtling hatte vermutlich schon auf Schlimmerem genächtigt als auf einem wertvollen Kelim. Unwillkürlich glitt ein trauriges Lächeln über ihr Gesicht.

»Coco!«

Gabrielle drehte sich um.

Strawinsky hatte sich aufgesetzt und mit dem Rücken gegen ein Bein des Flügels gelehnt. Sein Haar war zerzaust, seine Wangen waren gerötet, die Augen blutunterlaufen. Er wirkte übernächtigt, verkatert, doch das Feuer, das in ihm loderte, war nicht zu übersehen.

Ihr Körper war noch immer so drahtig und knabenhaft wie in ihrer Jugend. Damals, als kurvige Frauen dem Schönheitsideal entsprachen, hatte sie die Männer mit ihrer fast kindlichen Figur für sich eingenommen. Das Gegenteil slawischer Üppigkeit schien auch Strawinsky zu gefallen. Sie sah es ihm an – und sie genoss seine Blicke in diesem Moment mehr, als wenn seine Hände über ihre kleinen Brüste, den flachen Bauch und ihre schmalen Schenkel gestreichelt hätten. Es war berauschend.

Verwechsle dieses Gefühl nicht mit Liebe, warnte eine Stimme in ihrem Hinterkopf. Eine dauerhafte Beziehung zu diesem Mann wird es nicht geben.

Es kostete sie einige Mühe, den Zauber dieses Moments zu durchbrechen. Sie rollte die Zeitung zusammen und schlug sie gegen ihre Seite. Eine energische, abschließende Geste.

»Der Traum ist vorbei, Monsieur Strawinsky. Sie müssen aufstehen und zu Ihrer Familie fahren.« Ihre Stimme klang spöttisch, aber der Ton vibrierte leicht.

Er nickte ernst. »Ich werde Jekaterina sagen, dass ich dich heiraten möchte.«

»Nein!« Ihr Ausruf war so voller Entsetzen, dass ihr erst mit einiger Verspätung auffiel, wie verletzend dies für ihn sein mochte. Ruhiger fügte sie hinzu: »Du kannst deine Frau nicht verlassen, Igor. Das ist unmöglich.«

»Aber wir sind ein Paar«, protestierte er. »Du bist die Liebe meines Lebens, die ich leider zu spät gefunden ha…«

»Geh zu deinen Kindern«, fiel sie ihm ins Wort. »Geh zu deinen Kindern – und komm nicht wieder.«

Abrupt kehrte sie ihm den Rücken. Er sollte nicht sehen, wie sich ihre Augen mit Tränen füllten, die binnen Sekunden über ihre Wangen perlten wie die Regentropfen auf der Fensterscheibe. Da war ein Mann, der behauptete, sie heiraten zu wollen. Ein wunderbarer, berühmter Mann. Und wieder war es der falsche Zeitpunkt.

»Coco!« Ihr Kosename aus seinem Mund war ein einziges Flehen. »Ich liebe dich. Es ist dein Haus, das jetzt das Heim meiner Kinder ist. Wir sind auf die eine oder andere Weise eng verbunden. Bitte, zerreiß das Band zwischen uns nicht. Ich kann nicht ohne dich leben.«

Sie war ihm dankbar, dass er nicht hinter sie trat. Die kleinste Berührung hätte ihren Entschluss wahrscheinlich ins Wanken gebracht. Sie schluckte ihre Sentimentalität hinunter und erklärte mit fester Stimme: »Ich werde nicht nach *Bel Respiro* zurückkehren. Du kannst mit deiner Familie dort bleiben, solange es euch gefällt. Aber erwarte mich bitte nicht in der Rolle der Gastgeberin.«

»Ohne dich werde ich sterben.«

Stumm schüttelte sie den Kopf.

Es zerriss ihr das Herz, aber wen kümmerte das.

KAPITEL 13

Der Weihnachtstrubel hatte sich gelegt. Die Feiertage ließen Paris in einen ruhigen Winterschlaf sinken. Gabrielle schien es, als käme sie endlich wieder zu Atem. In den Tagen vor Heiligabend hatte sich jeder ihrer Wege angefühlt, als müsste sie ersticken in den Massen von Menschen, die sich durch die Kaufhäuser und Geschäfte am Rande der Grand Boulevards schoben. In ihrem Atelier und der angrenzenden Boutique arbeiteten ihre Mitarbeiterinnen auf Hochtouren, unzählige Herren kamen vorbei, um im letzten Moment noch ein Geschenk für die Ehefrau, die Geliebte, die Mutter, Schwester, Tochter oder ein anderes weibliches Familienmitglied zu erstehen. Und französische Familien waren in der Regel recht umfangreich.

Für Gabrielle war Weihnachten in vielerlei Hinsicht kein Freudenfest. Boys Todestag jährte sich, und sie durchlebte jene schrecklichen Stunden, als sie von Étienne Balsan erfahren hatte, dass er nie mehr zu ihr zurückkommen würde, noch einmal. In diesen Momenten wünschte sie, sie hätte Strawinsky nicht fortgeschickt. Umfangen von seiner Liebe, hätte sie vergessen können. Wenigstens für den Augenblick. Ihre Freunde waren kein Ersatz für den Liebhaber, obgleich sich Misia und José alle Mühe gaben und Étienne sie sogar nach Royallieu eingeladen hatte. Doch statt Igor in ihr Leben zu lassen, schickte sie Geschenke an seine Frau und seine Kinder. Erst danach erfuhr sie, dass orthodoxe Christen das Weihnachtsfest am Tag der Heiligen Drei Könige feierten und nicht am 25. Dezember.

Der Kaufrausch der Katholiken und Protestanten schien allerdings umso überwältigender, und Düfte standen hoch im Kurs. Als Gabrielle am Montag nach dem Weihnachtswochenende durch die Parfümabteilung der Galeries Lafayette bummelte, blickte sie in leere Regale, wo sich vor den Feiertagen noch edle Verpackungen mit kostbaren Flakons gestapelt hatten. François Coty hatte vermutlich am meisten profitiert, aber Paul Poiret und die Gebrüder Guerlain standen ihm gewiss nicht nach. Gabrielle ärgerte sich, dass andere das Geschäft machten, während sie inzwischen fast schon verzweifelt nach der Rezeptur für ihr Parfüm suchte. Die immerhin sechstausend Francs teuren Dokumente von Katharina und von Maria von Medici hatten ihre Hoffnungen nicht erfüllt. Ein hinzugezogener Historiker fand darin ebenso wenig den Hinweis auf ein Wunderelixier wie die Chemiker von François Coty. Wieder einmal hatte Misia richtiggelegen. Sie hätte auf die Freundin hören sollen.

Vor dem Haupteingang der Galeries Lafayette winkte ihr

der Portier ein Taxi herbei. Der einsetzende Graupelschauer hatte ihr die Lust an einem Spaziergang verdorben, obwohl sie sich nur einen Katzensprung vom Café de la Paix entfernt befand, wo sie mit Misia verabredet war.

Das Kaffeehaus im Erdgeschoss des Grand Hôtel war ebenfalls nicht so gut besucht wie an anderen Tagen. Meist gab es in dem riesigen Saal mit seinen Deckenfresken und Säulenschmuck kein Durchkommen, alle Tische waren besetzt, und wo die Sitzgelegenheiten nicht ausreichten, wurden Stühle herbeigeschafft, bis es auch in den Gängen eng wurde und das Servieren für die Kellner schwierig. Doch heute war die Anzahl der Gäste so überschaubar, dass Gabrielle ihre Freundin schon an der Tür sah, obwohl Misia hinter einer Topfpalme verborgen saß. Nicht zuletzt der aus Filz gefertigte Chanel-Hut war ein unübersehbares Requisit ihrer Freundin.

»Du bist zu früh«, stellte Gabrielle fest, nachdem sie Misia zur Begrüßung auf beide Wangen geküsst hatte.

»Und du bist zu spät«, tadelte Misia lächelnd. »Wenn du Glück hast, ist der Kaffee, den ich für dich bestellt habe, noch nicht kalt.«

Gabrielle zuckte bedauernd mit den Schultern. Dann setzte sie sich auf den Stuhl, den ihr der dienstbeflissene Kellner zurechtschob. »In der Parfümabteilung der Galeries Lafayette habe ich die Zeit vergessen«, gestand sie und schüttelte mit einem kurzen Blick auf den jungen Mann in ihrem Rücken den Kopf, als dieser ihr die Karte anbot: »Der Kaffee hier genügt fürs Erste. Danke.«

»Champagner trinken wir später«, erklärte Misia selbstbewusst. Als sie allein mit Gabrielle war, fügte sie hinzu: »Wir sollten darauf trinken, dass du nicht weiter von Igor Strawinsky belästigt wirst.«

»Ich habe ihn seit der Premiere nicht wiedergesehen«, sagte Gabrielle ein wenig zu schnell. Ihr war unbehaglich zumute. Der Beginn des Gesprächs gefiel ihr nicht. Sie verstand nicht einmal, wieso die Freundin ausgerechnet heute auf Igor Strawinsky zu sprechen kam.

Seit der Premierenfeier kamen immer wieder Gerüchte über sie beide auf, aber Gabrielle hatte nichts unversucht gelassen, jeden Klatsch zu zerstreuen. Sie hatte seither keinen Anlass mehr zu indiskreten Beobachtungen geboten und gehofft, dass der Trubel der Feiertage zumindest ihrer Reputation nützlich wäre. War in dieser Zeit nicht jeder in Paris so mit sich selbst beschäftigt, dass eine lächerlich kurze Affäre aus dem allgemeinen Bewusstsein verschwand?

»Dieser Mann ist inakzeptabel«, fuhr Misia fort. »Ein Genie, aber menschlich absolut inakzeptabel. Du kannst froh sein, dass du ihn los bist.«

Nachdenklich rührte Gabrielle in ihrer Tasse, obwohl sie weder Zucker noch Milch in den Kaffee getan hatte. Offenbar hatte sich zumindest die Neugier ihrer besten Freundin nicht gelegt. »Strawinskys wohnen noch immer in meinem Haus«, sagte sie in einem Ton, als spräche sie zu sich selbst. Nach einer Weile hob sie den Kopf. »Aber wenn du darauf anstoßen möchtest, dass er mich nicht bedrängt, können wir das tun.

Er hält sich tatsächlich fern von mir.« Was sie, wie sie sich im Stillen eingestand, nicht unbedingt erwartet hatte. »Bist du nun zufrieden?«, setzte sie missgelaunt hinzu.

Misia machte eine wegwerfende Handbewegung. »Es geht uns nur um dein Glück, Coco. Das musst du mir glauben. Deinetwegen hat José ihm deutlich ins Gewissen geredet.«

Gabrielles Augen weiteten sich vor Überraschung. Hatte Misia das Thema Strawinsky angeschnitten, um sie auf den neuesten Stand einer Angelegenheit zu bringen, von der sie nicht die geringste Ahnung hatte? Immerhin schien es ja Neuigkeiten zu geben.

»*Was* hat José getan?«

»Er hat Strawinsky klargemacht, dass Boy dich ihm – José – anvertraute. Das ist ja auch so, nicht wahr? Er fühlt sich für dich verantwortlich. Wir beide tun es.«

»Ah … ja«, murmelte Gabrielle pflichtschuldig. Sie konnte sich zwar nicht an eine Übergabe dieser Art erinnern, aber Josés Eifer war immerhin nett gemeint. Allerdings vermutete sie, dass Misia dahintersteckte.

»Mein lieber Mann hat Strawinsky einen … ein …« Misia unterbrach sich, lächelte verlegen und erklärte: »Nun, er hat einen unaussprechlichen Ausdruck verwendet, den eine Dame nicht wiederholen darf.« Sie beugte sich rasch vor. Nicht ohne eine gewisse Begeisterung für das Skandalöse wisperte sie schließlich doch: »Arschloch. Er hat ihn ein Arschloch genannt.«

Gabrielle schwankte zwischen einem Lachanfall und einem Zornesausbruch. Ihre Stimme bebte, sie war sich nicht klar, ob aus Belustigung oder Wut: »Weil José sich für mich verantwortlich fühlt, hat er ein so schändliches Wort für Strawinsky gebraucht?«

»Nein. Natürlich nicht.« Misia kicherte albern, lehnte sich wieder auf ihrem Stuhl zurück. »Er hat ihn so genannt, weil der Ausdruck passt. Unser Freund ist leider ein … na, du weißt schon, was.«

»Geht ihr da nicht ein wenig streng mit ihm ins Gericht?«

Misias Lachen wurde höhnisch. »Ich bitte dich – er ist ein verheirateter Mann. Er ist der Vater von vier Kindern. Trotzdem erzählt er jedem, der es hören will oder auch nicht hören will, dass er dich liebt und heiraten möchte. Die Vorstellung, dass er seine mittellose, schwerkranke Frau verlassen könnte, ist furchtbar.«

»Ich weiß.« Gabrielle senkte ihre Lider, um Misia nicht durch einen Blick in ihre Augen zu verraten, wie sehr sie das Gespräch aufwühlte.

Grundsätzlich hatte die Freundin recht, daran bestand kein Zweifel. Dass sich José Sert in ihre persönlichsten Dinge einmischte, nahm sie ihm nicht übel. Als störend empfand sie jedoch die Leidenschaft, mit der sich Misia und José um ihr Liebesleben kümmerten. Das war nicht weniger aufdringlich als Strawinskys Verehrung. Und genauso enervierend, geradezu ärgerlich. Ging es Misia tatsächlich nur um ihr, Gabrielles, Wohl? Oder war die Freundin eifersüchtig, weil sie sich nach Djagilew eines zweiten Künstlers in ihrem Kreis beraubt sah?

»Ich liebe Strawinsky nicht. Deshalb würde ich ihn niemals

heiraten. Aber ich habe gern mit ihm geschlafen.« Diese Feststellung gestattete sie sich zu seiner Ehrenrettung.

»Wenn es nur darum ginge ...« Misia seufzte. »Er sieht eure ... Romanze anscheinend anders. Djagilew erzählt, dass Strawinsky regelrecht liebeskrank sei.«

Ein seltsames Glücksgefühl erfasste Gabrielle. Genauso erging es ihr stets nach den beiden jährlichen Modenschauen, wenn sie ihre neuen Kollektionen vor einem ausgewählten Publikum zeigte. Anerkennung und Bewunderung waren ihr Lebenselixier. Suchten die französischen Königinnen der Renaissance nach dem Duft der Weisheit und der ewigen Schönheit, so bestimmte Gabrielles Dasein die ewige Suche nach Erfolg und Beifall, im Beruflichen ebenso wie in ihrem Privatleben. Das war schon so gewesen, als sie mit albernen Liedern im Tingeltangel auftrat und zum ersten Mal die Bewunderung des Publikums erlebte. Später hatte sie sich mutig in den Sattel geschwungen, um dem Pferdenarr Étienne Balsan zu beweisen, dass sie eine perfekte Reiterin und schon deshalb die richtige Partnerin für ihn war, obwohl von beidem letztlich nicht die Rede sein konnte. Dann war der Erfolg als Modeschöpferin gekommen und mit ihm ein unerhörtes Prickeln, wenn sie merkte, dass sie den richtigen Riecher hatte. Doch selbst der Applaus ihrer Kunden verblasste vor dem Begehren eines genialen Komponisten. Dass dieser Mann sie, Gabrielle Chanel, das Waisenkind von zweifelhafter Herkunft, so liebte, dass er alles für sie aufgeben würde, empfand sie wie einen Ritterschlag.

»Keine Dame von Anstand würde mehr dein Atelier betreten.« Misias Stimme schien von weit her zu Gabrielle durchzudringen und immer näher zu kommen. Offensichtlich hatte die Freundin weitergeredet, während Gabrielle ihren Gedanken nachhing. »Selbst die unanständigen Frauen würden dich verachten. Strawinsky denkt nur an sich. Nicht daran, welches Licht es auf dich werfen würde, wenn du seiner armen Jekaterina den Gatten stiehlst.«

»Zu dieser Annahme besteht von meiner Seite aus nun wirklich kein Grund.«

»Glücklicherweise!« Misias Ruf hallte durch den Raum. Vor Erleichterung war sie so laut geworden, dass der Kellner herbeieilte, weil er wohl dachte, sie wollte etwas bestellen. Ratlos, weil aus dem Konzept gebracht, sah sie den jungen Mann an. »Was ist denn?«

»Bringen Sie uns bitte eine Flasche Champagner«, erlöste Gabrielle sowohl ihre Freundin als auch die Bedienung. »Madame Sert möchte einen Trinkspruch aussprechen.«

Ein kleines Lächeln huschte über ihr Gesicht, als sie sich an ihre Begegnung in Venedig erinnerte. »Wusstest du, dass die Russen eine Vorliebe für lange Trinksprüche haben?«

»*Ma chère*, hast du vergessen, dass ich in Sankt Petersburg geboren wurde? Obwohl ich nicht im Zarenreich aufgewachsen bin und später niemals dort lebte, hat mein Vater dafür gesorgt, dass ich die slawische Mentalität in allen ihren Facetten kennenlerne.« Misia blickte dem Kellner hinterher, der eilfertig Gabrielles Bestellung ausführte, und meinte: »Ich wette, dieser hübsche junge Mann besitzt russische Vorfahren. Wo man auch hinschaut, Paris ist ein Meer aus Emigranten.«

»Ich beginne mich für die slawische Kultur zu erwärmen. Sie erinnert mich an meine Heimat in der Auvergne. Sind wir nicht auch die Orientalen unter den Franzosen?«

Misia lachte. »Davon habe ich nun wieder keine Ahnung, Coco.«

Dankbar, das Thema Strawinsky fürs Erste abgehakt zu haben, erwärmte sich Gabrielle für eine Idee, auf die sie durch die Erinnerung an den wundervollen Abend mit Dimitri Romanow gekommen war: »Ich frage mich, ob ich nicht russische Flüchtlinge als Mannequins anstellen sollte. Wie du richtig bemerktest: In der Stadt wimmelt es nur so von ihnen – und alle sind von Adel.«

»Coco, deine Mode ist der Inbegriff französischer Eleganz. Ich weiß nicht, ob dir deine Kundinnen eine solche Reverenz an den Zarenhof erlauben.«

Gabrielle zuckte mit den Achseln. »Ich würde sie ja nicht als Kosaken verkleiden, obwohl …« Sie unterbrach sich, blickte einen Moment vor sich hin, als sei ein Blitz in sie gefahren. »Vielleicht wären ein paar folkloristische Stickereien ganz hübsch. Zumindest wären sie etwas ästhetisch ganz Neues in meiner Kollektion.«

»Denk daran, dass *Le Sacre du Printemps* erst in einer Bearbeitung erfolgreich wurde, der eben diese folkloristischen Elemente fehlen.«

»Es ist eine Frage des richtigen Zeitpunkts«, widersprach

Gabrielle ruhig. »Und auf jeden Fall können sich viele der jungen Frauen aus Russland sehr gut bewegen, weil sie alle Tanzstunden hatten und eine gewisse Etikette erlernten. Ich denke, es wäre ausgesprochen charmant, wenn meine nächste Kollektion von Prinzessinnen und Gräfinnen vorgeführt würde.« Die Idee war zwar noch frisch, Gabrielle begeisterte sich aber so sehr dafür, dass sie am liebsten noch an diesem Abend damit begonnen hätte, Gespräche zu führen und die potentiellen Kandidatinnen zur Probe durch ihr Atelier laufen zu lassen.

Der Kellner trat wieder an den Tisch, stellte einen Sektkühler bereit und Champagnerkelche. Der Korken ploppte, und der perlende Wein sprudelte in die Gläser. Gabrielle und Misia sahen den Handgriffen des jungen Mannes schweigend zu. Sie hoben ihre Gläser erst, nachdem er wieder gegangen war.

»Auf das untergegangene Zarenreich, das uns so viele Möglichkeiten beschert«, sagte Gabrielle.

»Von mir aus«, erwiderte Misia ein wenig ungnädig. »Wenn du damit nicht Igor Strawinsky verbindest, trinke ich auf alle Zaren seit Iwan dem Schrecklichen.«

Gabrielle hatte ihr Glas schon an den Lippen, setzte es aber wieder ab. »Könntest du bitte aufhören, alles, was ich sage, mit Strawinsky in Verbindung zu bringen?«

»Tut mir leid.« Misia wirkte tatsächlich etwas zerknirscht. »Aber dieser Mann treibt mich um. Er ist völlig verstört, weil du ihn abgewiesen hast, und führt sich unmöglich auf. Das ist so lächerlich. Alle empfinden das so.«

»Alle?« Gabrielles Augenbrauen schnellten nach oben. »Wer sind denn *alle*?«

»Alle unsere Bekannten, sogar Picasso hat sich schon darüber ausgelassen. Wenn sich ein erwachsener Mann von achtunddreißig Jahren, noch dazu ein Familienvater, benimmt wie ein liebeskranker Jüngling, ist das ein lebender Witz.«

»So, wie du über ihn sprichst, beginnt er fast mir leidzutun.«

»Mitleid passt genauso wenig zu einem Mann seines Alters. Ach, Coco, er ist wie verbohrt. Das macht es so schlimm. Aber das soll deine Sorge nicht sein. *Na sdorowje!*« Sprachs und stürzte den Inhalt ihres Champagnerkelchs hinunter.

Gabrielle erwartete, dass Misia das Glas nun über die Schulter hinter sich auf den Boden werfen würde, aber nichts dergleichen geschah. Mit strahlenden Augen sah die Freundin sie an, während Gabrielle nur von dem köstlich moussierenden Wein nippte. Sie begegnete ihrem Blick mit einem offenen, freundlichen Ausdruck, doch in ihrem Innersten tobte ein Kampf.

Es schmeichelte ihr, dass Igor Strawinsky geradezu besessen von ihr zu sein schien. Der Gedanke an seine Liebe streichelte ihre Eitelkeit wie seine Hände ihren Körper.

»Denke immer daran, dass du eine Frau bist«, sagte Boy.

»Mein Geschäft ist mein Leben. Meine Unabhängigkeit ist mein Leben«, versetzte sie – und dann sanfter: »Du bist mein Leben.«

Aber dieses Leben war zerstört.

Gabrielle fragte sich, ob es zielführend wäre, einen vor Leidenschaft glühenden Liebhaber abzuweisen. Wäre nicht die Liebe, und sei es auch nur die körperliche, das beste Mittel gegen den Kummer, der so unabänderlich in ihr brannte wie in Strawinsky das Feuer seiner unerwiderten Gefühle?

Sie sah ihn vor sich – am Flügel, am Dirigentenpult. Ein wundervoller Komponist. Ein geistreicher Mann. Ein Genie. Sie konnte nicht zulassen, dass sich die Pariser Bohème über ihn lustig machte. Sie musste dieses Drama beenden. Einerlei, ob Misia oder José Sert dies guthießen. Die Meinung der anderen war ihr noch nie so gleichgültig gewesen wie in diesem Moment, in dem sie im Geiste die Ehrenrettung Igor Strawinskys beschloss. Den Gedanken, dass sie dies ihre eigene Reputation kosten könnte, verwarf sie sofort. Obwohl Misia doch eigentlich immer recht hatte.

KAPITEL 14

Natürlich verriet sie Misia nicht, was sie vorhatte. Gabrielle versuchte, so taktvoll zu sein, wie es unter den gegebenen Bedingungen nur möglich war. Obwohl Igor in ihrem Haus lebte, wollte sie aus Rücksicht auf seine Familie nicht in direkten Kontakt zu ihm treten. Über kurz oder lang würde sie nicht umhinkommen, Jekaterina Strawinska in die Augen zu sehen, aber bis dahin würde sie seine Frau wenigstens davon befreien, mit einem Mann verheiratet zu sein, über dessen Liebeskrankheit alle Welt lachte. Sie sorgte dafür, dass sie Ernest Ansermet über den Weg lief, und bat den Dirigenten bei dieser Gelegenheit, Strawinsky eine Nachricht von ihr zu überbringen: »Richten Sie ihm bitte aus, dass er mich jederzeit besuchen kann.«

Ansermet spielte den Postillon d'Amour anscheinend so überzeugend, dass Igor Strawinsky noch am selben Abend im Hôtel Ritz auftauchte, bis zum Morgen blieb und von da an jede Nacht zu ihr kam.

Doch die schlaflosen Nächte, die ihr neuer Liebhaber ihr

aufzwang, zehrten schon bald an Gabrielles Nerven. Strawinskys Lebensrhythmus passte nicht zu ihrer Arbeitsweise. Es stellte sich als unfassbar anstrengend heraus, seine Geliebte zu sein. Er ließ ihrem Körper keinen Moment der Entspannung, nahm sie in jeder Nacht mehrmals – aber auch das schien ihm nicht zu genügen. Gabrielle kam es vor, als würde er ihr keine Luft zum Atmen lassen. Strawinsky versuchte, sie zu vereinnahmen, reagierte mit unkontrollierter Eifersucht auf ihre Unabhängigkeit und forderte so leidenschaftlich wie verzweifelt immer wieder ein, über sie verfügen zu können – was ihm als verheiratetem Mann und Familienvater ohnehin nicht zustand. Aber er wollte Gabrielle ganz. Ihren Leib, ihr Wesen, ihre Seele, ihr Herz und wahrscheinlich auch ihre Zeit. Es schien ihr manchmal, als wollte er ihre Liebe erzwingen. Doch Gabrielle empfand nie mehr für ihn als diese Mischung aus Mitleid, Trotz und Stolz, mit der sie ihn in ihr Bett geholt hatte.

Strawinsky beharrte eigensinnig darauf, der Mann ihres Lebens zu sein. Ein Gespräch über ihre Verbindung zu Boy lehnte er ab. Er betrachtete sich als ihre Zukunft – was scherte ihn ihre Vergangenheit? Dennoch nahm sie an, dass er vor allem deshalb in der Öffentlichkeit zum Mann an ihrer Seite werden wollte, um dem Schatten ihrer großen Liebe, den er trotz seines Schweigens darüber nicht vertreiben konnte, zu begegnen. Gabrielle ging zwar auf seinen Wunsch ein und ein paar Mal mit ihm aus, aber sie achtete wie eine altjüngferliche Gouvernante darauf, niemals mit ihm allein gesehen zu werden. Zwar billigte Misia die Beziehung noch immer nicht, aber die Freundin war stets zur Stelle, um mit Gabrielle und Strawinsky etwa ein Konzert zu besuchen. Diese Stunden mit ihm genoss Gabrielle sehr – ebenso wie Misia. Von einem Musikgenie in die Geheimnisse der Klassik eingewiesen zu werden, war unschätzbar wertvoll. Er brachte Gabrielle die Musik Wagners und Beethovens näher, wobei sie seine Faszination für die Opern Richard Wagners teilte, nicht jedoch für die Sinfonien von Ludwig van Beethoven. Er war ein ausgesprochen unterhaltsamer Begleiter, dem sowohl sie als auch Misia seine gelegentliche Rechthaberei und Überheblichkeit verziehen. Mit Liebe hatte das jedoch alles nichts zu tun.

»Djagilews Corps ist zu einer Tournee durch Spanien eingeladen worden«, berichtete Strawinsky in einem der seltenen Momente in einer Nacht Ende Januar, in denen er ihnen beiden eine Ruhepause gönnte. »Die Spanier wollen unbedingt das neue *Le Sacre du Printemps* sehen.«

Gabrielle lag auf der Seite, ihrem Liebhaber zugewandt, hatte die Augen jedoch geschlossen. Sie dämmerte schläfrig dahin. »Ich weiß«, murmelte sie. »Sergej hat mir schon davon erzählt.«

»Ich muss mit der Truppe reisen. Niemand kann meine Musik so dirigieren wie ich selbst. Stell dir vor, sie würde falsch interpretiert. Nicht auszudenken.«

»Ja. Das ist richtig.« Sie war so zerschlagen, dass sie gar nicht richtig erfasste, was er ihr sagte.

»Aber ich kann nicht fahren!« Sein Ausruf war schmerzerfüllt, fast schon weinerlich. »Wie sollte ich dich allein lassen können, Coco?«

In ihrem Hinterkopf keimte ein Gedanke, den sie nicht fassen konnte, der aber seltsam tröstlich war. Sie wusste, dass sie diese Amour fou nicht vermissen würde. Aber da war noch etwas, das ihrem müden Verstand gerade nicht zugänglich war. »Ich verstehe dich nicht«, nuschelte sie.

Zunächst blieb er still, und Gabrielle hoffte bereits, endlich einnicken zu dürfen. Doch dann verkündete er: »Ich werde nicht ohne dich nach Madrid reisen. Du wirst mich begleiten.«

»Das ist unmöglich«, sagte sie, ohne nachzudenken.

Im nächsten Moment wurde sie sich bewusst, dass es ein Fehler sein mochte, ihm zu widersprechen. Igor würde dies eher als Anreiz verstehen, seinen Willen durchzusetzen. Aber wenn sie eine Sache wusste, dann, dass sie nicht mit ihm auf Tournee zu gehen beabsichtigte. Wegen seiner Frau. Wegen des Klatsches. Und nicht zuletzt um ihretwillen. Mit einem Mal war sie hellwach.

Sie öffnete die Augen. Durch einen Spalt in den Vorhängen fiel ein heller Streifen Licht von den Laternen auf der Place Vendôme auf Igors wutverzerrtes Gesicht. Offensichtlich haderte er mit seinem Schicksal, das ihm als Komponisten einen Erfolg, als Liebhaber jedoch die Trennung von der Geliebten bescherte.

»Ich kann Paris nicht einfach so verlassen«, erklärte sie mit gezwungen sanfter Stimme. »Ich führe ein Geschäft. Hast du das vergessen? Wenn ich wegbleibe, muss ich Vorbereitungen treffen. Umfangreiche, lange Vorbereitungen.«

»Ich kann meine Musik nicht allein durch fremde Theater schicken.«

»Das verstehe ich.« Sie richtete sich auf, stützte sich mit dem Ellenbogen ab. »Deshalb wirst du nach Spanien fahren. Ohne mich, aber mit deiner Musik.« Der Gedanke, dass ihr durch Igors Abwesenheit einige ruhige Abende und vor allem Nächte bevorstanden, in denen sie durchschlafen durfte, war für sie so verlockend, dass sie am liebsten gejauchzt hätte. Doch sie biss sich auf die Lippen, weil sie ihn nicht verletzen wollte.

»Soll ich vor dir knien? Willst du, dass ich auf die Knie falle, damit du mich begleitest?«

Um Gottes willen!, dachte sie.

»Nein«, sagte sie ruhig. »Nein. Natürlich nicht. Mach dich bitte nicht zum Narren.«

»Das ist mir einerlei.«

»Aber mir ist es nicht egal.«

Sie starrten einander an, ohne sich wirklich zu sehen. Sie hörte mehr das Knirschen seiner Zähne, als dass sie die Kieferbewegungen sah.

Einer Eingebung folgend, versprach sie ihm: »Ich werde nachkommen, sobald ich alle wichtigen Dinge im Atelier geregelt habe.«

Er wirkte überrascht. Offensichtlich hatte er diese Idee noch gar nicht in Erwägung gezogen. Seine weiche Musikerhand umfasste ihren Oberarm mit einer Heftigkeit, die sie kurz aufkreischen ließ.

»Du tust mir weh!«

Doch er ignorierte ihren Protest.

»Du gehörst mir, Coco, nur mir! Schwöre mir, dass du deine Angelegenheiten so schnell wie möglich erledigen und nach Madrid nachkommen wirst! Schwöre es bei der heiligen Mutter Gottes.«

Sie schloss wieder ihre Augen. Vor ihren Lidern formte sich das Bild eines Fußbodens, gefertigt aus Flusssteinen.

Eins, zwei, drei, vier, fünf, zählte sie im Geiste. Sie dachte daran, dass sie eine Lüge beichten müsste, wenn sie morgen in die Kirche ginge. Dann sah sie wieder auf.

»Ich verspreche es dir.«

DRITTER TEIL
1921

KAPITEL 1

Mit geschickten Bewegungen zog Gabrielle Nadel für Nadel
aus dem Samtkissen an ihrem Handgelenk und steckte den
groben Baumwollstoff in Falten fest. Mit skeptischem Blick
betrachtete sie ihr Werk, entfernte eine Stecknadel, schob sie
sich zwischen die zusammengepressten Lippen, die eigentlich
eine brennende Zigarette hielten, während sie den Faltenwurf
neu drapierte. Sie arbeitete immer zuerst mit Nessel, erst später würde sie sich für den eigentlichen Stoff ihrer Wahl entscheiden. Korrekt sitzender Kattun war das Geheimnis ihrer
Schnitte – und der Faltenwurf, der vom Rücken ausgehen
musste. Nach Gabrielles Überzeugung ging die Beweglichkeit
des Körpers vom Rücken aus, daher musste dort so großzügig wie möglich geschnitten werden.

Für einen Moment verschwamm ihr die Form vor Augen,
ihre Beine drohten vor Übermüdung nachzugeben. Seit Stunden schon modellierte sie ein Abendkleid – ohne ein zufrie-
denstellendes Ergebnis zu erzielen. Sie sollte eine Pause einlegen. Das Mannequin, an dem sie ihre Kreation absteckte,

harrte zwar so geduldig aus wie das Modell eines Malers, aber Gabrielle fürchtete, ihre Konzentration zu verlieren. Doch solche Schwäche wagte sie sich nicht einzugestehen, vor allem nicht in ihrem Atelier.

Verbissen fuhr sie fort, schob eine zu einem Ärmel gerollte Bahn über den Arm der hochgewachsenen jungen Frau, die Gabrielle mindestens um eine Haupteslänge überragte. Die Russinnen waren meist viel größer als sie, dabei jedoch überraschend grazil. Diese hier behauptete, eine Prinzessin zu sein. Vielleicht stimmte das, möglicherweise war sie aber auch nur eine Gräfin oder eine Baroness. Gabrielle hatte gelernt, dass nicht jedes in Paris benutzte Prädikat der Stellung am Hof in Sankt Petersburg entsprach, aber der ehemalige Stand der Adeligen war ihr egal. Hauptsache, diese und die anderen lebenden Schneiderpuppen, die sie engagiert hatte, erfüllten ihren Zweck und machten etwas her. Außerdem waren es die ehemaligen Mitglieder des Zarenhofs von all den Paraden oder Defilees gewohnt, lange geduldig zu stehen. Und so erwies sich diese junge Frau ebenso wie ihre neuen Kolleginnen als ideal für Coco Chanels Art des Entwerfens, denn sie kreierte ihre Kollektionen stets vor allem an einer Puppe und am lebenden Frauenkörper, nicht auf dem Zeichentisch. Nur so, sagte Coco stets, könne sich ihre Mode auch den Bewegungen ihrer Trägerinnen anpassen.

»*Aïe!*« Das Mannequin zuckte zusammen. »Au!«

»Tut mir leid«, murmelte Gabrielle, ohne zu ihr aufzusehen. Der Punkt, wo sie die Schulternaht ansetzen wollte, geriet zu einer schiefen Linie. Ihr Augenmaß ließ sie im Stich. Sie sollte eine Pause einlegen. Aber sie hatte ihr Pensum für heute noch nicht annähernd erreicht. Es war noch nicht einmal Mittag, doch sie fühlte sich bereits so erschöpft, als wäre es später Abend.

»Au!« Die Zigarette fiel ihr vor Schreck aus dem Mund und landete auf dem Boden, wo sie ein weiteres kleines Loch in den Parkettboden brannte. Diesmal hatte Gabrielle sich selbst in die zitternden Finger gestochen. Sie seufzte. »Machen wir eine kurze Pause. Sie können sich entspannen, Elena.«

Gabrielle beobachtete, wie die junge Adelige für einen Moment in sich zusammensackte. Wie auf einem Exerzierplatz, fuhr es ihr durch den Kopf. Es war amüsant, dass die hochwohlgeborenen Russinnen vor der Macht des Proletariats geflohen waren, um sich nun von der Tochter eines Hausierers herumkommandieren zu lassen. Verkehrte Welt, dachte Gabrielle, während sie sich bückte, um die Zigarette aufzuheben und sich eine neue anzuzünden.

Sie versuchte, ihre Augen zu entspannen, indem sie aus dem Fenster sah. Es war ein trüber Februartag, der keinen schönen Blick auf die Rue Cambon bot. Regen prasselte gegen die Scheiben, mal nur als Niesel, der für Paris so typisch war, dann plötzlich so stark, dass Rinnsale in die Fugen der Rahmen liefen.

Gabrielle überlegte, dass sie, ungeachtet des Wetters, später einen kleinen Spaziergang zur Librairie Auguste Blaizot unternehmen sollte, um sich für einen weiteren Abend ohne

Strawinsky mit Lektüre zu versorgen. Endlich wieder ungestört lesen zu dürfen war eine wundervolle Erfahrung. Was allerdings geschehen würde, wenn er aus Spanien zurückkam, wusste sie nicht. Sie beantwortete seine Telegramme und Telefonanrufe, sein unaufhörliches Flehen und Drängen, ihm nach Madrid zu folgen, mit den immer selben Sätzen: »Ich bin noch nicht so weit, gib mir bitte noch etwas Zeit, meine Arbeit ist wichtig ...« Doch im Gegensatz zu ihm war sie sich darüber im Klaren, dass sie zu keinem Zeitpunkt beabsichtigte, ihr Versprechen zu erfüllen.

Ein Rascheln in ihrem Rücken unterbrach ihre Gedanken. Dann ein Poltern, Füßescharren, Seufzen. Verwundert sah sie über die Schulter.

Ihre Mitarbeiterinnen, Näherinnen, Mannequins, Zuschneiderinnen, schwirrten nicht mehr wie Bienen in einem Stock um ihre Königin, sondern richteten ihre Aufmerksamkeit auf eine Person, die gerade durch die Tür trat. Die russischen Aristokratinnen versanken in einen Hofknicks, der so tief war, dass sie fast den Boden mit der gesenkten Stirn berührten. Das Mannequin, an dem Gabrielle zuvor das Kleid modelliert hatte, schaffte trotz der vielen Nadeln die eleganteste aller Ehrerbietungen. Angesteckt von so viel Hochachtung, ließen auch die anderen Angestellten ihre Arbeit ruhen und knicksten oder dienerten vor dem Mann, der unangemeldet in das Atelier kam.

Unwillkürlich schnappte Gabrielle nach Luft. Der Rauch ihrer Zigarette brannte ihr in den Augen. Doch nicht das ließ sie blinzeln. Sie war sich nicht sicher, was sich vor ihr abspielte. Ob sie träumte?

Sie hatte vergessen, wie beeindruckend seine Persönlichkeit war, wie blendend er aussah. Ein Turm von einem Mann. Strahlend, attraktiv, sportlich. Er blieb kurz im Türrahmen stehen, lächelte und forderte die jungen Frauen mit einer kaum merklichen, aber überaus eleganten Geste auf, sich zu erheben. Dabei sagte er: »Ich bitte Sie, das ist nicht nötig«, und schritt quer durch das Atelier auf die Fensterfront zu, als sei dies sein Laufsteg.

Vor Gabrielle blieb er stehen, verbeugte sich so tief, als wäre sie die Zarin und nicht er der Zarewitsch, wenn es denn noch ein russisches Reich geben würde.

»*Bonjour*«, sagte Dimitri schlicht.

Ihre Knie zitterten. Ihr Herz pochte wild. Sie hatte nicht mit der Wucht der Gefühle gerechnet, mit der er in ihr Leben zurückkehren würde. Wie ein Sturm, der über die sibirische Taiga fegte. Als sie sich zu ihm drehte, musste sie sich zwingen, Haltung zu bewahren. Hätten nicht so viele Augenpaare jede ihrer Gesten beobachtet, wäre sie ihm unmittelbar in die Arme gesunken.

»*Bonjour, Monsieur*«, erwiderte sie.

»Verzeihen Sie, Mademoiselle Chanel, Seine Hoheit ließ sich nicht aufhalten, und da dachte ich ...« Die Atemlosigkeit der Empfangsdame, ebenfalls eine verarmte russische Prinzessin, die nun hinter Dimitri auftauchte, verhinderte ein Weitersprechen. Auf ihren von vornehmer Blässe gekennzeichneten Wangen leuchteten rote Flecken. Gabrielle erinnerte sich nicht, ihre Angestellte derart aufgeregt erlebt zu haben, wenn etwa eine Marquise zur Anprobe kam. Denn das Haus Chanel zählte durchaus auch Damen aus dem französischen Hochadel zu seinen Kundinnen.

Die Asche von Gabrielles Zigarette fiel zu Boden. Während sie sich nach einem Aschenbecher umsah, sagte sie zu ihrem Besucher: »Wir sollten in mein Büro gehen.« Ihr flüchtiger Blick streifte ihre Empfangsdame vorwurfsvoll. Dimitri Pawlowitsch Romanow hätte gleich nach oben geführt werden sollen.

Auf dem Weg die Treppe hinauf sagte er: »Ich habe versprochen, dass wir uns wiedersehen werden. Hier bin ich.«

»Das sehe ich. Und ich hatte Ihnen schon vorher geglaubt.« Gabrielle lächelte. »Obgleich ich nicht damit rechnete, dass Sie in einer Art Überraschungsangriff mein Atelier in Besitz nehmen würden.«

Seine gespielte Empörung verbarg nicht das unbekümmerte Glitzern in seinem Blick. »Können Sie mir nachsehen, dass ich keine Sekunde länger warten wollte? Mein erster Weg in Paris führte direkt zu Ihnen. Wir sind gerade erst angekommen.«

»Wir?« Ihr Herz sank. Hatte er sich etwa irgendwo zwischen Venedig, Dänemark, London und Paris vermählt? War sein Überraschungsbesuch nur der Tatsache geschuldet, dass er ihr so schnell wie möglich von seinem neuen Familienstand erzählen wollte?

»Mein Diener Pjotr und ich.«

»Oh … ah … ja …« Sie konnte nicht verhindern, dass ihre Wangen heiß und ihre Knie noch weicher wurden. Du lieber Himmel, sie benahm sich wie eine dumme Gans. Ihre Gastgeberpflichten retteten sie vor weiteren Peinlichkeiten. Sie öffnete die Tür zu ihrem Arbeitszimmer, ließ ihm Zeit, einzutreten und ihr Mobiliar auf sich wirken zu lassen, und fragte dann höflich: »Was darf ich Ihnen anbieten? Kaffee? Champagner?«

Dimitri äußerte sich nicht zu der Einrichtung und lehnte das Angebot mit einem Kopfschütteln ab. Er nahm nicht einmal Platz. Stattdessen erklärte er: »Ich habe fünfzehntausend Francs. Würde das Ihrer Ansicht nach genügen, um die Spielbank in Monte Carlo zu sprengen?«

Was für ein Mann! Wohltuend unbeschwert, er machte keine Vorhaltungen – und stellte vor allem keine Forderungen. Zwar unterstand sich Gabrielle, Dimitri Romanow mit Igor Strawinsky zu vergleichen, aber sie kam nicht umhin, dem Jüngeren eine ganze Menge Vorzüge zuzugestehen.

Sie hob kapitulierend die Arme. »Wenn ich ebenfalls fünfzehntausend Francs setze, haben wir dreißigtausend. Damit sollten wir uns mindestens eine Weile amüsieren können.«

Er blickte ihr in die Augen – und beide lachten, als wäre in diesem Moment ein Bann gebrochen.

»Wann können wir aufbrechen?«, fragte Dimitri in unwiderstehlicher Direktheit.

»Nicht sofort. Ich muss einiges regeln …«

»Ihr Geschäft. Natürlich.« Trotz seines verständnisvollen Tonfalls legte sich ein Schatten der Enttäuschung auf seine Miene. Er fischte etwas aus seiner Jackentasche. »Vor lauter Freude über unser Wiedersehen vergaß ich, Ihnen mein Mitbringsel zu geben.« Er reichte ihr einen Zettel aus billigem Papier. »Vielleicht beschleunigt das unsere Abreise.«

Erstaunt faltete sie das kleine Blatt auseinander. Was immer sie erwartet hatte, es war gewiss nicht eine ihr unbekannte Adresse in La Bocca, einem Industrievorort von Cannes. Als sie wieder zu ihm aufsah, zuckte sie ratlos mit den Schultern. »Was ist das?«

Dimitri grinste wie ein Schuljunge, den man bei einem gelungenen Streich ertappt hatte. »Es ist die Anschrift von Ernest Beaux. Dem Mann, der als Hofparfümeur des russischen Zaren *Bouquet de Catherine* kreierte.«

»Aber ich dachte …« Gabrielle schnappte nach Luft. »Ich dachte, die Formel wäre mitsamt dem Erfinder in Russland verschollen?«

»Beaux diente in der Weißen Armee, aber es gelang ihm die Flucht aus Murmansk. Seit kurzem arbeitet er bei Chiris. Man sagte mir, dass sich die Chiris-Fabrikation in Grasse befindet, die Laboratorien aber bei Cannes seien. Wenn Sie also Ernest Beaux kennenlernen möchten, steht dem nichts im Wege. Sie müssen nur mit mir nach Südfrankreich fahren.«

Dimitris ansteckende Unbekümmertheit war genau das, was Gabrielle nach den anstrengenden Wochen mit ihrem bisherigen russischen Geliebten brauchte. Außerdem war er, anders als Strawinsky, frei, und die Aussicht auf eine gemeinsame Zeit an der Riviera war wie ein Traum. Es hätte gar nicht dieser besonderen Überredungskunst bedurft. Doch Gabrielle war sich sehr wohl des Geschenks bewusst, das Dimitri ihr durch das Treffen mit dem Parfümeur des Zaren machte. Nicht nur, dass sie überzeugt war, in Beaux' alter Formel den Schlüssel zu ihrem eigenen Duftwasser zu finden – allein die Überlegung, dass es Dimitri eine gewisse Recherche und damit Mühe gekostet hatte, Ernest Beaux ausfindig zu machen, öffnete ihr Herz.

Sie berührte in einer Mischung aus Zärtlichkeit und Dankbarkeit seinen Arm. »Dann lassen Sie uns bitte keine Zeit verschwenden. Ich möchte sofort mit den Vorbereitungen für unsere Abreise beginnen.« Sie hielt kurz inne, schluckte, dann begann sie zielstrebig mit den Planungen: »Wir brauchen ein Automobil. Ich fände es schön, wenn wir ohne meinen Chauffeur unterwegs sein könnten ...« Erschrocken zog sie ihre Hand zurück, weil ihr etwas einfiel: »Können Sie überhaupt Auto fahren?«

»Mademoiselle, stets zu Ihren Diensten.« Er verneigte sich vor ihr. »Ich kann reiten, kutschieren und auch Auto fahren.«

»Das klingt wunderbar. Dann sollten wir gleich losgehen und einen geeigneten Wagen kaufen.«

Seine Augenbrauen hoben sich. »Sofort?«

»Nun ja, vielleicht nach dem Mittagessen. Warten Sie bitte hier. Ich lasse Ihnen Kaffee bringen. Oder was immer Sie wünschen. Ich muss nur rasch noch ein paar Dinge im Atelier erledigen.« Sie dachte an das Kleid, das sie an ihrem Mannequin fertigmodellieren musste. Gewiss würde ihr die Arbeit nun schneller von der Hand gehen. Von Müdigkeit war nichts mehr zu spüren, die Vorfreude verlieh ihr ungeahnten Schwung. Ihr kam es vor, als sei in ihrem Leben plötzlich die Sonne aufgegangen.

Sie stellte sich auf die Zehenspitzen und hauchte Dimitri einen Kuss auf die Wange. »Bitte, gehen Sie nicht fort. Ich bin gleich wieder da, und dann nehmen wir den Lunch im Ritz.«

Gerade als sie sich wegdrehen wollte, fasste er nach ihrem Arm und zog sie an sich. Sein Griff war fest und ungestüm, doch als sich sein Mund über ihre Lippen senken wollte, hielt er plötzlich inne. Vorsichtig, fragend, rücksichtsvoll. Sein Atem streifte ihre Wangen, und Gabrielle spürte seine Sehnsucht nach Innigkeit. Sie drängte sich an ihn, kostete einen Moment lang von seinem zarten Verlangen nach Liebe. Da war keine besitzergreifende Leidenschaft, sondern nur Zärtlichkeit, die sie im Innersten berührte. Als sie sich von ihm trennte, schmeckte sie auf ihrer Zunge die Vorfreude auf mehr.

Was für ein Genuss.

KAPITEL 2

Es war abzusehen, dass sie spätestens binnen kürzester Zeit zum Gesprächsthema Nummer eins werden würden. Dimitri Pawlowitsch Romanow war viel zu bekannt, um sich mit Gabrielle zu zeigen, ohne Aufmerksamkeit zu erregen. Die Klatschbasen kannten ihn aus den Gesellschaftsnachrichten, die amerikanischen Dollar-Prinzessinnen, die unbedingt echte Prinzessinnen werden wollten, umflatterten russische Aristokraten wie ihn wie die Motten das Licht, und sogar viele Männer wussten auf den ersten Blick, um wen es sich bei ihm handelte, weil Dimitri durch seine Beteiligung am Mord von Rasputin die mysteriöse Aura eines zweifelhaften Helden umgab. Bereits nach ihrem zweiten Abendessen im Ritz tratschte *tout Paris* über Gabrielle und Dimitri, was noch durch ein gesprächiges Zimmermädchen befeuert wurde, das erzählte, der Großfürst habe Mademoiselle Chanels Suite am Nachmittag betreten und erst am Vormittag des nächsten Tages wieder verlassen.

Gabrielle ignorierte das Getuschel im Restaurant ihres Hotels ebenso wie die neugierigen Blicke ihrer Kundinnen und Angestellten. Ihr war es schon immer gleichgültig gewesen, was die Leute über sie redeten. Irgendjemand zerriss sich ja immer den Mund über irgendetwas. Nun also war ihre Romanze mit Dimitri an der Reihe. Na, und?

Sie fragte ihn, ob es ihm etwas ausmache, dem Klatsch auf dem Silbertablett serviert zu werden.

»Nein.« Er lächelte sie an, stand von seinem Stuhl auf und legte zärtlich die Arme um ihre schmalen Schultern. Sie saßen gerade beim Frühstück in ihrer Suite, ein Serviertisch war ans Fenster gerollt worden, obwohl der Februar noch grau war. »Ich kenne keine Frau, mit der ich lieber gesehen werden möchte als mit Coco Chanel.«

Ihr Herzschlag machte unwillkürlich einen kleinen Sprung. Als er seine Stirn auf ihren Kopf lehnte, wagte sie eine Frage, die sie seit dem Vortag beschäftigte. Seit Misia sie daran erinnert hatte, dass an diesem Abend der Maskenball des Comte de Beaumont stattfand. »Hast du Lust auf einen großen Spaß?«

»Ja, natürlich. Immer.« Er drückte einen Kuss auf ihre Haare und richtete sich auf. »Worum geht es?«, fragte er sie auf dem Weg zurück zu seinem Sitzplatz.

»Um die Verteidigung meiner Ehre.«

»Werden Pistolen oder Degen benutzt?«

»Unsere Anwesenheit ist unsere Waffe.« Schmunzelnd fügte sie hinzu: »Sagt Misia.«

»Wenn deine Freundin das sagt, wird sie wohl recht haben«,

räumte Dimitri ein, legte dann jedoch seine hohe Stirn in Falten und fragte verwundert: »Warum sagt sie das?«

»Ach, es ist eine lange Geschichte. Ein wenig albern vielleicht, und Misia fühlt sich mehr gekränkt als ich …«

Gedankenverloren zerkrümelte Gabrielle das Endstück ihres Croissants auf dem Teller. Plötzlich war sie nicht mehr so überzeugt, ob sie überhaupt gegen die gesellschaftliche Elite auftrumpfen wollte. Anders als Misia, war Gabrielle mit einem Mal verunsichert. War es wirklich richtig, einen Skandal zu provozieren, weil Coco Chanel in den Augen der exklusiveren Kreise eine kleine Modistin geblieben war? Eine einfache Frau, die trotz ihrer allgemein anerkannten Kreativität und modischen Innovationskraft weit unter erfolgreichen und gern gesehenen Geschäftsmännern wie Paul Poiret oder François Coty stand, sich erst recht nicht auf einer Ebene mit literarischen Genies oder Malerfürsten bewegte? Vor allem: Tat sie gut daran, Dimitri in eine so persönliche Angelegenheit hineinzuziehen? Doch da meldete sich ein Schelm in ihrem Kopf, der ihre Zurückhaltung und Verunsicherung in Trotz verwandelte und der durchaus bereit war, sich über althergebrachte Konventionen hinwegzusetzen – koste es, was es wolle.

Anfangs noch schüchtern, dann mit immer festerer Stimme erzählte sie Dimitri von dem Auftrag Edith de Beaumonts, einige Kostüme für deren alljährlichen Maskenball zu entwerfen. »Madame la Comtesse war sehr angetan von meinen Kleidern. Aber ihre Begeisterung reichte nicht aus, mir eine Einladung zu schicken. Misia fühlt sich durch diesen Snobismus persönlich beleidigt und hatte die Idee, heute Abend das Defilee zu stören. Dafür trommelt sie all unsere bekannten Künstlerfreunde zusammen. Und da ich sie nicht enttäuschen möchte, werde ich natürlich auch dabei sein.«

»Warum hast du nicht gesagt, wie wichtig es dir ist, zu diesem Fest zu gehen?« Er wirkte bestürzt. »Ich hätte uns eine Einladung besorgt, und dann …«

»Das ist gut gemeint, aber darum geht es nicht«, fiel sie ihm sanft ins Wort. »Es geht um meine Stellung, um meine Reputation als selbständige Frau. Ich dachte nur, du möchtest vielleicht dabei sein, wenn wir für einen Skandal sorgen.«

»Nun … ja … aber … ich …«, stammelte Dimitri, unterbrach sich dann jedoch. In seiner Verlegenheit und Hilflosigkeit wirkte er fast rührend.

Eine Weile lang schwiegen beide. Sie sah ihm an, dass er mit seinen Gedanken weit entfernt war. Viel weiter als sie, als sie eben im Stillen ihre Kindheit in ärmlichen Verhältnissen, ihre Jugend im Kloster und die ersten Jahre im Tingeltangel mit dem luxuriösen, erfolgreichen Leben verglichen hatte, das sie heute führte. Das eine schien sich gesellschaftlich nicht mit dem anderen verbinden zu lassen. Dimitri kannte eine solche Situation nicht. Auch wenn er im Exil vom Geld anderer abhängig war, hatte er doch niemals seinen privilegierten Status verloren. Er konnte sie nicht verstehen, resümierte sie. Gleichzeitig ärgerte sie sich, dass sie ihn überhaupt mit dieser Sache behelligte. Warum erinnerte sie ihn an die Unterschiede in ihrer Herkunft? Wenn er sich jetzt daran störte und in Misia eine Randaliererin erkannte – was sie durchaus war –, wenn er jetzt also Misia wegen deren Vorhabens verurteilte und sich weigerte, den sogenannten *Spaß* mitzumachen, müsste sich Gabrielle wohl von ihm trennen. Dabei genoss sie die Zeit mit ihm. Wie dumm von ihr, die Sache anzusprechen.

Schweigend wartete sie auf seine Antwort – und auf das Ende ihrer erst seit ein paar Tagen bestehenden Beziehung, die ihren Höhepunkt in dem bevorstehenden Urlaub an der Riviera finden würde.

Er sah ihr lange in die Augen. Dann sagte er zu ihrer größten Überraschung: »Ich weiß, wie man sich als Ausgestoßener fühlt.« Nach einem kurzen Moment des Zögerns fuhr er fort: »Als Felix Felixowitsch Jussupow Mitstreiter für die Ermordung des Wanderpredigers Rasputin suchte, war ich von Anfang an dabei. Wie er sah ich den einzigen Ausweg, die einzige Möglichkeit zur Rettung Russlands in Rasputins Tod. Dieser Mann übte einen fatalen Einfluss auf meine Tante, die Zarin, aus und fügte unserem geliebten Land einen immensen Schaden zu. Die Zarin war natürlich außer sich und forderte unsere Hinrichtung. Nach den damaligen Gesetzen durften aber weder Mitglieder der Zarenfamilie noch andere Großfürsten überhaupt verhaftet und vor Gericht gestellt werden. Jussupow wurde auf den feudalen Landsitz seiner Familie in Südrussland verbannt, nach der Abdankung des Zaren kehrte er jedoch nach Petrograd zurück und schaffte es sogar, Juwelen und wertvolle Gemälde mit ins Exil nach London zu nehmen, so dass er als einer der wenigen Exilanten keine finanziellen Probleme hat. In London lässt er sich heute als Mörder von Rasputin feiern.«

Sein Ton wurde hart, und Gabrielle hielt den Atem an, weil sie bereits ahnte, was nun kam: »Mir erging es anders. Obwohl ich ein direktes Mitglied der Zarenfamilie bin, wurde ich vor Gericht gestellt und verurteilt. Auf die Todesstrafe wurde verzichtet, weil Rasputins Ende vom Volk gefeiert wurde. Dennoch dachte ich damals, eine Hinrichtung wäre besser als der Kerker. Niemand konnte die Zarin umstimmen. Mit mir wurde wie mit jedem anderen Mörder umgegangen. Dabei habe ich persönlich Rasputin nicht einmal ein Haar gekrümmt. Ich habe Wache für meine Freunde geschoben. Dennoch wurde nur ich zum Aussätzigen meines gesellschaftlichen Standes.« Ein bitteres Lächeln umspielte seine Züge. »Letztlich war etwas Gutes an der Sache: Irgendwann bekam ich eine Hafterleichterung und wurde ohne Privilegien in den unteren Dienst eines Regiments nach Persien versetzt. Das rettete mein Leben. Ich war zu weit weg, um in das Visier der Bolschewiki zu geraten. Die Roten erschossen meinen Vater und meinen Halbbruder, während ich nach Teheran floh. Den Rest der Geschichte kennst du. Nun bin ich hier und …« Er unterbrach sich, schluckte und fügte hinzu: »… und bin zutiefst dankbar, dass ich dir begegnet bin.«

Sie nickte stumm. Den Todesstoß hatte er ihrer Affäre noch nicht versetzt. Immerhin. Ihre Finger schlossen sich um seine Hand, die er ihr über den Tisch hinüberreichte.

»Selbstverständlich werde ich dich heute Abend begleiten.

Ein Romanow hat sich noch nie vor einem Duell gedrückt, einerlei, welche Waffen dafür gewählt wurden. Wir Russen haben dafür ein Sprichwort: *Das Risiko ist eine edle Sache.* Also, Coco, sorgen wir für einen Skandal.«

Jetzt werden die Klatschmäuler noch mehr zu reden haben, fuhr es Gabrielle durch den Kopf. Der Skandal war gewiss. Sie spürte, wie ihr ganzer Körper von einem vergessenen Glücksgefühl erfüllt wurde.

* * *

Die Wagenschlange bewegte sich im Schritttempo durch die Rue Pierre Demours bis vor den Eingang des Château des Ternes, die Kolonne begann bereits in der Avenue des Ternes und verstopfte alle Nebenstraßen im vornehmen Teil des 17. Arrondissements. Limousinen und Cabriolets reihten sich Stoßstange an Stoßstange und spuckten unter dem runden Portal des im Glanz Dutzender Fackeln und Kerzen erleuchteten mittelalterlichen Palastes sowohl Mitglieder der Hautevolee als auch berühmte Bohémiens aus. Hupen, das dumpfe Zuschlagen der Autotüren und Stimmengewirr erfüllten die Straßen, noch war das Gelächter albern, es würde erst mit zunehmendem Champagnerkonsum hysterischer werden. Aus einem der hohen Fenster, das man geöffnet hatte, wehten die Rhythmen eines schmissigen Jazz-Songs heraus. Als der Chauffeur der Serts wie die anderen Fahrer vor dem Tor hielt, eilten sofort als Hofpagen gekleidete Diener herbei, um den Schlag zu öffnen.

»Ihre Einladung, bitte«, wandte sich einer der jungen Männer mit einem höflichen Kratzfuß an José, nachdem dieser ausgestiegen war.

»Wir haben keine«, flötete Misia. Sie sprach so laut, dass die geladenen Gäste, die sich ebenso in einer geschlossenen Reihe ins Haus bewegten wie ihre Automobile davor, jedes Wort verstehen mussten.

»Sind das nicht Misia und José Sert?«, flüsterte eine aufgeregte Frauenstimme in der Nähe.

»Hallo Misia, trinken Sie nachher ein Glas Champagner mit mir?«, rief eine andere.

»Ich darf Sie ohne Einladung nicht einlassen, Madame.« Ganz offensichtlich fühlte sich der junge Mann überfordert. Edith de Beaumont hatte ihren Dienern wohl höfisches Benehmen beizubringen versucht, sie jedoch nicht für die Impertinenz einer rachsüchtigen Misia Sert gewappnet. »Verzeihen Sie, Madame, ich habe meine Anweisungen.«

»Das wissen wir«, beschwichtigte José. »Wir feiern lieber mit den Chauffeuren auf der Straße.«

Während der arme Page nach Luft schnappte, stieg Gabrielle aus dem Wagen. Sie blickte sich kurz um, registrierte, dass man sie nicht sofort erkannte, und war ein wenig enttäuscht. Einen Atemzug später fragte sie sich jedoch, ob diese Unsichtbarkeit nicht angenehmer war als immerwährende Popularität. Irgendwo hatte sie einmal gelesen, dass Misia in Paris so bekannt war wie der Obelisk auf der Place de la Concorde. Und für den geplanten Skandal war Misias Berühmtheit zweifellos von Bedeutung.

Jeder der Gäste, der auch nur ansatzweise den Dialog zwischen Misia und dem Diener mitbekommen hatte, drehte den Kopf zu ihr. Erstauntes Gemurmel erhob sich. Es war wie eine Kettenreaktion. Kaum begannen die Damen und Herren, die am nächsten zum Eingangsportal auf die Honneurs des Comte und der Comtesse warteten, zu tuscheln, setzten sich Verwunderung und Mutmaßungen zu den weiter entfernten Herrschaften fort. Als nach Gabrielle auch Dimitri aus dem Wagen stieg und zielstrebig auf eine Gruppe von Chauffeuren zusteuerte, die sich am Rande des Geschehens versammelten, schwoll das Raunen wie der leise Donner vor einem Gewitter an.

»Darf ich Ihnen eine Zigarette anbieten?«, fragte er den Fahrer von Madame de Noailles.

Gabrielle erkannte den Diener, weil Madame eine Förderin von Jean Cocteau war und ihren Protegé gelegentlich in ihrem Automobil durch Paris fahren ließ. Sie würde sich wundern, wenn sie erfuhr, dass Cocteau heute Abend Misias Einladung gefolgt war und nicht der Étienne de Beaumonts.

Nachdem er diesen und einen anderen Chauffeur versorgt hatte, reichte Dimitri mit einem zufriedenen Grinsen auf den Lippen Gabrielle die Zigarette, die er eben angezündet hatte. Dann ließ er erneut ein Streichholz aufflammen. Nach einem tiefen Zug Nikotin neigte er sich zu ihr und flüsterte: »Schau dich um, es scheint zu funktionieren.«

Misia stand zwischen den Dienstboten wie eine Adelige aus einem Roman von Balzac. Schön, selbstbewusst und uner-

239

schütterlich. Daneben José Sert, der sich aus ihrem Schatten löste, um mit viel Bohei Pablo Picasso zu begrüßen. Dieser spielte mit, was für die Umstehenden fast so erheiternd wie eine Komödie von Molière war. Das Defilee ging nur noch langsam voran. Die meisten Gäste fühlten sich auf der Straße offensichtlich besser unterhalten als im Ballsaal des Châteaus. Auch Gabrielles Freunde schienen sich bestens zu amüsieren, sogar Dimitri an ihrer Seite genoss den Rollentausch. Er wirkte ausgelassen wie ein kleiner Junge, der Spaß daran hat, etwas Verbotenes zu tun.

Still beobachtete sie. Ihr fielen unter den Ankommenden alte Freunde von Boy auf, die sie allerdings nur flüchtig und vom Sehen kannte. Die schönen Frauen, die am Arm dieser wohlhabenden Herren hingen, hatte sie auch schon gesehen, aber niemals kennengelernt. Boy hatte sie von jeglichem Umgang mit den Lebemännern und ihren Kokotten ferngehalten.

»Sie sahen sympathisch aus. Warum laden wir sie nicht ein?«, fragte Gabrielle, während sie neben Boy am Fluss entlangschlenderte. Beim Verlassen des Maxim's waren sie einem Paar begegnet, das sich offensichtlich mehr über das Wiedersehen freute als ihr Begleiter. Boy nahm Gabrielles Hand und stürzte nach einem knappen Gruß fast fluchtartig in die Rue Royale. Schweigend zerrte er sie über die Place de la Concorde und ans Ufer der Seine, wo er seine Schritte endlich verlangsamte.

»Das werden wir niemals tun!«

Sein harscher Ton überraschte sie. »Warum nicht?«

»Weil du keine von denen bist.«

»Diese Frau ist viel hübscher als ich«, sagte sie.

»Das mag sein, aber für mich gibt es nichts Schöneres als dich. Und außerdem solltest du keinen Kontakt zu Kokotten pflegen, denn wir werden heiraten …«

Er hatte sie nicht geheiratet, und die Kokotten würden am Ende des Begrüßungsreigens im Château des Ternes von den Gastgebern mit Luftküsschen empfangen werden, ihre Schneiderin jedoch war ausgeschlossen. Eine Schneiderin, deren »perfekter Geschmack« erst kürzlich von der *Vogue* ausdrücklich gelobt worden war. Gabrielle spürte, wie Galle in ihrer Kehle aufstieg.

Aus den Augenwinkeln beobachtete sie Dimitri. Er diskutierte lebhaft mit zwei Chauffeuren die Vorzüge verschiedener Automarken, als wäre er einer der Ihren. Immer wieder sahen die vornehmsten Leute erstaunt zu ihm hin. Der Großfürst machte sich zum Narren. Gar keine Frage. Für mich, dachte Gabrielle. Er tut es für mich. Für die kleine Midinette, die nicht fein genug war, um in der besseren Gesellschaft von Paris feiern zu dürfen. Wieder erfüllte diese Wärme ihren Körper, ihr Herz, wenn sie sich nur seine Zuneigung vergegenwärtigte.

Dimitri hatte ihren Blick wohl gespürt, denn er wandte sich mit einem strahlenden Lächeln ihr zu. »Geht es dir gut?«

»Ich weiß es nicht.« Sie gestand ihm nicht, wie sehr sie bedauerte, in diesem Moment, wie so oft, für ihre Umgebung unsichtbar zu sein. Es war eine der wenigen Gelegenheiten, bei denen sie wünschte, dass es anders wäre. Aber selbst die Damen, die ihre Kundinnen waren, schienen sie nicht zu erkennen. »Ich würde gern etwas trinken.«

Einen Moment lang zögerte Dimitri. Er sah tief in ihre Augen, als läse er in einem Buch. Dann wandte er sich um und rief über die Menge: »Champagner! Kann ich hier irgendwo ein Glas Champagner für Mademoiselle Coco Chanel bekommen?«

»Oh! Ah!« Wieder ging ein Raunen durch die Gäste. Alle Augen schienen sich auf Gabrielle zu richten. Erstaunte Blicke flogen ihr zu. Sie vernahm Verwunderung, als einige Damen mehr oder weniger laut wisperten: »Mademoiselle Chanel macht so elegante Kleider … Wieso hat man sie nicht eingeladen? Ist Coco Chanel jetzt etwa tatsächlich mit dem Großfürsten liiert? *Mon dieu*, ist das alles peinlich!«

Am liebsten hätte Gabrielle der Dame, deren Stimme sie zwar hörte, die sie aber nicht sehen konnte, zugerufen, dass sie absolut recht hatte. Es war alles schrecklich peinlich. Für Gabrielle. Für die anderen Gäste. Hauptsächlich aber wohl für den Comte und die Comtesse de Beaumont. Insofern war Misias Plan aufgegangen.

Trotz ihrer Irritation ob des Ganzen begann sich Gabrielle schließlich zu amüsieren. José hatte vorgesorgt und ließ nun mitten auf der Straße eisgekühlten Champagner servieren, der im Kofferraum seines Automobils gelagert war. Es wurde ein ausgesprochen heiterer Abend. Besser noch war, dass sich einige der geladenen Gäste zu den *Randalierern* gesellten und mit diesen, den noch dazuströmenden Bohémiens und den Chauffeuren ausgelassen feierten. Immer mehr Fenster öffneten sich über ihnen, und immer mehr Zuschauer beobachteten, wie Gabrielle zuerst mit Jean Cocteau und dann mit Picasso im Lichtschein der Scheinwerfer zu der aus dem Ballsaal wehenden Musik Charleston tanzte. Später wirbelte sie in Dimitris Armen über das Straßenpflaster. Obwohl es eine für die Jahreszeit warme Nacht war und trotz der Ausgelassenheit und Aufregung, fröstelte sie irgendwann.

»Es wird Zeit, dass wir in den Süden fahren«, raunte sie in sein Ohr.

Er zog sie fester an sich.

Das war ihr Antwort genug.

KAPITEL 3

Jedes Mal, wenn Misia das Haus Rue La Boétie 23 betrat, war sie erstaunt über die Verwandlung, die mit Pablo Picasso geschehen war. Seine Wohnung war nicht mehr zu vergleichen mit dem leicht verwahrlosten Atelier eines aufstrebenden Künstlers mit wechselnden Liebesaffären und diskutierfreudigen, mehr oder weniger erfolgreichen und finanziell unzuverlässigen, manchmal glücklosen Freunden – es war die herrschaftliche Residenz eines Malerfürsten. Sein Galerist und Förderer Paul Rosenberg hatte das neue Domizil vor drei Jahren in der Nähe seiner Galerie gemietet. Es war eine Art Hochzeitsgeschenk, ein Symbol für den Beginn von Picassos neuem Leben als Ehemann der schönen Olga.

Seiner großen Produktivität hatte die Veränderung seiner Wohnsituation nichts anhaben können. Anders verhielt es sich mit Picassos Privatleben, das inzwischen für allerlei Klatsch sorgte: Es hieß, dass sich der Künstler von seiner Frau zu entfremden begann. Vielleicht lag das an dem Ehepaar Murphy aus New York, das kürzlich zu der Clique gestoßen war, denn besonders Sara Murphy schien Picasso zu vereinnahmen. Möglicherweise war sein Verhalten aber auch die Folge von Olgas Schwangerschaft. Anfang des Monats hatte sie nun einen Sohn geboren, der das Glück des jungen Ehepaares vervollkommnen sollte, aber die Freunde waren uneins, ob ein Säugling im Haushalt für noch größere Entfremdung sorgen oder tatsächlich unvermutete Gefühle in dem als rücksichtslos bekannten Picasso wecken würde.

Misia sah es als ihre Pflicht, sich persönlich von der Stimmung zu überzeugen; außerdem wollte sie dem Neugeborenen einen Willkommensbesuch abstatten.

Ein Hausmädchen öffnete Misia die Tür und nahm ihr den Mantel ab.

Beladen mit unzähligen Päckchen, Geschenken für Olga und den kleinen Paulo, folgte sie der Angestellten in einen Salon, in dem die Wöchnerin Hof hielt. Anders konnte Misia es kaum bezeichnen, denn die Ballerina versank nicht nur in einem Aufbau aus Seidenkissen, sondern ließ sich auch in eine dramatische Mutterrolle fallen.

Olga Picasso thronte auf einer Chaiselongue, anmutig, bleich, erschöpft, doch mit glänzenden Augen. Sie hob kaum ihre kleine weiße Hand zum Gruß, beschrieb mit den Fingern eine Art Winken und deutete dann auf den Stubenwagen in der Ecke neben dem Kamin.

Das dort knisternde Feuer warf Schatten auf die weiße Spitzenbettwäsche und das kleine Gesichtchen des Kindes. Das Baby war nach russischer Tradition eng in Stoffbahnen eingewickelt und erinnerte an eine Matroschkapuppe. Misia wusste, dass man Säuglinge in Frankreich anders bettete, und fragte sich, ob der Kleine nicht schrecklich schwitzte. Sie sah nur seine geschlossenen Lider und zarten Wangen, die im Licht der Flammen rosig wie andalusische Orangen schimmerten.

»Ein ganz bezaubernder kleiner Kerl«, lobte Misia pflichtschuldig. Sie konnte viel zu wenig von dem Baby sehen, um dies wirklich beurteilen zu können.

Nervös sah sie sich nach einem Tisch um, auf dem sie ihre Mitbringsel ablegen konnte. Schweiß brach ihr aus allen Poren. Ihr war zu warm in dem überheizten Raum. Doch der einzige Tisch diente als Ablagefläche für allerlei persönliche Utensilien wie eine kleine Ikone und ein Buch, zudem für Kindersachen. Nachdem sie die Päckchen endlich in einem Sessel deponiert hatte, zog sie sich seufzend den Schal vom Hals und wandte sich wieder der jungen Mutter zu.

»Finden Sie nicht, dass Paulo der hübscheste kleine Junge der Welt ist?«, fragte Olga.

»Natürlich ist er das«, versicherte Misia.

»Er ist wunderschön«, fuhr Olga fort, als habe sie Misias Bestätigung nicht gehört, »und er wird bestimmt einmal ein kluger Kopf. Er sieht schon jetzt sehr intelligent aus, nicht wahr?«

»Ja, Olga.«

»Wenn Sie seine Hände sehen könnten, wüssten Sie, dass ein großer Künstler aus ihm werden wird. Mit diesen Händen *muss* er malen oder dirigieren. Nun, die Kreativität hat er natürlich im Blut.«

247

»Natürlich, Olga.«

Misias Unruhe wuchs. Sollte sie lieber gehen? Sie fühlte sich nicht willkommen. Die Unterhaltung verlief etwas einseitig, aber das war sie von Olga Picasso eigentlich gewohnt. Misia hätte sich gern hingesetzt, aber die junge Mutter vergaß anscheinend, ihrer Besucherin einen Platz anzubieten. Viele Möglichkeiten gab es dazu auch nicht in diesem Zimmer. Über den zweiten Sessel war so geschickt ein Negligé geworfen worden, dass es ein Stillleben aus einem Gemälde von Renoir hätte sein können. Und Misia kannte sich mit Bildern von Auguste Renoir aus – in ihrer Jugend war sie von ihm portraitiert worden. Damals wäre sie allerdings ebenso ungehalten darüber gewesen, sinnlos herumstehen zu müssen, wie heute.

Ungeduldig marschierte sie zum Fenster, nahm die Bücher von dem Stuhl, der dort stand, und legte sie in den Sessel zu ihren Geschenken. Dann schob sie die Sitzgelegenheit neben Olgas Lager und ließ sich darauf nieder.

»Ich hätte nie für möglich gehalten, dass man ein kleines Wesen so lieben kann. Sie haben keine Kinder, deshalb können Sie sich gewiss nicht vorstellen, was in einer Frau nach einer Geburt vor sich geht …«

Entschlossen wechselte Misia das Thema: »Wie geht es Pablo?«

»Paulos Vater?« Olga wirkte kurz irritiert, als müsste sie sich erst daran erinnern, dass es sich bei ihm um ihren Ehemann handelte. »Ich sehe ihn nur selten. Die meiste Zeit verbringt er mit Malen oder mit seinen neuen Plastiken. Er experimentiert mit der Bildhauerei. Ich weiß eigentlich gar nicht, wie es ihm geht. Vermutlich weiß Sert besser über Pablos Zustand Bescheid als ich.«

Den Unterton, der Olgas Worte begleitete, konnte Misia nicht zweifelsfrei einordnen. Klang die andere verletzt, beschämt oder verärgert? Jedenfalls stimmten die Gerüchte wohl, dass sich Pablo Picasso von seiner Frau entfremdete. Neulich Abend vor dem Château des Ternes hatte er auch eher abwehrend auf Misias Frage nach Olga reagiert. Mitleid für die schöne Russin wallte in ihr auf. Auch wenn die Inszenierung der Wöchnerin ein wenig übertrieben schien, war die Szenerie doch kein Grund für den frischgebackenen Vater, Olga zu ignorieren.

»Ich bin sicher, Pablo muss sich erst an die neue Situation gewöhnen«, versuchte Misia zu trösten. »Männer tun sich manchmal schwer mit ihrer neuen Rolle als Vater.«

»Sie müssen es ja wissen«, zischte Olga.

Sie würde Djagilew, dem engsten gemeinsamen Freund, sagen, dass sie ihr Möglichstes versucht hatte, aber an Olgas Starrsinnigkeit gescheitert war. Und wenn Olga mit Picasso ebenso umging, konnte Misia ihm eigentlich nicht verdenken, dass er mehr Zeit mit seiner Arbeit als mit Frau und Kind verbrachte. Sie entschied, in spätestens fünf Minuten aufzubrechen. Ja, fünf Minuten wollte sie noch bleiben. Das sollte reichen. Dann hatte sie ihre Schuldigkeit getan.

In einem letzten Versuch, Olga auf andere Gedanken zu

bringen und die verbleibende Zeit ein wenig amüsanter zu verbringen, begann Misia die Unglückliche mit dem neuesten Klatsch zu versorgen: »Coco Chanel will mit ihrem neuen Freund an die Riviera verreisen …«

»Ich dachte, Strawinsky toure durch Spanien«, unterbrach Olga.

»O nein«, Misia lachte, »Strawinsky hat sie abgelegt. Sie werden nicht glauben, wer ihr neuer Freund ist.«

Olga wirkte alarmiert. »Picasso?«

»Natürlich nicht, Schäfchen. Nein. Nicht Picasso. Ich hoffe sehr, dass Sie wüssten, wenn Ihr Mann mit einer anderen Frau in aller Öffentlichkeit poussierte.« Misia fragte sich, ob die Schweißperlen, die ihren Nacken hinabrannen, nur durch das heiße Raumklima zu erklären waren. »Nein, meine Liebe. Coco ist mit Großfürst Dimitri Pawlowitsch Romanow unterwegs. Ganz Paris spricht darüber.«

»Oh!«, machte Olga, endlich beeindruckt.

Misia war über diese Reaktion sehr zufrieden, endlich war sie in ihrem Element. »Seit einer Woche zeigen sie sich in der Öffentlichkeit. Sie dinieren gemeinsam im Ritz, und natürlich weiß jeder, dass die Abende nicht nach dem Dessert enden. Und bei dem kleinen Skandal zu Ehren des Comte de Beaumont war er auch zugegen.«

Olga erkundigte sich nicht nach dem Skandal, sie schien sich mehr für einen anderen Aspekt der Geschehnisse zu interessieren: »Ich dachte, Consuelo Vanderbilt würde die Scheidung vom Herzog von Marlborough so energisch vorantreiben, weil sie mit Seiner Hoheit zusammen sei. An der Affäre ihres Mannes kann dieser Ehrgeiz ja kaum liegen.«

Die letzte Bemerkung empörte Misia, aber sie widersprach Olga nicht. Sie war eine Verfechterin von klaren Verhältnissen. Das hatte sie in ihrer ersten Ehe ebenso gehalten wie bei der Trennung von ihrem zweiten Mann. Dreiecksbeziehungen lagen ihr nicht. Deshalb war sie auch so vehement gegen das Verhältnis ihrer Freundin Coco mit Strawinsky.

Mit einer gewissen Zufriedenheit in der Stimme verkündete sie: »Nein, nein, nein. Dimitri Pawlowitsch ist ein freier Mann, der tun und lassen kann, was ihm beliebt. Und Consuelo Vanderbilt – oder besser: Lady Spencer-Churchill – hat ohnehin bereits ein Auge auf Louis-Jacques Balsan geworfen.«

Sie fügte nicht hinzu, dass es sich bei der neuen Liebe der bekannten amerikanischen Multimillionärin um den Bruder von Étienne Balsan handelte. Die Welt, in der wir leben, ist so klein, sinnierte sie. Und dann kam ihr ein Gedanke: Wusste Strawinsky eigentlich schon, dass er Coco an einen unverheirateten Großfürsten verloren hatte?

»Consuelo Vanderbilt hat also ein Auge auf Louis-Jacques Balsan geworfen«, wiederholte Olga seufzend. »Ach, seit ich im Kindbett liege, erfahre ich nichts mehr. Gar nichts. Wissen Sie, wie die Tournee durch Spanien läuft? Ich hoffe so sehr, dass Djagilew, Strawinsky und die Compagnie Triumphe feiern.«

Bestürzt sah Misia sie an. Hatte sie ihre Überlegungen zu Strawinsky laut ausgesprochen? Wenn ja, war sie damit gewiss zu voreilig gewesen. Olga oder Pablo Picasso sollten keinesfalls diejenigen sein, die *tout le monde* über Cocos neue Liebe informierten. Das charmante Ausplaudern von Vertraulichkeiten übernahm sie lieber selbst. Gerüchte verbreiteten sich so rasch – und Misia hasste nichts so sehr, wie eine Rolle im Hintergrund des Geschehens zu besetzen. Immerhin hielt Olga sie für so bedeutsam, sich bei ihr nach dem Erfolg der Tournee zu erkundigen.

»Ja, sie werden wohl von Applaus zu Applaus getragen«, erwiderte sie.

»So groß ist der Beifall? Wie schön.«

Misia hörte nicht mehr zu. Die Unterhaltung mit Olga begann sie zu langweilen. Wieder brach ihr der Schweiß aus. Sie entschied, dass sie ihrer Schuld Genüge getan hatte.

In einem Anfall von Warmherzigkeit ergriff sie Olgas überraschend kalte Hand. »Meine Liebe, ich sollte jetzt gehen.«

»Versprechen Sie, dass Sie wiederkommen und Paulos Entwicklung anschauen werden? Unser Sohn macht täglich Fortschritte, müssen Sie wissen.«

Statt einer Antwort schenkte Misia ihr ein strahlendes Lächeln und einen liebevollen Händedruck. Mehr war sie ihr nicht bereit zuzugestehen. Dann verließ sie die Wohnung in einem Tempo, das eher an eine Flucht erinnerte als an den Abschied von einer guten Bekannten.

Auf der Straße angekommen, atmete sie die feuchte Winterluft tief ein. Nach dem überhitzten Zimmer erschien ihr die Kälte unfassbar angenehm. Sie hakte nicht einmal ihren Pelzmantel zu und ließ den eisigen Wind unter ihre Kleidung fahren. Hinter ihrer Stirn löste sich ein Spannungskopfschmerz, der wie ein eisernes Band um ihren Schädel gelegen hatte. Erleichtert, Olga Picassos beklemmender Gesellschaft entronnen zu sein, stieß sie die eingesogene Luft wieder aus und beobachtete, wie ihr warmer Atem zu kleinen Wölkchen kondensierte.

Eine Weile spazierte sie durch das 8. Arrondissement mit seinen schönen Sandsteinbauten, das so stark durch die Arbeit des Stadtplaners Georges-Eugène Haussmann geprägt war und an dem sie sich niemals sattsehen konnte. Schließlich entdeckte sie das gelb-blaue Schild eines Postamtes.

Es schien ihr, als sei sie nicht mehr Herrin ihres Handelns. Sie bewegte sich wie von fremder Hand gesteuert, konnte sich ihr Vorhaben nicht erklären. Sie wusste nur, dass sie etwas unternehmen musste, um zu beenden, was sie für eine Sünde hielt. Damit täte sie allen Beteiligten nur Gutes.

Ohne diese Betrachtung weiter zu hinterfragen, bat sie am Schalter um ein Telegrammformular und um einen Stift. Der Platz an dem für Kunden reservierten Stehtisch wurde gerade von einem Mann mittleren Alters geräumt, so dass sie sich dort unverzüglich ausbreiten konnte.

Misia trat an das Pult, legte den Vordruck vor sich hin, schob ihre Handtasche vom Handgelenk hinauf zum Ellenbogen ihres linken Arms, um sich besser aufstützen zu können. Dann schrieb sie:

Coco Chanel sind Großfürsten lieber als Künstler!

Sie wandte sich rasch um, damit sie es sich nicht anders überlegte, und lief wie von Verfolgern getrieben zu dem Schalter. Dabei drängte sie eine empört protestierende Frau zur Seite, die eigentlich zuerst an der Reihe gewesen wäre.

»Entschuldigen Sie, es ist ein Notfall«, behauptete sie und fand, dass dies eigentlich keine Lüge war.

»Kabeln Sie diese Nachricht bitte unverzüglich an das Palace Hotel in Madrid«, sagte sie zu dem Postbeamten. »Zu Händen von Monsieur Igor Strawinsky.«

KAPITEL 4

Der Motor des Rolls-Royce Silver Ghost, der in einem ungewöhnlichen Nachtblau lackiert war, schnurrte gleichmäßig wie eine Nähmaschine. Die noch winterlich kahlen Bäume flogen am Straßenrand vorbei, durch die offenen Seitenfenster wehte der kühle Fahrtwind, zerrte am Stoff des zugeklappten Verdecks und spielte mit Gabrielles Haaren, die unter ihrer Lederkappe hervorblitzten. Wie als Vorboten des Frühlings an der Riviera blitzten Sonnenstrahlen hinter den grauen Wolken hervor und spiegelten sich in der Kühlerfigur und im Aluminium des Armaturenbretts.

Schon gestern war das Wetter so freundlich gewesen, dass sich Dimitri bei seiner Probefahrt nach Rouen einen Sonnenbrand holte. Als er nach Paris zurückkehrte, wollte ihm der Portier anfangs den Zugang zum Hotel verweigern, weil er das rotgefärbte Gesicht für ein Zeichen der Trunksucht hielt. Die Angelegenheit ließ sich klären, Gabrielle und Dimitri hatten über den Vorfall gelacht, aber sie hoffte, dass damit der Peinlichkeiten genug war, denen sie ihren vornehmen Liebhaber aussetzte.

Spontan strich sie mit den Fingerspitzen über seine Wange.

»Das Anfassen des Chauffeurs ist verboten«, scherzte er, den Blick jedoch geradeaus auf die Straße gerichtet. »Du läufst Gefahr, dass ich die Hände vom Steuerrad nehme und dich küsse.«

Sie schlang die Arme um ihren Oberkörper. »Ich werde es kaum ertragen, dich bis Menton nicht zu berühren.«

»Ich auch nicht. Deshalb legen wir spätestens auf der Hälfte der Strecke eine Pause ein.«

Das wird wahrscheinlich in der Auvergne sein, fuhr es ihr durch den Kopf. Obwohl sie mit Boy oft in den Süden gefahren war, hatten sie niemals Station in jener Region gemacht, die ihre Heimat war. Seltsamerweise spürte sie jedoch plötzlich das Bedürfnis, an den Ort zurückzukehren, wo sie aufgewachsen, wo ihre Mutter gestorben war. Als wollte sie den Vulkanfelsen und den hügeligen Weiden, den aus Basalt errichteten mittelalterlichen Städten und zugigen Bauernkaten zurufen, dass aus dem schüchternen kleinen Mädchen, das in bitterster Armut aufgewachsen war, eine erfolgreiche und wohlhabende Frau geworden war, die es sich leisten konnte, mit einem Großfürsten einen ausgedehnten Urlaub an der Côte d'Azur zu verbringen.

Zuerst wollten sie ein paar Tage in einem Hotel in Menton verbringen, wo sie niemand kannte. Menton war nicht mondän genug, dort würden sie nicht für Gesprächsstoff sorgen. Die Klatschmäuler vergnügten sich lieber in Monte Carlo, Cannes oder Antibes. Vor allem Dimitri sehnte sich nach Anonymität. Allerdings hatte das nicht nur etwas mit seinem gesellschaftlichen Status zu tun. Er hatte Gabrielle erzählt, dass er bemerkt habe, wie er sowohl von der Polizei als auch anscheinend von französischen Spitzeln und bolschewistischen Spionen verfolgt wurde. Durch einen Bekannten im französischen Innenministerium erfuhr er, dass ein Dossier existierte, in dem fast jeder seiner Schritte dokumentiert wurde.

»Jede Nation kontrolliert mich aus anderen Beweggründen, aber eigentlich sind sie sich einig darin, dass sie wissen wollen, welche politischen Ziele ich verfolge«, sagte Dimitri grimmig. »Dabei möchte ich einfach nur mit dir zusammen sein, Coco, und ein bisschen Sonne genießen.«

In der Auvergne bist du ebenso unbekannt wie in Menton, dachte sie.

»Wir sollten in …«, hob sie an, doch im selben Moment fragte Dimitri: »Was willst du …?«

Beide unterbrachen sich, ein wenig verlegen, weil sie zeitgleich zu sprechen begonnen hatten. Noch waren sie ein zu junges Liebespaar, um die Gedanken des anderen automatisch zu erraten. Unwillkürlich fragte sich Gabrielle, ob sie diese Einheit mit Dimitri jemals empfinden würde. Mit Boy war es ihr so ergangen, aber das war etwas anderes gewesen.

»Du zuerst«, entschied Dimitri.

Sie hatte ihren Faden verloren. Die Erinnerung an Boy drohte übermächtig zu werden. Ihre Kindheit in der Auvergne war vergessen. Als sie das letzte Mal nach Südfrankreich gefahren war, hatte Étienne Balsan einen anderen Weg gewählt. Es war Nacht gewesen, und nichts war vergleichbar mit dieser Reise. Dennoch fühlte sie sich plötzlich wie in einem dunklen Tunnel, an die schlimmsten Stunden ihres Lebens erinnert.

»Was wolltest du sagen?«, unterbrach Dimitri ihr Schweigen.

Sie zuckte zusammen, als hätte er sie aus einem Alptraum geweckt. »Ich weiß es nicht mehr«, murmelte sie.

Eine Weile lang blieben das Motorengeräusch und das Rauschen des Fahrtwindes die einzigen Geräusche. Zögernd blickte Gabrielle zu Dimitri. War er verärgert, weil ihre Aufmerksamkeit ganz offensichtlich etwas anderem – jemand anderem – gegolten hatte? Ihre Beziehung war noch so fragil wie das flüchtig zusammengesteckte Schnittmuster eines Kleides, die gemeinsam verbrachte Zeit nicht lang genug. Seine Miene jedoch war undurchdringlich, seine Augen verfolgten die Straße. Nichts wies darauf hin, dass er sich irgendwie gekränkt fühlte. Sie senkte ihre Lider und wünschte, bereits am Ziel zu sein.

»Mir ist in den Sinn gekommen«, begann er plötzlich, »dass du mir noch immer nicht gesagt hast, was du eigentlich von Ernest Beaux willst. Ich habe einen Termin mit ihm vereinbart und ihm gesagt, dass ich ihn in Begleitung einer Dame besuche, die sich für ein besonderes Parfüm à la *Bouquet de Catherine* interessiert. Aber ich weiß nicht, warum das eigentlich so ist.«

»Oh, ich dachte, ich hätte dir schon in Venedig erzählt, dass ich ein *Eau de Chanel* herausbringen möchte.«

»Du hast dich nur in Andeutungen verloren.«

»Es ist ja auch nur eine kleine Sache. Ich möchte einhundert Flakons herstellen. Als Weihnachtsgeschenk für meine besten Kundinnen.«

Dimitri wandte den Kopf zu ihr. »Machst du dir die ganze Mühe etwa nur für die Damen, denen du am Château des Ternes gezeigt hast, was eine Harke ist?«

»Ja, so sieht es aus«, gab sie zu. »Gerade deshalb möchte ich das Beste präsentieren, das je in einem Labor zusammengemischt wurde.«

Er schenkte ihr ein breites Lächeln. »Ich bin froh, dir auch dabei behilflich sein zu dürfen.«

»Du solltest schnellstmöglich wieder auf die Straße schauen, damit du das auch wirklich tun kannst.«

Lachend folgte er ihrer Aufforderung.

KAPITEL 5

Der Taktstock zerbrach mit einem unangenehmen Knacken auf dem Notenständer. Fassungslos starrte Igor Strawinsky auf sein Arbeitsgerät. Von dem ursprünglich etwa dreißig Zentimeter langen Holzstab hielt er nur noch den Griff und einige wenige Zentimeter in der Hand.

Dann schrie er die Musiker an: »Können Sie nicht lesen? An dieser Stelle wechselt der Takt zu sechs Viertel. Spielen Sie gefälligst, was in der Partitur steht!« Er fuchtelte mit dem Holzstück in seiner Hand und warf es in einer unkontrollierten Geste ins Orchester.

Glücklicherweise traf sein Wurfgeschoss niemanden.

Sergej Djagilew atmete unwillkürlich auf. Er hatte sich eben in die Proszeniumsloge des Teatro Real geschlichen und auf einem der hinteren Stühle Platz genommen, gerade rechtzeitig, um nicht etwa die Orchesterprobe zu verfolgen, sondern den Wutausbruch des Komponisten zu erleben. Natürlich hatte er damit gerechnet, dass Strawinsky in Reaktion auf das Telegramm aus Paris zornig werden würde. Deshalb hielt er ihn unter einer gewissen Beobachtung. Aber er hatte nicht erwartet, dass Strawinskys Frust dieses Ausmaß annehmen würde.

»Er hat einen Nervenzusammenbruch«, stellte Bronislawa Nijinska neben Djagilew leise fest. Die Balletttänzerin, die sich neuerdings auch als Choreografin versuchte, sprach ihre Diagnose so nüchtern aus, als sei dieser Zustand unabänderlich.

»Strawinsky ist eifersüchtig«, flüsterte Djagilew.

Unwillkürlich wanderten seine Gedanken einige Jahre zurück, zu seiner Zusammenarbeit mit Bronislawas kongenialem Bruder Vaclav Nijinski, die in einer verstörenden Liebesbeziehung geendet hatte.

Ja, Bronislawa wusste, was sie sagte, wenn sie von einem Nervenzusammenbruch sprach. Bei einer privaten Ballettaufführung vor zwei Jahren in Sankt Moritz war Václav zusammengebrochen und anschließend in eine psychiatrische Klinik nach Zürich gebracht worden. Als Djagilew davon erfuhr, dass Nijinski an Schizophrenie litt, war für ihn der Schock fast noch größer gewesen als seine Verzweiflung Jahre zuvor, als sich Václav von ihm ab- und einer Frau zugewandt hatte, die er später tatsächlich heiratete. Václav, der Strawinskys Ballettmusik zu *Petruschka* Leben eingehaucht hatte und als bester Tänzer der Welt gefeiert worden war, hatte sich vom Wahnsinn nicht befreien können und lebte heute in einer Heilanstalt.

Drohte dem Komponisten nun dasselbe Schicksal aus enttäuschter Liebe? Djagilew zog sein Einstecktuch aus der Tasche und drückte es sich vor Schreck auf den Mund.

Während Strawinsky einen spanischen Bühnenarbeiter anbrüllte, er solle ihm gefälligst einen neuen Taktstock besorgen, fragte Bronislawa: »Geht es um Mademoiselle Chanel?«

Djagilew sah beklommen zu, wie sich unter den Musikern Unruhe breitmachte. Keiner von ihnen hatte sich verspielt, und einen Protest des Orchesters gegen seinen Dirigenten konnte er jetzt wirklich nicht gebrauchen. Die Tournee war bisher erfolgreich verlaufen. Doch dann war dieses unsägliche Telegramm im Hotel angekommen. Da der Absender anonym blieb, riet der Impresario Strawinsky, den Inhalt so schnell wie möglich zu vergessen. Doch davon wollte der anscheinend gehörnte Liebhaber nichts wissen.

»Er hat in Paris Nachforschungen anstellen lassen«, seine Stimme klang gedämpft durch das Taschentuch der verstorbenen Großfürstin Maria Pawlowna. »Und es war wohl nicht weiter schwierig, herauszufinden, dass jedes Wort der Wahrheit entspricht. Igor Fjodorowitsch brauchte nur in Cocos Haus in Garches anzurufen. Jekaterina erzählte ihm am Telefon, dass kürzlich ein gewisser Pjotr in *Bel Respiro* eingezogen sei, der Diener des Großfürsten Dimitri Pawlowitsch Romanow. Ein Bär von einem Mann und überaus geduldig im Umgang mit den Kindern. Sie spielen wohl ständig mit der kleinen Tochter des Dienerehepaares. Théodore, Ludmilla, Swjatoslaw und Milena sollen begeistert sein. Wenigstens ein paar kleine Menschen, die glücklich sind.«

»Aber dass der Diener in ihrem Haus lebt, ist doch noch kein Beweis für eine Liaison zwischen Mademoiselle Coco und Seiner Hoheit.«

Djagilew schüttelte bekümmert den Kopf. Endlich stopfte er das Taschentuch wieder in die dafür bestimmte Tasche an seinem Jackett. »Nein. Aber dass dieser Pjotr dort wohnt, weil Coco und ihr neuer Freund zu einer Reise tête-à-tête an die Riviera aufgebrochen sind, ist es.«

»Das muss man wohl so sehen«, stimmte Bronislawa zu. »Das ist dann also das Ende von Igor Strawinsky und Coco Chanel.«

»Ich liebe deine Nüchternheit«, seufzte Djagilew.

Die Akustik des Opernhauses trug Strawinskys erhobene Stimme bis zu den hintersten Plätzen im obersten Rang. »Gehen Sie! Gehen Sie!«, schrie er den Ersten Geiger an. »Und sehen Sie sich die Partitur an. Üben Sie, damit die Musik so klingt, wie ich sie geschrieben habe, und nicht so, wie Sie es wollen.«

Aus Protest über diesen Affront gegen den Konzertmeister klopften die anderen Streicher mit ihren Bogen gegen ihre Instrumente oder Notenständer. Eine Geste, die eigentlich eine Beifallsbekundung war, verwandelte sich zu einem unüberhörbaren Aufstand der Geiger, Bratschen- und Cellospieler in den vordersten Reihen. Da eine Tuttiprobe angesetzt worden war, stimmten auch die Bläser in die Demonstration ein, indem sie mit ihren Fingerknöcheln gegen die Notenständer klopften.

»Revolution!«, brüllte Strawinsky. »Ich bin der Komponist. Ich bin der Einzige, der diese Noten richtig interpretiert. Sie machen es alle falsch. Falsch! Falsch! Falsch!«

Sergej Djagilew schob seinen Stuhl zurück. »Ich muss mich um Igor kümmern, bevor es auch noch zu einem Boykott des Orchesters kommt.«

* * *

Strawinsky drehte das Wasserglas in seinen Händen, das er sich randvoll mit Wodka hatte füllen lassen. Das durch die bunten Glasstücke der Kuppeldecke einfallende Nachmittagslicht brach sich in dem Getränk und sprenkelte es mit blauen, gelben und roten Punkten. Er saß mit Djagilew an einem der Tische in dem von Säulen getragenen Rundbau der Hotelhalle – nein, Strawinsky saß nicht, er hatte mehr oder weniger liegend auf einem der Barockstühle Platz genommen.

Wie das lebendige Leiden Christi, dachte Djagilew und nippte an seinem Champagner, als müsste er sich Mut antrinken für das Gespräch, das ihm bevorstand. Er wollte seinen Komponisten aufmuntern, aber er wusste beim besten Willen nicht, was er sagen sollte. Etwas wie »Coco ist es nicht wert« oder gar »Coco ist eine Schlampe« käme ihm nicht über die Lippen, so tröstend diese Worte auch sein mochten. So viel Loyalität war er seiner Mäzenin schuldig.

»Sie ist eine Lügnerin!«, stieß Strawinsky wütend hervor. »Eine Lügnerin und eine Betrügerin!«

»Ach was«, wehrte Djagilew ab. »Alle Frauen sind wankelmütig. Heute wollen sie dies, morgen jenes. Und immer ist es etwas anderes.« Oder jemand anderer, fügte er in Gedanken hinzu.

»Ich bringe diese Verräterin um«, knurrte Strawinsky, bevor er sein Glas ansetzte und einen großen Schluck nahm.

»Wenn es dir hilft, tu es. Aber bitte nur in Gedanken.«

Strawinsky warf ihm einen bitterbösen Blick zu. »Was soll das heißen? Ich werde sie natürlich umbringen.« Er stellte das Glas auf dem Tisch ab, streckte die zitternden Hände mit gespreizten Fingern aus. »Ich werde diese Hände um ihren schlanken weißen Hals legen und sie töten. Ich werde sie erwürgen.«

Die Ernsthaftigkeit, mit der Strawinsky seine Worte ausstieß, erschreckte Djagilew. Der Große Krieg und die Revolution in Russland waren zu brutal gewesen, es waren zu viele gute Menschen gestorben, um über den mutwillig herbeigeführten Tod eines anderen zu scherzen.

Natürlich kannte auch Djagilew den Schmerz des Verlassenen. Er hatte Vaclav Nijinski aus Eifersucht hinausgeworfen. Léonide Massine war gegangen, weil er, Sergej Djagilew, zu verletzt auf dessen Affäre mit einer Tänzerin reagierte. Beide Trennungen bedauerte er inzwischen. Nicht aus persönlichen Gründen, sondern als Ballettimpresario, aber er konnte damit leben. Hätte er den jeweils anderen Mann getötet, wäre er gewiss weit weniger im Reinen mit sich.

»Lass Coco in Ruhe«, erwiderte er matt. »Es ändert doch ni…«

Er unterbrach sich, weil der Klavierspieler seinen Dienst begann und die Klänge des Flügels, der am Rande des Rundbaus platziert war, durch die Halle wehten. Überraschenderweise bot der Musiker den Hotelgästen nicht den obligatorischen Jazz, sondern folkloristische Töne. Erst improvisierte er einen Flamenco, dann ein Lied aus der Oper *Carmen*. Seltsam, dachte Djagilew bei sich, dass die spanischste aller Opern von dem Franzosen Georges Bizet geschrieben worden war.

Strawinsky ignorierte Djagilews Einwand. Er fühlte sich durch die Melodie offenbar inspiriert, denn er bemerkte: »Natürlich könnte ich sie auch erstechen.« Er griff wieder nach seinem Glas und starrte hinein, als fände er darin die Antwort auf seine Überlegungen.

»Mein Freund, du erlebst ein Drama, aber du stehst nicht auf der Bühne.«

»Wie lang muss eine Klinge sein, mit der man wirkungsvoll zustechen kann?«

»Igor, ich bitte dich! Worüber denkst du hier nach? Es geht um einen Menschen, eine zarte Frau, und ein Mord ist eine ziemlich blutige Angelegenheit. Echtes Blut ist so viel unangenehmer als die Mischung aus Glyzerin, Gelatine und Fuchsin, die wir im Theater verwenden.«

Strawinsky nahm von neuem einen Schluck Wodka. Dann: »Also kein Messer. Du hast recht, Sergej. Ich werde sie erwürgen.« Daraufhin setzte er das Glas noch einmal an.

Bei allen Heiligen, fuhr es Djagilew durch den Kopf, er meint es wirklich ernst.

KAPITEL 6

Menton erwies sich als Fehlentscheidung. Das Hôtel Riviera-Palace, das Gabrielle ausgesucht hatte, war zwar ausgesprochen präsentabel, ein Anwesen wie eine mittelalterliche Burg, das sich an einen Felsen schmiegte und über Terrassen mit Palmen und Zitronenbäumen in riesigen Tontöpfen sowie einen prächtig gestalteten Garten verfügte. Aber das Gebäude besaß eine Düsternis, die vielleicht zu einem Schloss in Schottland gepasst hätte, nicht jedoch zu der Leichtigkeit, die Gabrielle mit der Côte d'Azur verband und die sie an Dimitris Seite suchte. Vielleicht rührte die Schwermut auch von den vielen Gästen aus Nordeuropa her, die wegen des Klimas, das hier selbst für die Riviera besonders mild war, hergekommen waren, um die Spanische Grippe, Tuberkulose oder rheumatische Beschwerden auszukurieren.

Tagsüber fühlte Gabrielle sich von Krankheit umgeben, nachts wurde sie von Dämonen verfolgt. Wenn Gabrielle nach ihren Alpträumen im Morgengrauen endlich etwas Schlaf fand, blieb sie bis zur Mittagszeit im Bett. Dimitri indes beklagte sich nicht, sondern stand morgens auf und ging allein zum Golf oder vertrieb sich die Zeit irgendwie am Meer. Später berichtete er ihr, wie er Fischer beobachtet hatte oder italienische Familien mit kleinen Kindern, die mit den Kieseln am Strand spielten. Die Tatsache, dass sie nicht jede Stunde ihres Urlaubs gemeinsam verbrachten, ärgerte Gabrielle. Es entsprach nicht ihrem Selbstverständnis, dass er Rücksicht auf ihr Ruhebedürfnis nehmen musste.

»Unsere gemeinsame Reise fängt nicht gut an, oder?«, fragte sie, als sie mit ihm auf der Hotelterrasse bei einem leichten Mittagessen saß. Von ihrem Platz aus blickte sie über das saphirblau schimmernde Meer, in dem sich die überraschend warme Frühlingssonne spiegelte. »Ich möchte dich glücklich machen, aber ich fürchte, das gelingt mir nicht sonderlich gut.«

Lächelnd nahm er ihre Hand. »Doch, Coco, du machst mich glücklich. Es berührt mich zutiefst, zu erleben, wie sich ein Mensch so viele Gedanken und Mühe um mein Wohl macht …«

»Madame?« Ein Page trat an den Tisch.

»Mademoiselle«, korrigierte sie, ohne darüber nachzudenken.

Erst einen Moment später fiel ihr ein, dass sie hier unter einem anderen Namen logierte – Devolle. Sie benutzte den Mädchennamen ihrer Mutter Eugénie, um inkognito zu reisen. Hier war sie nicht nur eine in Paris bekannte Modeschöpferin – sie war als Begleiterin des Großfürsten Romanow eine

Person des öffentlichen Lebens, die mehr Beachtung fand als die *Midinette* Coco Chanel.

»Verzeihen Sie, bitte, Mademoiselle. Ich dachte …« Der Junge wirkte nicht nur irritiert, sein Fehler schien ihm peinlich. Hilflos fuhr er fort: »Ein Anruf aus Paris ist für Sie eingegangen. Der Anrufer sagt, es sei dringend.«

Dimitri zog die Augenbrauen hoch. »Ärger im Geschäft?«

»Nannte der Anrufer einen Namen?«, fragte Gabrielle, bereits im Aufstehen begriffen.

»Ja, Madame … äh … Mademoiselle. Der Name ist Leclerc. Monsieur Joseph Leclerc.«

»Ärger zu Hause«, resümierte sie.

Mit einer Handbewegung lehnte sie Dimitris Geste ab, sie in die Telefonzentrale des Hotels zu begleiten.

»Was ist passiert?«, fragte sie ohne weitere Begrüßung, als sie in der kleinen Kabine stand und den Telefonhörer ans Ohr presste.

Es antwortete ihr ein Rauschen, dann Josephs vertraute Stimme: »Entschuldigen Sie bitte die Störung, Mademoiselle, aber Monsieur Djagilew bat ausdrücklich, Sie so schnell wie möglich zu informieren, wo immer Sie sind.«

»Sergej Djagilew?« Gabrielle sank auf die kleine Bank, die in die Wand eingelassen war. In ihrem Kopf liefen die verschiedensten Szenarien ab, aber ihr fiel nichts ein, was so dringend war, dass es eine derart alarmierende Nachricht rechtfertigte. »Ist er krank? Geht es ihm gut?«

»Das denke ich schon, Mademoiselle. Monsieur Djagilew

schickte zunächst ein Telegramm und meldete sich dann noch einmal telefonisch«, berichtete Gabrielles treuer Diener. Sie hörte ein Rascheln, bevor er fortfuhr: »Ich lese es Ihnen am besten vor.« Joseph räusperte sich. »*Komm nicht nach Madrid – stopp – Strawinsky will dich umbringen.*«

Im ersten Moment dachte sie, nicht richtig verstanden zu haben. »Bitte? Sagten Sie *umbringen*?«

»Monsieur Djagilew wiederholte seine Warnung am Telefon. Aber ich beruhigte ihn und sagte ihm, dass Sie gar nicht nach Madrid reisen wollen, sondern andere Pläne verfolgen. Das war hoffentlich richtig.«

»Das war es, Joseph, selbstverständlich.«

Sie begann nervös an dem Bügel ihrer Sonnenbrille zu knabbern, die sie beim Betreten der im Halbdunkel gelegenen Hotelhalle abgenommen hatte. Seit seiner Abreise war so viel Zeit vergangen, dass Strawinsky natürlich davon ausgehen musste, sie komme nicht mehr nach. War er so besessen von ihr, dass er auf ein gebrochenes Versprechen mit Morddrohungen reagierte? Oder hatte er von ihrer Verbindung zu Dimitri Romanow erfahren? Sie hatten in Paris kein Geheimnis darum gemacht, und es war gut möglich, dass der Klatsch bis nach Madrid hallte. Dennoch fiel es ihr schwer, die Rachegelüste ihres früheren Geliebten ernst zu nehmen.

»Falls sich Monsieur Djagilew noch einmal meldet, sagen Sie ihm bitte, dass ich mich bester Gesundheit erfreue und es dabei auch belassen möchte. Und sagen Sie ihm auch, dass es niemals meine Absicht war, nach Madrid zu reisen.«

»Wie Sie wünschen, Mademoiselle. Aber …«, Joseph stockte, dann fügte er leiser hinzu: »Passen Sie bitte auf sich auf.«

»Aber natürlich tue ich das.« Ihr fröhliches Lachen hörte sich leider genauso gekünstelt an, wie es war. »Gibt es sonst noch etwas?«

»Monsieur Djagilew sprach von einem anonymen Telegramm, das in einem Postamt im 8. Arrondissement abgeschickt und an Monsieur Strawinsky im Palace Hotel in Madrid addressiert war. Darin steht, dass Mademoiselle nunmehr …«, Joseph unterbrach sich, um sich nochmals zu räuspern, »dass Mademoiselle nun Großfürsten bevorzuge.«

Misia!

Der Absender kann niemand anderer als Misia gewesen sein, fuhr es Gabrielle durch den Kopf. Sie kannte niemanden, der so gern Schicksal spielte wie ihre Freundin. Diese Schlange.

»Danke, Joseph«, sagte sie nach einer langen Pause, in der sie um Fassung rang. »Wie geht es den Hunden?«

»Vortrefflich, Mademoiselle. Hier ist alles in Ordnung. Sie sollten aber vielleicht noch wissen, dass Monsieur Strawinsky vor ein paar Tagen anrief, es war ein Ferngespräch aus Madrid, und er telefonierte lange mit Madame Strawinska. Das war ungewöhnlich, weil es ja sonst nicht vorkommt.«

Er hat sie ausgefragt, dachte Gabrielle.

»Ich verstehe«, sagte sie. »Grüßen Sie bitte Madame Strawinska und Marie von mir. Auf Wiedersehen, Joseph.«

Nachdem sie aufgelegt hatte, blieb sie noch eine Weile in der

Telefonkabine sitzen und starrte den stummen Apparat an. Dann stand sie auf, öffnete kurz die Tür und wies das Fräulein hinter der Theke an, eine Verbindung mit Paris herzustellen.

* * *

»Misia streitet alles ab«, schloss Gabrielle später ihren Bericht. Sie spielte mit einer Zigarette, die noch nicht entzündet war, und lehnte sich in einem Korbsessel zurück. Dimitri war während ihrer Telefonate von dem Esstisch auf der Terrasse zu einer gemütlicheren Sitzgruppe im Garten gewechselt. »Sie ist empört, weil ich sie für die Urheberin des Telegramms an Strawinsky halte, und will nicht mehr mit mir reden. Nie mehr. Ich nehme an, das bedeutet, dass ich für den Rest unseres Urlaubs nichts von ihr hören werde.« Sie lächelte in sich hinein. »Wenn ich nach Paris zurückkomme, wird alles gut sein.«

»Glaubst du, dass es Strawinsky ernst ist mit seiner Drohung?« Er entzündete ein Streichholz und beugte sich vor, um ihr damit Feuer zu geben.

Nach einem tiefen Lungenzug blickte sie gedankenverloren dem Rauch nach, den sie in kleinen Ringen ausblies und der von der Frühlingsbrise davongetragen wurde. Schließlich sah sie Dimitri wieder an und gestand: »Ja – nein. Ehrlich gesagt: Ich weiß es nicht. Igor Strawinsky kann ziemlich herrisch sein. Außerdem ist er sehr besitzergreifend. Aber er ist ein Künstler. Komponisten sind niemals brutal, oder? Ich denke, Musiker haben viel zu viel Angst um ihre Hände, um damit zu töten.«

Im nächsten Moment dachte sie, dass sie keine Ahnung davon hatte, wann ein Mensch zum Mörder wurde. Der Mann, mit dem sie gerade sorglos Tisch und Bett teilte, hatte ihr zwar inzwischen sogar geschworen, Rasputin nicht umgebracht zu haben. Aber er war an dem Komplott, das zu dessen Mord geführt hatte, beteiligt gewesen. Dimitri war elegant, zuvorkommend, rücksichtsvoll – und doch einer der Verschwörer, die nach Rasputins Leben getrachtet hatten. Und es war offensichtlich nicht so, dass er seine Tat heute, gut vier Jahre später, bereute. Ein seltsames Frösteln zog durch ihren Körper. Der Frühlingswind ist doch noch nicht so warm, fuhr es ihr durch den Kopf, und sie schlang die Arme um ihren Leib.

»Fürchtest du dich vor ihm?«

»Nein«, antwortete sie spontan.

Als Dimitri ihr die Frage stellte, waren ihre Gedanken noch bei seinem Vorleben gewesen. Sie hatte natürlich keine Angst vor ihm, der Mord an Rasputin war politisch motiviert und hatte nichts mit falsch verstandener Liebe zu tun. Doch Dimitri meinte natürlich Strawinsky. Und der war ein Genie, ein Mann großer Emotionen.

Sie zog an ihrer Zigarette, dachte kurz nach und wiederholte mit aufrichtiger Überzeugung: »Nein.«

»Aber du machst dir Sorgen«, drängte Dimitri.

Seufzend drückte sie den Stummel im Aschenbecher aus. »Wenn du es unbedingt wissen willst: Ja, ich mache mir Sorgen. Um Igor. Nicht um mich. Ich befürchte, dass er sich wieder zum Narren macht, und ich mag es nicht, einen Mann wie ihn als bedauernswerte Figur zu sehen.«

»Es gibt ein russisches Sprichwort, das in etwa bedeutet, wenn jemand Verstand hat, ist es gut, aber wenn er einen Freund mit Verstand hat, ist es besser.« Er grinste sie schelmisch an. »In dem Moment, in dem Igor Strawinsky einer anderen klugen Frau begegnet, wird er zur Vernunft kommen.«

»Dimitri, er ist verheiratet«, erinnerte sie ihn ernst.

»Dann hoffen wir, dass deine Freundin Misia erfolgreich ist und Strawinsky zu seiner Familie zurückkehrt. Wirst du sie unter den gegebenen Umständen weiter bei dir wohnen lassen?«

Sie nickte. »Natürlich. Wo sollen Jekaterina und die Kinder denn hin?«

»Und du? Willst du mit Strawinsky unter einem Dach leben, wenn er zurück in Paris ist?«

Ein Schulterzucken war ihre erste Antwort. Nachdem sie eine Weile lang gegrübelt hatte, fügte sie leise hinzu: »Ich glaube, der Kauf von *Bel Respiro* war keine gute Idee. Obwohl ich meine Suite im Ritz liebe, ist eine Stadtwohnung in Paris vielleicht doch viel praktischer als ein Landhaus.« Erstaunt hielt sie inne. Die Bemerkung war ihr überraschend leicht über die Lippen gekommen. Wollte sie das Anwesen in Garches, das Boy für sie beide – für wen sonst? – gekauft hatte, wirklich wieder verlassen? Rückblickend hatte das Glück dort keinen Tag lang gewohnt.

Mehr zu sich selbst fuhr sie fort: »Wenn ich es recht bedenke, besäße ich lieber eine Villa an der Riviera …« Sie unterbrach sich. Was redete sie da eigentlich in Dimitris Gegenwart vor sich hin? Sie schenkte ihm ein etwas zu lautes Lachen. »Der Immobilienmarkt in Menton interessiert mich allerdings weniger«, behauptete sie und lachte noch künstlicher.

Ihr Lachen war kein heiteres, und es galt weniger ihm als vielmehr ihr selbst. Sie lachte über ihre Irrtümer und die Dämonen, die sie verfolgten. Es bekam einen bitteren Klang, als sie daran dachte, dass Strawinskys Morddrohung ihr wohl des Nachts erst recht den Schlaf rauben würden.

»Wir sollten nach Monte Carlo fahren«, beschloss Dimitri, als habe er ihre Gedanken gelesen. »Was hältst du davon, wenn wir dort ins Riviera-Palace ziehen? Dann brauchen wir uns nicht einmal einen neuen Hotelnamen zu merken.« Er neigte sich zu ihr, deutete mit einem Kopfnicken auf das alte englische Ehepaar, das in Hörweite mit einer nicht unbedingt tagesaktuellen Ausgabe der *Times* raschelte, und flüsterte: »Es ist etwas leutseliger in Monaco, und das wird dir hoffentlich helfen, zur Ruhe zu kommen. Außerdem haben wir es von dort nicht so weit, wenn wir nach Cannes zu Ernest Beaux wollen.«

»Ich bin absolut deiner Meinung«, erwiderte sie, und ihre Augen blitzten.

KAPITEL 7

In Menton hatten Gabrielle und Dimitri noch unter dem Mantel eines anderen Namens und zwischen einem bürgerlichen Publikum in der Anonymität verschwinden können – die in Monte Carlo verweilende Oberschicht kannte Dimitri jedoch, und er gehörte dort zur Hautevolee. Es war also kaum opportun, sich eine andere Identität zuzulegen.

Gabrielle hatte zwar bereits in Paris Erfahrungen mit der Prominenz ihres Geliebten gemacht, aber zum ersten Mal erlebte sie, wie es war, so sehr im Mittelpunkt des allgemeinen Interesses zu stehen, dass jeder Schritt in der Öffentlichkeit mit Neugier beobachtet wurde. Gegen die Aufmerksamkeit, die sie und Dimitri in Monaco erregten, war der Klatsch nach ihren diversen Soupers im Ritz nur ein Vorgeplänkel gewesen. Die Augen der anderen Hotelgäste im Riviera-Palace hoch über Monaco und die der Flaneure und Spieler an der Place de Casino richteten sich in einer Art und Weise auf das gesellschaftlich ungleiche Paar, dass Dimitri den Vorschlag machte, in ihrer Hotelsuite zu essen, um nicht zur Attraktion des Restaurants zu werden. Gabrielle hatte keinen Grund, ihm zu widersprechen, aber sie schwankte plötzlich, ob es ihr nicht sogar lieber wäre, an seiner Seite wahrgenommen zu werden.

Schaut her, was aus dem Bastard eines fahrenden Händlers und einer Wäscherin aus der Auvergne geworden ist. Die Frau, die von der besseren Gesellschaft in Paris nicht akzeptiert wird, wird von Großfürst Dimitri verehrt.

Doch das sagte sie ihm nicht. Im Grunde schlug in ihrem Körper ja auch noch das Herz eines einfachen, zurückhaltenden Mädchens, das lieber die stille Zuhörerin gab. So nahm sie widerspruchslos das *dîner* in ihrer Zimmerflucht mit Blick auf die in der Dunkelheit wie Glühwürmchen funkelnden Lichter von Stadt und Hafen ein. Das Personal hatte silberne Kandelaber mit weißen Kerzen gebracht, die sich nun im Burgunder in ihren Kristallgläsern spiegelten. Sie labten sich an Austern und Kaviar, und Gabrielle machte sich so wenig Gedanken über die Kosten wie zu Beginn ihrer Karriere als Modistin, als sie nicht die geringste Ahnung von Finanzen oder auch nur schlicht von Buchführung besaß.

Sie beschäftigte sich damals ebenso leidenschaftlich wie ausschließlich mit ihren Hüten, ihren Angestellten und ihren Kundinnen, mit mehr jedoch nicht. Im Gegensatz zu heute hatte sie seinerzeit nicht die geringste Ahnung, wie hoch ihr Kontostand war, wer auf ihre Gelder Zugriff hatte und ob sich der Saldo auf der Habenseite befand – oder nicht.

In Paris herrschte das häufig nasse Wetter. Der Regen prasselte gegen die Fenster des kleinen Restaurants in Saint-Germain, in dem sie mit Boy die letzten Austern der Saison schlürfte. Gabrielle war glücklich über die Eröffnung ihres ersten Ladens in der Rue Cambon, zum ersten Mal in ihrem Leben fühlte sie sich ernst genommen und wichtig. Niemand nannte sie einfach bei ihrem Vornamen oder Coco. Für jeden war sie Mademoiselle, eine Person, der man Achtung und Respekt entgegenbrachte, auf deren Meinung die vornehmsten Damen bei der Auswahl der richtigen Kopfbedeckung Wert legten.

Im Überschwang ihrer Gefühle rief sie gut gelaunt: »Ich verdiene viel Geld. Die Geschäfte gehen blendend. Es ist alles so einfach: Ich brauche nur Schecks zu unterschreiben und einzulösen.«

»Ja, das ist schön.« Boys Stimme klang alarmierend gedämpft. »Nur …«, er zögerte, dann: »Du hast Schulden bei der Bank.«

Einen Moment lang starrte sie ihn fassungslos an, dann wurde sie wütend. Ihre Augen funkelten wie schwarze Diamanten. »Was soll das heißen? Ich verdiene Geld. Viel Geld, das weiß ich genau. Und wenn es nicht genug wäre, würde mir die Bank doch auch nichts geben … Oder etwa doch?« Unter seinem eindringlichen Blick wurde ihre letzte Frage zu einem vorsichtigen Flüstern.

»Die Bank gibt dir Geld, weil ich die entsprechenden Garantien hinterlegt habe.«

Sie schnappte nach Luft. »Willst du damit sagen, dass ich das Geld, das ich ausgebe, nicht selbst erarbeitet habe?«

»Es gehört der Bank.« Er griff über den Tisch nach ihrer Hand. »Der Direktor hat mich gestern angerufen. Man sagte mir, du würdest dich ein wenig üppig bedienen. Du solltest das wissen, aber ich möchte nicht, dass du dir Sorgen machst.« Seine Finger drückten zärtlich die ihren. »Es ist nicht weiter wichtig.«

Seine Geste sollte beruhigend wirken. Doch erreichte er mit seiner Zuwendung nur das Gegenteil. Gabrielle war außer sich. Die Freude über ihren neuen Status war dahin. Lüge, dachte sie, nichts als Lüge. Sie war wieder nur die kleine Näherin, die nichts galt, das naive Mädchen vom Land, das sich von einem reichen Kerl aushalten ließ. Nichts von alldem wollte sie sein. Sie arbeitete, um selbständig und anerkannt zu sein. Geld war der Schlüssel dazu. Für eine Frau wie sie bedeutete Geld die Freiheit, zu tun, was man wollte, und zu sein, wer man wollte. Boy selbst war der lebende Beweis für Gabrielles These.

»Wieso hat der Mann von der Bank dich angerufen und nicht mich? Das Konto läuft schließlich auf meinen Namen. Oder irre ich mich?« Diesmal stellte sie ihre Frage nicht kleinlaut, sondern mit vor Zorn zitternder Stimme. Barsch entzog sie ihm ihre Hand.

»Weil ich mit einem Wertpapierdepot für dich bürge«, erwiderte er leise. »Das habe ich dir doch gesagt.«

Den Rest des Abends verbrachte sie in stummen Überlegungen. Sie sprach kaum noch mit Boy, von dem sie sich hintergangen fühlte. Warum hatte er sie ein Geschäft eröffnen lassen, ihr aber nicht gesagt, worauf es dabei in wirtschaftlicher Hinsicht ankam? Sie fertigte nicht zum Zeitvertreib Hüte.

Nach einer gewittrigen Nacht ging sie am nächsten Morgen noch früher als sonst in ihr Atelier. Sie räumte einen Tisch frei und legte alle Bücher und Rechnungen darauf, die sie finden konnte. Die nächsten Stunden verbrachte sie mit dem Studium der Zahlen. Auf Anhieb verstand sie keine der Aufzeichnungen, aber mit der Zeit ergab sich ein gewisser Sinn aus den Tabellen. Beim Rechnen verließ sie sich nicht nur auf ihren Kopf, da halfen auch ihre Finger: eins, zwei, drei, vier, fünf ...

Gleich nach ihrem Eintreffen bat sie Angèle, die sie als ihre rechte Hand eingestellt hatte, zu einem vertraulichen Gespräch. »Ich habe dieses Geschäft nicht gegründet, um mich zu amüsieren«, verkündete Gabrielle. »Das Geld wird nicht mehr zum Fenster hinausgeworfen. Von heute an wird niemand mehr auch nur einen Centime ohne meine Erlaubnis ausgeben. Ich werde alle Ein- und Ausgänge der Gelder kontrollieren und möchte täglich die Buchführung sehen.«

Sechs Jahre später hatte sie Boy die Einlage zur Eröffnung ihres Geschäfts zurückgezahlt. Mit seiner Hilfe lernte sie viel über Wirtschaftlichkeit und das Bankwesen, erfolgreich achtete sie fortan auf ihre Einnahmen und Ausgaben. Bereits mitten im Krieg hatte sie keine Schulden mehr und beschäftigte damals an die dreihundert Näherinnen. Heute war sie völlig auf sich allein gestellt und konnte es sich sogar leisten, den Zarewitsch auszuhalten.

Doch auch Dimitri leistete seinen Beitrag, auf seine Weise.

Er verlieh ihr das gesellschaftliche Ansehen, von dem sie inzwischen wusste, dass man es für kein Geld der Welt kaufen konnte …

»Coco!« Dimitris sanfte Stimme. »Wo bist du?«

Aus ihren Gedanken gerissen, gelang ihr ein Lächeln. »Hier. Bei dir.« Sie hob ihr Champagnerglas, um ihrem Gegenüber zuzuprosten.

»Nein. Nein, nein, nein. Eben warst du nicht bei mir.«

Sie dachte nicht daran, ihm von ihrem stillen Ausflug in die Vergangenheit zu erzählen. »Ich war in der Rue Cambon. In meinem Geschäft«, wich sie aus. »Noch nie in meinem Leben habe ich einen so langen Urlaub unternommen, wie wir ihn jetzt geplant haben. Das ist sehr ungewohnt.«

Auch er hob sein Glas. »Dann sollten wir auf eine unbeschwerte Zeit trinken.« Nachdem er einen Schluck genommen hatte, fuhr er fort: »Ich habe mir eine Besichtigungstour überlegt. Was hältst du davon, wenn wir morgen nach Nizza fahren? Ich würde dir gern die russisch-orthodoxe Kathedrale dort zeigen.«

Sie wollte ihn fragen, ob seine Anwesenheit nicht gerade in der russischen Gemeinde für zu viel Aufsehen sorgen würde, aber sie schluckte ihre Bedenken hinunter. Das war etwas anderes als die Ausflüge ins Hinterland, die sie sonst unternahmen. Offensichtlich war es ihm wichtig, mit ihr in der Kirche seines Glaubens zu sein.

Und es rührte sie zutiefst.

KAPITEL 8

Das fast sommerlich milde Frühlingswetter ließ zu, dass sie mit offenem Verdeck über die Corniche nach Nizza brausten. Dimitri lenkte das Automobil mit größter Begeisterung durch die engen Kurven der Küstenstraße, und Gabrielle genoss den Ausblick über die zerklüfteten Felsen auf das azurblaue Meer. Der Duft von Akazien und Zypressen hing in der Luft, nur wenige Wagen kamen ihnen entgegen, so dass Gabrielle hin und wieder die Augen schloss und sich der Illusion hingab, ganz allein mit Dimitri auf diesem wunderschönen Fleckchen Erde zu sein. Eine überaus angenehme Vorstellung. Als sie wieder aufsah, fuhren sie schon am Cap Ferrat entlang, und sie entdeckte ein weißes Schiff, das die Linie durchschnitt, die der Horizont zwischen der See und dem wolkenlosen Himmel bildete. Auf die Entfernung konnte sie nicht erkennen, ob es eine Fähre von Korsika, ein Handelsschiff oder eine große Yacht war. Unwillkürlich träumte sie sich an Bord und beschloss, Dimitri bei Gelegenheit zu fragen, ob er gern segelte.

Anfangs wunderte sie sich, mit welcher Selbstverständlichkeit sich Dimitri in den Straßen von Nizza zurechtfand. Doch dann erinnerte sie sich, dass er nicht zum ersten Mal an der Riviera weilte. So fuhr er mit einer Sicherheit durch die breiten Avenuen, vorbei an prachtvollen gelben Sandsteinbauten, Natursteinmauern, die üppige Palmengärten umschlossen und durch enge Gassen mit schiefen, düsteren Häusern, als gehöre er hierher. Längst hatte er die Küstenstraße verlassen, die einzige Orientierungshilfe, die Gabrielle in diesem Gewirr aus Ruinen der Römerzeit, mittelalterlichen Gebäuden und Villen des Klassizismus besaß. Auch die Altstadt hatte Dimitri hinter sich gelassen, er lenkte den Wagen jetzt durch eine Wohngegend, so dass ihr Weg von eleganten Häusern gesäumt wurde. Automobile parkten an den Bürgersteigen, auf den Fußwegen waren gutgekleidete Leute unterwegs. Es herrschte hier nicht viel Betrieb, aber die Vornehmheit der Anwohner war auf den ersten Blick erkennbar. Eine Trambahn ratterte vorüber, der Schaffner klingelte verärgert, weil der Rolls-Royce vor ihm über die Gleise fuhr. Unbeeindruckt bog Dimitri in eine schmale Straße ein. Es war ein Teil von Nizza, in dem Gabrielle, die vor allem die Promenade des Anglais kannte, nie zuvor gewesen war.

Ihr stockte der Atem. Dimitri fuhr an Gärten mit Zypressen, Palmen, Robinien und hohen Lorbeerhecken vorbei, die Straße machte eine Biegung. Schon von weitem sah Gabrielle die fünf goldenen Kuppeln, die sich hoch in den Himmel erhoben.

»Das ist die Kathedrale Saint-Nicolas«, erklärte ihr Chauffeur stolz, »die größte russisch-orthodoxe Kirche außerhalb Russlands.«

Der Blick auf das imposante Gotteshaus war einmalig. Die exotisch anmutenden Türme streckten sich reich verziert gen Himmel. Das Gebäude lag hinter einem hohen schmiedeeisernen Zaun und verborgen von Korkeichen und Olivenbäumen auf einem parkähnlichen Grundstück, durch das ein breiter Weg zur Kathedrale führte.

Dimitri hielt vor dem Tor. »Möchtest du vorgefahren werden?«

Es war offensichtlich, dass die Durchfahrt nicht erlaubt war. Aber für den Zarewitsch galten diese Beschränkungen vermutlich nicht. Gewiss würde auf sein Hupen irgendein Mönch auftauchen und das Portal öffnen. Eine so privilegierte Behandlung war Gabrielle plötzlich unangenehm. Sie dachte an ihr eigenes Leben im Kloster, und der tiefe Respekt vor Klerus und Glauben gewann die Oberhand. »Ich würde gern ein paar Schritte gehen.«

Widerspruchslos setzte er mit dem Wagen zurück und parkte am Straßenrand. Nachdem er um das Automobil herumgegangen war und ihr die Tür geöffnet hatte, reichte er ihr die Hand, um ihr herauszuhelfen.

»Die Kathedrale befindet sich auf dem Grundstück der ehemaligen Villa Bermond, in der die Zarenfamilie früher ihre Ferien verbrachte«, erzählte er, während sie ausstieg. »Mein Cousin, der unglückliche Zar Nikolaus II., stellte der Kirchengemeinde vor zehn oder zwölf Jahren das gesamte Gelände zur Verfügung, und kurz vor dem Großen Krieg wurde die Kathedrale eingeweiht. Seit langem kommen viele meiner Landsleute nach Nizza. Wegen des Mittelmeerklimas und der Sommerfrische.« Er erwähnte nicht die Flüchtlinge, die seit der Revolution an die Côte d'Azur strömten. Wie immer, wenn er von der glorreichen Vergangenheit und dem einstigen Glanz Russlands sprach, schwang in seiner Stimme dieser traurige Unterton mit.

Gabrielle drückte seine Hand. Sie verstand seinen Verlust – und deshalb schwieg sie. Sie fürchtete, dass ein Kommentar womöglich exaltiert geklungen und ihre Gefühle ohnehin nicht zum Ausdruck gebracht hätte.

Das Tor war nicht abgeschlossen, und es quietschte, als Dimitri es aufstieß. In einer Zeder zwitscherten die Spatzen. Ansonsten schienen sie allein auf dem Gelände zu sein.

»Saint-Nicolas ist der Basiliuskathedrale in Moskau nachempfunden«, erzählte Dimitri. »Meine Urgroßmutter, Zarin Alexandra Fjodorowna, ließ hier die erste russische Kirche vor bald siebzig Jahren bauen. Das ist die weiße Kapelle dort hinten. Sie war von schwacher Gesundheit und hielt sich oft in Nizza auf, nachdem sie ihr Schloss auf der Krim wegen des Krimkrieges verlassen musste.« Er deutete in die Richtung. »Der Neubau folgte dann, wie gesagt, viel später.«

Meine Urgroßmutter ... Er sprach mit derselben Selbstverständlichkeit über die russische Herrscherfamilie, wie Gabrielle ihre Ahnin erwähnen würde, die gleich ihrer Mutter Wäscherin gewesen war. Deshalb wurde ihr in diesem Augenblick der Unterschied zu ihrer Herkunft mit so brutaler Deutlichkeit bewusst wie nie zuvor. Denn das Gelände der Kathedrale Saint-Nicolas war etwas anderes als das Geplänkel bei einem Glas Champagner in ihrer Suite des Riviera-Palace Hotels. Dieser opulente Prachtbau war Dimitris Welt. Seltsamerweise hatte sie sich ihm aber auch noch nie so nahe gefühlt.

Sie sah kurz zu dem schönen Gebäude mit der hohen Freitreppe im Hintergrund, das von Zarin Alexandra Fjodorowna erbaut worden war. Doch die bunte, mit Türmchen, Zinnen und Säulen bewehrte Fassade der Kathedrale war so beeindruckend, dass ihr Blick nur kurz auf der kleineren Kirche verweilte und dann wieder zurückflog. Putz und Schmuck der Basilika waren so farbenprächtig wie kein anderes Gotteshaus, das Gabrielle kannte. Allein die riesige, aus Holzkassetten geschnitzte, doppelflügelige Eingangstür war es wert, länger davor zu verweilen, um das Kunsthandwerk zu bestaunen. Doch sie folgte Dimitri auf den Fersen in einen winzigen Vorraum, in dem sie von dem durch die bunten Bleiglasfenster hereinfallenden Sonnenlicht und den goldenen Ikonen an den Wänden fast geblendet wurde. An einem Tisch saß eine alte Frau, die gekleidet war wie eine russische Bäuerin und sakrale Devotionalien zum Verkauf anbot.

»*Bonjour*«, wünschte Dimitri freundlich und fügte dann auf Russisch hinzu: »*Dobryj den.*«

Zuerst sah die Alte nur flüchtig auf, dann erstarrte sie. Ihr Stuhl knarrte, als sie ihn mit einer ungelenken, heftigen Bewegung zurückschob. Im nächsten Moment lag sie auf dem mit schwarzen und weißen Mosaiksteinen gefliesten Boden zu Dimitris Füßen. Ihre verknöcherten Finger zerrten an Dimitris Hosenbein, und sie robbte mühselig heran, um den Saum zu küssen.

»*Mat* ...«, hob Dimitri an. Dem ersten Wort folgte ein Redeschwall auf Russisch, den Gabrielle natürlich nicht verstand.

Immerhin erreichte ihr Freund, dass die Frau von ihm abließ und auf den Knien zu ihrem Stuhl zurückrutschte.

»Der Zar von Russland ist traditionell sehr eng mit der orthodoxen Kirche verbunden«, flüsterte er Gabrielle zu. »Mehr als sogar der König von England, der ja bekanntlich das Oberhaupt der Anglikaner ist, und auch viel mehr, als der deutsche oder der Habsburgerkaiser es waren. Und natürlich noch enger als Napoleon Bonaparte. Deshalb ist meine Familie so wichtig für die Gläubigen.«

Sie nickte stumm. Berührt. Auch ein bisschen fassungslos. Zwar hatte sie bereits mehrfach erlebt, wie in Frankreich lebende Russen auf *ihren* Großfürsten reagierten. Coco Chanels Mannequins etwa hatten sich nicht an sein Auftauchen in ihrem Atelier gewöhnen können. Aber eine Ehrerbietung wie von dieser alten Frau hatte sie noch nie erlebt.

»Komm.« Dimitri schob Gabrielle sanft voran. »Lass uns hineingehen.«

Der Gemeinderaum war ebenso einzigartig wie das gesamte Gebäude. Unwillkürlich erinnerte sich Gabrielle an die strukturierte Klosterkirche von Aubazine und natürlich auch an die gewaltige Kathedrale Notre-Dame in Paris, wobei man dort nicht einmal annähernd üppigen Glanz fand wie jenen, der ihr hier entgegenfunkelte.

Fast die gesamte Wand gegenüber der Eingangstür war mit goldenen Ikonen geschmückt, in die eine Tür eingelassen war. Davor standen verschiedene Kruzifixe auf Säulen. Die Kreuze besaßen eine ungewöhnliche Form: Nicht ein, sondern zwei Arme durchschnitten die Senkrechte, und ein dritter Arm teilte das untere Ende. Dutzende von Kerzen sorgten für helles Licht. Auffallend war, dass ein Altar fehlte. Auf der Suche danach sah sich Gabrielle um, konnte aber keinen Opfertisch finden. Auch Gebetsstühle waren nicht zu erkennen. Lediglich an einer Wand stand eine kleine Bank, ansonsten gab es keine Sitzgelegenheiten. Das Kirchenschiff schien nach der traditionellen Architektur errichtet, doch die Seitenarme waren kürzer, so dass sich Gabrielle wie in einem quadratischen Saal vorkam.

Aus den Augenwinkeln nahm sie wahr, wie Dimitri sich bekreuzigte: Er tippte mit den Fingern leicht an seine Stirn, dann an seinen Bauch, anschließend an die rechte und die linke Schulter. Es war eine andere Reihenfolge, als ihr gelehrt worden war.

Dimitri schien ihren erstaunten, suchenden Blick zu bemerken. »Wir haben unsere traditionellen Eigenheiten«, wisperte er, die Hand auf dem Herzen. Dann wies er auf die grandiose Wand mit den Ikonen. »Auch das ist bei uns anders: Der Altarraum ist von den Gläubigen durch die Bilder getrennt, die einer bestimmten Reihenfolge zugeordnet sind. Das heißt Ikonostase. Man kann jedes Wort der Eucharistiefeier hören, den Priester aber nicht sehen. Auf diese Weise wird der Gemeinde vor Augen geführt, dass Gott ohne die Vermittlung von Christus unerreichbar ist.«

Sie verstand die orthodoxe Liturgie nicht, drang aber nicht weiter in ihn. Sie fragte: »Wo halten sich während der Gebete die Mitglieder der Gemeinde auf?«

»Sie stehen.« Er lächelte. »So wie wir gerade.«

Unwillkürlich erinnerte sie sich des stundenlangen Anstehens vor dem Beichtstuhl in Aubazine und des ebenso langen Kniens bei der heiligen Messe. Zumindest wirkten die bunten Bilder der Ikonostase unterhaltsamer als die Mosaike im Klosterboden. Vergeblich suchte sie mit den Augen nach einem Hinweis auf die Zahl Fünf.

Dimitris Lippen rissen sie aus ihrer Erinnerung. Er küsste sie zart auf den Mund. »Schon wieder bist du mit deinen Gedanken woanders«, tadelte er liebevoll.

»Pass auf, was du tust.« Sie erwiderte sein Lächeln und fügte spaßhaft hinzu: »Ich bin katholisch – für mich könnte ein Kuss in diesem Raum ein Versprechen sein.«

Sein Zögern dauerte lange. »Ich weiß«, erwiderte er schließlich ernst. »Darin unterscheidet sich die russisch-orthodoxe Kirche nicht von der römisch-katholischen.«

Einen köstlichen Moment lang versank ihr Blick in seine meergrünen Augen, und sie gab sich der Überlegung hin, dass Dimitri und sie vielleicht eines Tages als Ehepaar miteinander leben könnten. Ein wahrhaftiger Prinz. Der Traum eines jeden

Mädchens. Trotz ihrer Selbständigkeit und des großen Erfolgs als Modeschöpferin wollte Gabrielle in ihrem tiefsten Inneren niemals nur die *Haremsdame* eines Mannes sein, wie sie es nannte, sondern auch seine Ehefrau. Der Wunsch nach bürgerlichen Verhältnissen ließ sie nicht los.

Doch eine innere Stimme brachte sie auf den Boden der Tatsachen zurück: Es war nichts als Illusion. Was immer Dimitri wollte, sie konnte nicht sagen, was für sie das Beste war. Noch nicht jedenfalls. Ihre Gefühlswelt war durch Boys Tod in ihren Grundfesten erschüttert und schien noch immer in einem Chaos gefangen. Genügte es für eine gemeinsame Zukunft, sich an der Seite eines Mannes einfach wohl zu fühlen? Eine überraschend starke Basis des Vertrauens zu ihm zu spüren? Wenn ich das wüsste, dachte Gabrielle, würde ich mich wahrscheinlich sicherer fühlen.

Sie blieben noch eine Weile in Saint-Nicolas, und Gabrielle ließ den byzantinischen Ritus auf sich wirken, betrachtete näher die bunten Heiligenbilder. Dimitri kaufte Opferkerzen bei der alten Frau im Vorraum, die sie entzündeten und in einen dafür bereitstehenden Leuchter vor der Ikonostase steckten. Stumm beobachteten sie das Flackern des Lichts, jeder hing seinen eigenen Gedanken nach.

Gabrielle fühlte sich angezogen von der Magie des Unbekannten. Vor ihrem geistigen Auge verwandelten sich die blaugoldenen Ornamente in der Kuppel zu Stickereien auf Tuniken, langen Jacken und Mänteln mit Pelzbesatz. Die traditionelle Ausstattung der Kathedrale zog sie an, weckte ihre

Phantasie und brachte ihre Kreativität zum Leuchten wie das Kerzenlicht das Bildnis des Evangelisten Markus mit seinem ikonographischen Attribut, dem Löwen, Gabrielles Sternzeichen.

Dimitri bekreuzigte sich auf seine Art, und Gabrielle tat es ihm nach katholischer Sitte gleich. Es war das Zeichen zum Aufbruch.

Als sie im milden Sonnenschein Hand in Hand zu ihrem Automobil gingen, schlug er plötzlich vor: »Wir sollten heute Abend bei Ciro's in Monte Carlo essen. Was hältst du davon?«

Sie sah überrascht zu ihm auf. »Fürchtest du nicht, dass wir in einem so mondänen Restaurant auffallen werden? Jeder wird dich erkennen – und mich womöglich auch.«

»Was macht das schon?«, gab er leichthin zurück. »Für ein Versteckspiel ist es ohnehin zu spät, nicht wahr?« Er wiederholte seinen kurzen, zärtlichen Kuss. »Wir sollten unsere Zeit hier genießen, Coco, und dem Rest der Welt können wir ruhig Stoff für eine Abendunterhaltung bieten.«

Sein Lächeln verdeutlichte, wie ernst es ihm damit war.

* * *

Der Gedanke an eine Kollektion mit slawischen Elementen wurde für Gabrielle immer konkreter. Obwohl der Tag näherrückte, an dem Dimitri das Treffen mit dem Parfümeur Ernest Beaux arrangiert hatte, beschäftigte sie sich weniger mit ihrem Duft als vielmehr mit ihrer Mode. Vielleicht ließ sie ihre

Gedanken aber auch gerade wegen der bevorstehenden Verabredung bewusst in eine andere Richtung wandern. Im Grunde war sie so nervös wie ein junges Mädchen vor ihrem ersten Rendezvous, und es tat ihr gut, ihre Kreativität zu fordern, anstatt dauernd darüber nachzudenken, ob sie endlich am Ziel ihrer Wünsche angelangt war und kurz davorstand, die Rezeptur für ein *Eau de Chanel* zu finden.

Während Dimitri seine Leidenschaft für das Golfspiel auslebte, die sie noch immer nicht teilte, fertigte sie in der Stille ihrer Suite ein paar Skizzen an: einen schmalen schwarzen Rock und dazu eine *Rubaschka* mit weiten Trompetenärmeln, die Vorderseite und die Manschetten bestickt mit dem traditionellen Kreuzstich der russischen Trachten, eine lange Jacke mit dem hohen Stehkragen alter Offiziersröcke, besetzt mit einer breiten Bordüre im slawischen Stil. Das entsprach zwar nicht der schlichten Eleganz, durch die Coco Chanel bekannt geworden war, aber sie war sich sicher, dass dieser Ausflug in die exotische Folklore ihres Geliebten in der Umsetzung Coco Chanels dem Geschmack ihrer Kundinnen entsprach.

Als sie fertig war, setzte sie sich auf den Balkon und genoss die Wärme des hellen Lichts auf ihren verspannten Schultern. Die Zeichnungen waren ihr an dem hübschen, zierlichen Sekretär zwar rasch von der Hand gegangen, aber das Möbelstück eignete sich eigentlich mehr zur kurzen Lektüre oder zum schnellen Schreiben einer Nachricht als für konzentriertes Arbeiten. Die Halswirbelsäule und die Muskeln in ihren Armen schmerzten. Da tat ihr die Sonne wohl. Sie nickte ein und träumte von ihren neuen Modellen, die von Mannequins gezeigt wurden, die Parfümkaraffen in Händen hielten, die aussahen wie Wodkaflaschen.

»Ich bin wieder da!« Dimitris Worte und ein Kuss weckten Gabrielle. »Entschuldige, dass ich so spät bin. Ich habe ein sensationelles *Score* erzielt und musste nach einem *Hole-in-one* eine Runde an der Bar ausgeben. Was hast du gemacht, während ich mich in die Annalen des Monte Carlo Golf Club spielte?«

Sie richtete sich auf und schob ihre Sonnenbrille zurecht. »Ich habe ein paar Entwürfe angefertigt. Weißt du, ich würde gern Kleider und Kostüme mit Stickereien machen, die sich an slawischen Ornamenten …«

Sein Lachen unterbrach sie. »Ich dachte, du wolltest einen Duft lancieren.«

»Ja. Natürlich. Das auch. Aber ich werde trotzdem weiter Kleider machen. Und warum nicht eine Kollektion, die der Tradition deiner Heimat entspricht?«

Er setzte sich neben sie und nahm ihre Hand. »Es ist wundervoll, dass du dich für das russische Kunsthandwerk interessierst. Das berührt mich tief in meinem Herzen.« Er hob ihre Hand an seine Lippen. »Du musst unbedingt meine Schwester kennenlernen«, fügte er mit einem liebevollen Lächeln hinzu, das wohl nicht Gabrielle, sondern Marija Pawlowna Romanowa galt. »Niemand weiß so viel über Stickereien wie sie. Wenn wir zurück in Paris sind, mache ich euch bekannt.«

Während sie einträchtig beieinandersaßen, überlegte Gabrielle, was Sergej Djagilew zu ihren neuen Ideen sagen würde.

Wenn sie sich intensiv mit russischer Folklore beschäftigte, stand ihrer Zukunft als Kostümbildnerin der *Ballets Russes* sicher nichts mehr im Wege. Coco Chanel auf der Bühne. Das war so etwas wie ein Ritterschlag. Die Frage war nur, was Igor Strawinsky zu ihren Ambitionen sagen würde, dessen Musik eng an die Ballettcompagnie gebunden war. Strawinsky und Djagilew bildeten in ihrer künstlerisch inspirierten Männerfreundschaft eine unfassbar produktive Einheit.

Inzwischen hatte ihr Joseph die Telegramme des Impresarios nachgeschickt, und offensichtlich hegte ihr abgelegter Liebhaber noch immer heftige Mordgelüste. Je öffentlicher sie sich an Dimitris Seite bewegte, desto wahrscheinlicher war, dass der lange Arm des Klatsches auch bis nach Madrid reichte. Igor könnte also über jeden Schritt informiert werden, den sie in ihrer neuen Romanze tat. Vielleicht erfährt er dann auch, wie glücklich ich bin, dachte sie. Dieses stille, beseelende Glück, das sie an Dimitris Seite empfand, hätte er ihr nie gegeben – dazu war er viel zu sehr mit sich selbst beschäftigt, zudem war er genauso wie seine Musik: aufbrausend, gewaltig, phänomenal. Hoffentlich sieht er ein, dass ich dafür nicht die Richtige bin, dachte sie.

Überrascht registrierte sie, dass sie zum ersten Mal seit Boys Unfall über das Glück nachdachte. Ein vergängliches Gefühl, gewiss. Wer wüsste das besser als sie selbst? Aber so zufriedenstellend – und unverzichtbar. Sie verflocht ihre Finger mit denen Dimitris. Dankbar, dass ihr das Schicksal diesen Mann geschickt hatte, um ihre Tränen zu trocknen.

KAPITEL 9

»Ernest Beaux feierte seinen ersten Erfolg mit dem Herren-
parfüm *Bouquet de Napoléon*«, sagte Dimitri. »Als junger Ka-
dett habe ich diesen Duft nach Kölnisch Wasser, in dem Blüten aufgekocht werden, sehr geliebt. Ich nahm es zu den
Olympischen Spielen nach Stockholm mit, wo ich zur russischen Reiterequipe gehörte. Dann kam *Bouquet de Catherine*
auf den Markt, und ich liebte es noch mehr, weil es nach meiner Heimat roch und nach meiner Tante, die für mich wie eine
Mutter war.«

Dimitri erzählte Geschichten, die Gabrielle bereits kannte,
aber das störte sie nicht. Er bemerkte ihre Unruhe, und sie
wusste, dass er ihr mit seinem Gerede über die Aufregung hin-
weghelfen wollte, die angesichts des bevorstehenden Besuchs
im Laboratorium von Ernest Beaux immer stärker wurde.
Es ist nur ein chemisches Labor, sagte sie sich still. Nichts
Bedeutsameres als die Parfümfabrik von François Coty in
Suresnes.

Unabänderlich bohrte sich jedoch eine Frage in ihr Hirn:

Was sollte sie tun, wenn sie bei Ernest Beaux wieder nicht fände, wonach sie suchte? Sollte sie den Traum von diesem ganz besonderen Parfüm aufgeben? Dem Duft ihrer großen Liebe? Es war die letzte Idee gewesen, die sie und Boy geschmiedet hatten. War nun das Ende ihrer gemeinsamen Pläne gekommen? Der Moment, der ihren Verlust für immer besiegelte? Gabrielle überlegte, wovor sie sich mehr fürchtete: vor einer Niederlage bei ihrer Suche nach dem Duft selbst oder vor der endgültigen Aufgabe ihres Herzensprojekts? Sie fand keine Antwort.

»*Zut!*«, entfuhr es Dimitri. »Ich habe mich verfahren. Wir sind bereits am Gelände des *Aéroclub de Cannes,* und das ist zu weit. Ich muss die Abbiegung verpasst haben.«

Begütigend legte sie ihre Hand auf seinen Arm. »Das macht doch nichts. Dann fahren wir eben zurück.«

Nach einem weiteren Fehlversuch fanden sie das Laboratorium. Es befand sich in einem unscheinbaren kleinen Haus in La Bocca, das nicht annähernd Ähnlichkeit mit dem imposanten Bau besaß, in dem die Fabrik von François Coty untergebracht war.

»Du hättest die Fabrik von Rallet in Moskau sehen sollen«, meinte Dimitri betrübt, »die war riesig, kein Vergleich zu diesem kleinen Betrieb. Ich verstehe ja, dass Chiris Rallet gekauft hat, aber ich verstehe nicht, wieso man das Laboratorium in einem so unscheinbaren Gebäude unterbrachte. Wie können an diesem Ort Parfüms von Weltruhm entstehen? Hoffen wir, dass der Laden in Grasse ein wenig größer ist.«

Kopfschüttelnd folgte er Gabrielle in das Innere, dem es ebenso an jeglichen Attributen der glorreichen Vergangenheit zu fehlen schien.

»Léon Chiris war ein großer Mann in der Parfümherstellung und ein bedeutender Politiker«, verteidigte sie ihren Landsmann. »Ich bin sicher, dass sein Werk in Grasse andere Dimensionen hat.« Insgeheim wunderte sie sich allerdings auch über die Beschaulichkeit hier in La Bocca.

Im Eingangsbereich hing ein kleines Gemälde, vor dem Dimitri wie angewurzelt stehen blieb. »Siehst du!«, sagte er nur, und ihr war klar, dass dieses Bild ein Kapitel aus der ruhmreichen Geschichte seiner Familie zeigte.

Es war darauf ein riesig wirkendes Industriegelände zu sehen, im Vergleich zu dem sogar Cotys Reich überschaubar wirkte. Dutzende mehrstöckige Gebäude umgaben eine überdimensionierte Fabrikhalle, die als Quadrat um einen Innenhof erbaut worden war. Die dreistöckige Fassade war klassizistisch und offenbar weiß getüncht, der Rest des Gebäudes ebenso wie der in den Himmel ragende Schlot aus Backstein. Das Gelände umgaben gepflegte Gartenanlagen, und zu einer Seite hin ein dicht mit Bäumen bepflanzter Park, die Rasenflächen erinnerten an Ornamente zwischen breiten Wegen und hätten ebenso gut nach Versailles gepasst.

Wenn alles so gewaltig war im alten Russland, musste sich Dimitri in der Emigration wie in einem Puppenhaus fühlen, fuhr es ihr durch den Kopf. Hatte er sich deshalb eine so zierliche Frau, wie sie es war, ausgesucht? Als sie bei dem Gedanken schmunzelte, fühlte sie plötzlich seinen Blick auf sich gerichtet. Sie sah ihm in die Augen, und ihr Lächeln spiegelte sich darin wider.

Dieser stille, einvernehmliche Moment wurde von Ernest Beaux unterbrochen, der Dimitri mit den üblichen Ehrerbietungen begrüßte, die Gabrielle inzwischen gewohnt war.

Der Parfümeur war ein attraktiver Mann von etwa vierzig Jahren mit dichtem schwarzen Haarschopf, ein so dunkler Typ, dass er ihr Bruder hätte sein können, geschmeidig, höflich, offenbar von schneller Auffassungsgabe. Sein Anzug hatte gewiss bessere Zeiten gesehen, aber der größte Teil davon wurde von einem vorbildlich weißen Kittel bedeckt. Gabrielle fasste auf den ersten Blick Vertrauen zu Ernest Beaux. Er schien genau zu wissen, was er tat, und als er sagte, er habe aufgrund der Informationen, die er ihrer umfangreichen Korrespondenz entnommen hatte, einige Proben erstellen können, hatte sie das Gefühl, endlich angekommen zu sein.

Beaux führte die Besucher in das Laboratorium. Es war ein langgestreckter Raum, in dem die Farbe Weiß vorherrschte. Die Wände, an denen sich weiße Regalreihen entlangzogen, waren weiß gekalkt, sogar die Holzbalken an der Decke waren weiß gestrichen. In den offenen Schränken und einer Glasvitrine standen dicht an dicht braune und weiße Apothekerflaschen und Metall- und Porzellandosen, in denen anscheinend Essenzen und Blüten aufbewahrt wurden, jedes Gefäß war mit einem Etikett versehen. Ein langer Refektoriumstisch aus hellem Holz füllte die Mitte des Raumes. Glasflaschen in verschiedenen Größen, Phiolen, Becher, Dosierzylinder und Rundkolben standen ordentlich gruppiert auf dem Tisch, in der Mitte fand eine altmodische Tafelwaage Platz. Die Sauberkeit fiel Gabrielle ebenso auf wie bei ihrem ersten Besuch bei Coty. Auch hier hätte sie sich in einem Krankenhaus wähnen können, wäre da nicht dieser leichte Blütenduft, der in der Luft hing. Zwei Assistenten, ein Mann und eine junge Frau, standen an einem in der Seitenwand eingelassenen Waschbecken und diskutierten lebhaft ein anscheinend komplexes Problem. Als ihr Chef mit seinen Gästen eintrat, verstummten die beiden und nickten höflich zur Begrüßung. Dann wandten sie sich wieder ihren Handgriffen zu.

»Kommen Sie, bitte, Mademoiselle Chanel.« Beaux führte sie an das andere Ende des Raumes zu einem Beistelltisch, auf dem Reagenzgläser in einem Ständer aus Metall auf sie warteten. »Ich habe zehn Proben für Sie vorbereitet. Zwei mal fünf …«

Gabrielle stutzte. Wieso nannte er die Zahl, die sie auf mystische Weise durch ihr Klosterleben begleitet und es auf gewisse Weise erträglicher gemacht hatte? »Oh!«, entfuhr es ihr, mehr sagte sie nicht.

»Hier finden Sie die Proben eins bis fünf und hier Nummer zwanzig bis vierundzwanzig«, der Parfümeur deutete auf die jeweiligen Fläschchen. Plötzlich verlegen, streckte er seine Hand in ihre Richtung aus. »Ich habe ganz vergessen, Ihnen den Mantel abzunehmen. Der Besuch von Seiner Hoheit und Ihnen, Mademoiselle, ist sehr aufregend für mich. Verzeihen Sie mir.«

»Kümmern Sie sich bitte nur um Mademoiselle«, erwiderte Dimitri, der sich hinter Gabrielle hielt. »Ich bin hier gänzlich unwichtig. Am besten, Sie stellen sich vor, dass ich unsichtbar bin, Monsieur Beaux.«

Gabrielle lächelte Beaux an. »Und ich bin so aufgeregt, dass ich vergessen habe, meinen Mantel abzulegen.«

Nachdem der Höflichkeit Genüge getan war, ihre Mäntel untergebracht und Gabrielles Handtasche unter dem Tisch abgestellt worden waren, reichte ihr Beaux eine Dose, in der sich Kaffeebohnen befanden. Da sie das Ritual bereits kannte, folgte sie seiner Aufforderung und befreite ihre Nase von dem Geruch der Straße. Sie bemerkte Dimitris erstaunten Blick, ließ ihn jedoch im Ungewissen, den Sinn dieser Vorgehensweise würde sie ihm später erklären. Nichts sollte die Zeremonie stören, die so bedeutsam für sie war.

Ihr Herzschlag beschleunigte sich, als der Parfümeur das erste Gefäß öffnete. Die Aromen von Rosen und Jasmin strömten ihr entgegen. Gabrielle versuchte, sich darauf zu konzentrieren und gleichzeitig ihre Miene so unbewegt wie möglich erscheinen zu lassen. Beaux sollte nicht bemerken, wie aufgewühlt sie war. Auch wollte sie nicht, dass er zu früh erfuhr, ob ihr ein Duft zusagte oder nicht. Geduld war alles andere als ihre Stärke, aber in diesem Fall unbedingt nötig. Von François Coty hatte sie gelernt, mit einer Entscheidung zu warten, da ein Duft oftmals Zeit benötigte, sich zu entwickeln.

Bei Probe Nummer eins brauchte sie sich keine Mühe zu geben, ihre Gefühle zu verschleiern – das war nicht der Duft, den sie suchte. Viel zu süß und altmodisch. Die Kreation entsprach zwar in etwa der Duftfamilie, die Gabrielle in ihrer Vorgabe genannt hatte, doch dieses Parfüm kam bei weitem nicht an *Bouquet de Catherine* heran.

Kommentarlos und mit ausdruckslosem Gesicht gab Gabrielle den Glasstöpsel zurück, an dem sie geschnuppert hatte. Das Prozedere wiederholte sich noch dreimal, bevor sie wieder nach der Dose mit den Kaffeebohnen griff. Ihre Nase war inzwischen geschultert, aber sie brauchte nach vier Proben dringend eine Pause, um wieder aufnahmefähig zu sein.

Im Hintergrund sprachen die beiden Assistenten leise miteinander, nachdem es eine Weile lang ganz still gewesen war. Glas klirrte. Irgendwo tickte eine Uhr, und durch die Fenster drang das Klappern von Hufen, ein Fuhrwerk ratterte vorbei.

Gabrielle nahm Dimitris Gegenwart in ihrem Rücken wahr, sie wandte sich jedoch nicht um. Er atmete so flach, stand mit militärischer Disziplin auf einem Fleck, so dass sie ihn kaum hörte. Allein das Gefühl seiner Anwesenheit vermittelte ihr Sicherheit, half ihr, das Richtige zu tun.

Sie griff nach der fünften Probe – und musste sich zwingen, das Lächeln zu unterdrücken, das an ihren Mundwinkeln zog.

Es war das *Bouquet de Catherine*.

Nein, korrigierte sich Gabrielle in Gedanken, nicht ganz. Es roch etwas anders als das Taschentuch von Djagilew.

Moderner.

Frischer.

Kühler.

Und noch etwas. War dieser Duft womöglich authentischer für die Frauen ihrer Zeit?

Das Tuch hatten seit dem Geschenk wahrscheinlich so oft Djagilews und andere Finger berührt, auch Gabrielles Hände, dass sich das Original mit den Körpergerüchen verbunden haben musste. Von dem, womit der zarte Batist ursprünglich besprüht worden war, war womöglich nur noch eine Illusion verblieben. Seltsam, dachte Gabrielle, dass sie daran nie gedacht hatte.

So emotionslos wie möglich gab sie Ernest Beaux die Duftprobe zurück. Dabei spürte sie, dass sie beobachtet wurde. Nicht von Dimitri, eine fremde Person musterte sie eindringlich.

Unwillkürlich drehte sie ihren Kopf und blickte über die Schulter. Die Laborassistentin war hinter Dimitri getreten, wurde von seiner großen Gestalt fast verdeckt. Dennoch fing Gabrielle einen erwartungsvollen, furchtsamen Blick auf, den ihr die junge Frau zuwarf. Schnell sah die andere wieder weg, das Gesicht so bleich wie die Wände an ihrem Arbeitsplatz.

Die Kreationen Nummer zwanzig und einundzwanzig folgten, dann neutralisierte Gabrielle ihre Nase wieder mit einer Prise Kaffee, bevor sie sich den letzten drei Reagenzgläsern zuwandte. Auch diese Parfüms entsprachen derselben Duftfamilie, waren aber insgesamt anders aufgebaut als die ersten fünf Stoffe. Gabrielle zögerte ein- oder zweimal, aber keiner der Düfte überzeugte sie wie die Nummer fünf.

»Möchten Sie sich Notizen machen?«, erkundigte sich Beaux, als sie ihm die letzte Probe zurückreichte.

Sie schüttelte den Kopf. »Nein. Nein, das brauche ich nicht. Ich würde gern die erste Serie noch einmal testen.«

Während er ihr eine Probe von Nummer eins reichte, schlug er vor: »Sie können jederzeit Änderungen vornehmen, Mademoiselle Chanel. Ein Parfüm zu kreieren ist ein Puzzlespiel. Die einzelnen Bestandteile müssen immer wieder verschoben werden, bevor sie perfekt passen. Wenn Sie eine andere Komponente wünschen, können wir es damit gern versuchen. Das gesamte Laboratorium steht Ihnen zur Verfügung.«

»Das ist sehr freundlich«, sagte Dimitri. In seinen wenigen Worten schwang die Würde des Zarewitschs, der die Fabrik des Hoflieferanten besuchte.

Gabrielle liebte das Experiment. Sie nahm Beaux' Angebot dankend an.

Dimitri verabschiedete sich, um draußen eine Zigarette zu rauchen, und eigentlich wäre sie seinem Beispiel am liebsten gefolgt, aber sie zwang sich zur Abstinenz. Nikotin veränderte den Geruchssinn. Mit einer Zigarette zwischen den Lippen konnte sie unmöglich den Duft der Düfte finden. Obgleich sie meinte, ihn bereits gefunden zu haben. Doch das Abenteuer des Erforschens wollte noch befriedigt werden.

Seite an Seite mit Ernest Beaux prüfte sie die verschiedenen Möglichkeiten, und Gabrielle bemerkte, dass der Parfümeur ihre Vision des Einzigartigen teilte. Inzwischen standen sie an dem langen Refektoriumstisch. Dort reichte er ihr nacheinander die kleinen Fläschchen, die die verschiedenen Öle enthielten, aus denen die Herznote gewonnen worden war.

»Diese Duftfamilie besteht aus den luxuriösesten Aromen der Welt«, erklärte er ihr. »Rose, Jasmin, Ylang-Ylang und Sandelholz, das den Kontrast zu den süßeren Substanzen bildet. Es sind traditionelle Riechstoffe in einer anderen Zusammensetzung als üblich.«

Stumm schnupperte sie und hörte zu. Schließlich bat sie ihn, die eine oder andere Komponente zu verändern, doch das Ergebnis sagte ihr niemals so zu wie der spontane Eindruck von Probe Nummer fünf. Über die Arbeit am Labortisch vergaß sie die Zeit. Nach einer Weile fragte sie Beaux, was an dem Parfüm, das ihre Sinne begeisterte, anders sei.

»Es ist der hohe Anteil an Aldehyden«, antwortete er.

»Das sind künstliche Moleküle, nicht wahr?«, fragte sie, insgeheim ein Dankeschön an François Coty schickend, der sie in die Geheimnisse der Parfümherstellung eingewiesen hatte.

Ernest Beaux nickte. Sein flüchtiger Blick streifte die Laborassistentin, die neben Gabrielle stand und der Besucherin zur Hand ging. »Sie wissen genau, was Sie hier tun, Mademoiselle Chanel.«

»Das täuscht«, gab sie zu. »Mir ist bekannt, dass es künstliche Stoffe gibt, aber mehr auch nicht.«

»Sie haben gewiss schon erlebt, was passiert, wenn ein Wein zu lange an der Luft steht. Er wird zu Essig. Der Wasserstoff im Äthanol, also dem Alkohol im Wein, verbindet sich mit dem Sauerstoff, und durch eine organische Reaktion wird daraus zuerst Acetaldehyd und anschließend Acetylsäure, also Essig. Vereinfacht gesagt: Irgendwann während dieses Prozesses verwandelt sich der Alkohol in Aldehyd. Die Aufgabe des Chemikers besteht darin, die Reaktionskette künstlich zu unterbrechen und Aldehyde auf diese Weise abzuspalten. Diese Möglichkeit wurde erst wenige Jahre vor dem Krieg erfunden. Deshalb hängt die Komposition eines Duftes immer zuerst von den Forschungsergebnissen eines Chemikers ab. Die Zugabe von Aldehyd zu einem Blumenbouquet ergibt dasselbe Ergebnis wie ein paar Tropfen Zitrone auf frischen Erdbeeren: Das Aroma wird vervollkommnet.«

»Mir wurde gesagt, dass die Gewinnung des Aldehyds sehr aufwendig ist und das Parfüm damit sehr teuer wird.«

Ernest Beaux zuckte mit den Achseln. »In unserer fünften Probe befinden sich die luxuriösesten Grundstoffe der Welt. Da macht es kaum einen Unterschied, ob zusätzlich noch ein künstliches Molekül dazukommt. Am Hof in Sankt Petersburg wurde niemals gespart, Mademoiselle, und das haben wir weder bei der Herstellung des *Bouquet de Catherine* noch bei den Entwürfen für ein *Eau de Chanel* getan.«

»Das Beste hat immer seinen Preis – ich weiß.« Sie lächelte ihn an.

Dann senkte sie ihre Nase wieder über dieses eine Röhrchen, dessen Inhalt sie so faszinierte. Sie sog den Duft ein wie eine Erstickende die frische Luft, konnte ihre Lungen nicht genug mit diesem einzigartigen Aroma füllen. Es war, als würden in ihr Champagnerbläschen zerplatzen, ihre Sinne reagierten mit einem Prickeln. Ihr Herz wummerte nicht mehr voller Aufregung gegen ihre Brust, es schlug ganz ruhig in dem Rhythmus, mit dem sie diese kühle Frische in sich aufnahm.

»Das ist, worauf ich gewartet habe: ein Duft wie kein anderer. Das Parfüm für Frauen mit dem Odeur der Moderne.«

Später kam Dimitri wieder dazu. Nachdem Gabrielle ihm berichtete, dass sie gefunden hatte, wonach sie suchte, bat er um einen Test. In einer Mischung aus Vorfreude und ängstlicher Erwartung beobachtete sie seine Reaktion.

»Es riecht wie frisch gefallener Schnee auf den Dächern von Petrograd«, murmelte er, die hohe Stirn in Falten gelegt. Seine Augen wanderten in die Ferne, und seine Gedanken schienen bei Bällen und Schlittenfahrten zu verweilen, die niemals mehr wiederkehren würden.

»Ich hatte eine ähnliche Eingebung«, sagte Ernest Beaux mit Bewunderung für die Scharfsichtigkeit des Großfürsten. »Während meiner Dienstzeit für die Weiße Armee war ich in der Nähe von Murmansk stationiert. Ich befehligte auf Kola ein Lager mit Gefangenen der Roten. Den Geruch der Polarnächte werde ich niemals vergessen. Deshalb habe ich versucht, ein Parfüm mit dieser besonders klaren Ausstrahlung zu kreieren.«

»Wie ist Ihnen das gelungen?«, fragte Dimitri.

Die junge Frau neben Gabrielle räusperte sich und senkte errötend die Lider.

»Die Komposition von Rosen und Jasmin mit einem synthetischen Aldehyd macht bereits das Besondere im *Bouquet de Catherine* aus. Im Fall unserer Probe Nummer fünf übersteigt die Zusammensetzung aber unsere alte Formel.« Er blickte kurz zu seiner Mitarbeiterin. »Schuld daran ist ein Fehler meiner Assistentin. Mademoiselle setzte das Mischverhältnis eins zu eins an – und nicht mit der gewünschten Verdünnung.«

Dimitri nickte der Übeltäterin wohlwollend zu, deren Wangen sich in dunkles Rot färbten. »Was für ein Glück!«

»Die Moleküle haben noch einen anderen Vorteil«, fuhr Beaux fort. »Verzeihen Sie, darf ich?«, bat er, wartete die Antwort nicht ab, sondern ergriff Gabrielles Hand. Er drehte sie um und träufelte ein paar Tropfen des Parfüms auf ihren Puls. Zu überrascht für eine Gegenwehr, ließ sie ihn gewähren, bevor sie begriff, was er erreichen wollte. »Warten Sie kurz, dann riechen Sie«, sagte Beaux. »Sie werden erleben, dass dieser Duft länger auf Ihrer Haut haftet als die üblichen Toilettenwasser.«

So lange wie das Parfüm der Großfürstin Maria in ihrem Taschentuch, fuhr es Gabrielle durch den Kopf.

Dimitri umfasste ihren Arm, hob ihn hoch und legte seine Nase in einer intimen Geste an ihr Handgelenk. »Auf der Haut ist es noch wundervoller als im Glas«, lobte er und ließ sie los. »Ich denke, wir sollten die Geburt deines *Eau de Chanel* nun feiern, Coco.«

»Ich glaube nicht, dass ich diesen Namen verwenden werde.« Gabrielle entfuhren die Worte, bevor sie sich bewusst wurde, was sie sagte. Nachdenklich fügte sie hinzu: »Ich möchte mein Parfüm Nummer fünf nennen. Die Zahl der Probe ist ein gutes Omen. An einem Fünften im fünften Monat des Jahres zeige ich jeweils meine neue Kollektion. Die Fünf passt also ganz hervorragend zu dem Parfüm meines Modehauses.«

Sie sagte ihm nicht, welche Bedeutung die Fünf noch hatte. Die Zahl der Venus, dachte sie spontan in Erinnerung an ihr stundenlanges Warten vor dem Beichtstuhl. Ihr fielen in diesem Moment nicht die symbolische Bedeutung der Zisterzienser ein, nicht die Bilder, die sie in den Mosaiksteinen an Wänden und Böden abgezählt hatte. Sie dachte in diesem bedeutungsvollen Moment nur daran, dass die Fünf die mystische Zahl der Liebe war, die unteilbare Kombination aus der männlichen Drei und der weiblichen Zwei.

»Mademoiselle Chanel, Nummer fünf gehört Ihnen.« Die Freude über seinen Erfolg ließ Ernest Beaux strahlen.

Das war es!

Beaux hatte unbeabsichtigt eine Wortkombination gewählt, die Gabrielle aufwühlte. Sie kam sich vor, als sei sie von einem Blitz getroffen worden. Vielleicht auch von einem Strahl des Polarlichts, von dem der Parfümeur sich hatte inspirieren lassen, um seiner alten Formel eine moderne Kopfnote zu verleihen.

Chanel No 5.

KAPITEL 10

Es war der übliche *kleine* Kreis, den Sergej Djagilew um sich scharte. Rund zwanzig seiner größten Bewunderer und treuesten Mitarbeiter, die die Rückkehr der *Ballets Russes* nach Paris feierten. Mehr Männer als Frauen. Nicht nur, weil sich Djagilew nicht so sehr für Frauen interessierte, sondern weil viele seiner Gäste ohne weibliche Begleitung erschienen. Misia registrierte, dass Olga Picasso wieder einmal fehlte, und sie überlegte, ob es nicht von Anfang an für alle Beteiligten einfacher gewesen wäre, Coco hätte sich in Pablo Picasso verliebt statt in Igor Strawinsky. Die beiden wären ein illustres Paar gewesen, und Picasso unterlag bei weitem nicht so stark seinen Gefühlsschwankungen wie der Komponist. Außerdem besaß er einen festen Wohnsitz. Ach, das wäre eine Amour fou ganz nach ihrem Geschmack, dachte sich Misia. Vor allem, da sie Olga nicht besonders leiden konnte. Und Coco fand Picasso attraktiv, das hatte sie ihr selbst gesagt ...

Misia ließ ihre Augen über die Tafel zu Strawinsky wandern, der am anderen Ende mit mürrischem Gesichtsausdruck vor

einem Teller mit seinem Spezialmenü saß: rohen Kartoffel-
scheiben und Tomaten, mit ein wenig Öl und Zitronensaft be-
träufelt. Der Kellner im Le Dôme hatte fast die Contenance
verloren, als er Strawinskys Bestellung aufnahm. Misia erwartete mit heimlicher Schadenfreude, dass der Ober ihn ins La
Rotonde schickte, wo es etwas weniger schick zuging und das
Essen nicht so auf den feinen Gaumen der Gäste ausgerichtet
war.

Andererseits war das Lokal seit Jahren ein beliebter Treff-
punkt der Bohème, so dass die Angestellten sicher an die
bizarrsten Wünsche gewöhnt waren.

Djagilew, der Misia wie gewohnt als seine Tischdame aus-
erkoren hatte, bemerkte ihren Blick. »Ich bräuchte keinen Lie-
beskummer, um bei rohen Kartoffeln Magenkrämpfe und
schlechte Laune zu bekommen«, raunte er ihr zu, bevor er sich
wieder genüsslich seiner üppigen Platte mit Meeresfrüchten
zuwandte.

»Er scheint sich noch immer nicht damit abgefunden zu haben, dass Coco nun mit einem anderen liiert ist.«

»In der Tat. Hat er nicht.« Djagilew konzentrierte sich darauf, das Fleisch aus dem gekrümmten Schwanz der gekoch-
ten Languste zu lösen. Deshalb fügte er erst mit einiger Verzögerung hinzu: »Igor war völlig aufgelöst, als er bei seiner
Rückkehr nach Garches erfuhr, dass Coco noch immer an der
Riviera weilt und erst in ein paar Wochen zurückerwartet
wird. Er hoffte auf eine Versöhnung. Oder auf Totschlag. Was
weiß ich? An Selbstmord scheint er allerdings nicht zu den-

ken, wenn er sich auf diese nach seiner Meinung gesunde Ernährung stürzt.«

Misia dachte bei sich, dass Djagilew selbst ein wenig mehr auf seine Gesundheit achten sollte. Er war zuckerkrank, und sie bezweifelte, dass diese Mengen an Krustentieren, die darauf warteten, von ihm verspeist zu werden, seiner Erkrankung zuträglich waren. Sie beschloss, ihn jedoch nicht zu kritisieren und ihn seinem Vergnügen zu überlassen. Noch ein unglücklicher Mann an diesem Tisch würde ihr den Appetit verderben.

»Haben Sie etwas von Coco gehört?«, wollte sie wissen, obwohl sie damit offenbarte, dass ihr Kontakt schon vor einer Weile abgebrochen war.

»Dasselbe wollte ich Sie gerade fragen.« Djagilew klang ein wenig vorwurfsvoll. »Sagen Sie nur, Liebes, Sie wissen nicht, wie es unserer Freundin geht?«

»Sie spricht nicht mit mir!«

Das Monokel fiel herunter. »Eine Katastrophe!«, rief der Impresario aus, und mehrere Köpfe drehten sich erschrocken zu ihm um. »Wer erzählt mir denn jetzt, wie es um ihre Affäre mit dem Großfürsten steht?«

Misia seufzte, verärgert, weil sie die Informationen aus zweiter Hand hatte. »Dafür brauchen Sie mich nicht, Sergej. Ganz Paris spricht über die beiden. *Tout le monde* hat sie in Monte Carlo gesehen. Wie ich hörte, unternehmen sie viele Ausflüge. Man sieht sie oft in ihrem Cabriolet herumfahren. Und abends trifft man sie in den bekannten Restaurants oder im Casino, wo der Großfürst die Kronjuwelen der Romanows verspielt, so er sie denn hätte. Natürlich ist es aber Cocos Geld, das er setzt.«

»Werden Sie jemals mit einem Mann einverstanden sein, mit dem Sie die Zuneigung Ihrer Freundin teilen müssen?« Djagilew schenkte ihr ein verständnisvolles Lächeln. »Mir scheint, Sie sind eifersüchtig, *ma chère*. Ob auf den jeweiligen Liebhaber oder die Tatsache, dass Sie nicht die Kupplerin spielen durften, wage ich noch nicht einzuschätzen.«

Von keinem anderen Menschen hätte sich Misia diese Anzüglichkeit gefallen lassen, doch Sergej Djagilew verzieh sie alles – auch eine Unverschämtheit, die ihr die Röte ins Gesicht trieb. Sie fächelte sich mit ihrer Serviette Kühlung zu, bevor sie mit spielerischem Tadel antwortete: »Sie sind ein Schelm, Sergej!«

»Ich weiß.« Er schmunzelte, wurde aber sofort wieder ernst. »Im Übrigen höre ich auch so manches, was interessant für den Fortbestand der neuen Liebe unserer Coco sein dürfte. Meine in der Heimat verbliebenen Landsleute, die einst halfen, den Roten ihren Weg zu bahnen, haben anscheinend erkannt, dass die Bolschewiki nicht ihre Befreier, sondern Unterdrücker sind. Es sollen Hungersnöte herrschen, und Teile der Marine revoltieren. Mütterchen Russland kommt nicht zur Ruhe.«

Misia, die gerade ihr Champagnerglas an die Lippen führen wollte, hielt in der Bewegung inne. »Meinen Sie, die Romanows könnten die Krone zurückgewinnen?«

»So wird es kolportiert. Womöglich wird Dimitri Pawlowitsch der neue Zar – und dann muss er sich den strengen Hausgesetzen der Romanows beugen. Eine Heirat mit Coco ist unter diesen Bedingungen ausgeschlossen.« Djagilew zog das Taschentuch der Großfürstin heraus und ließ seine Nase in den Batist sinken. »*Honi soit qui mal y pense*«, zitierte er, als er seinen Talisman wieder einsteckte. »Ein Schelm, wer Böses dabei denkt.«

Nicht noch eine gesellschaftlich notwendige Heirat, fuhr es Misia durch den Kopf. Eine Situation wie nach der Eheschließung von Boy Capel würde Coco gewiss nicht noch einmal ertragen. Sie musste sie dringend anrufen, um als Trösterin zur Stelle zu sein, wenn die Freundin ihrer bedurfte. Da fiel ihr etwas ein: »Der Vater von Großfürst Dimitri ist in zweiter Ehe eine morganatische Verbindung mit der Frau eingegangen, die er liebte. Sie war von viel niederem Stand als er.«

»Und was hat es Großfürst Pawel Alexandrowitsch gebracht? Er wurde ins Exil geschickt, und als er nach Jahren aus Paris zurückkommen durfte, konnte er sich nicht lange an der Heimat erfreuen. Die Revolution brach aus, und die Bolschewiki erschossen ihn ebenso wie Dimitris Halbbruder und viele andere Mitglieder der Zarenfamilie. Nein, ich weiß wirklich nicht, ob ich mir für Coco wünsche, die Mätresse des künftigen Zaren zu sein …« Er unterbrach sich, starrte verblüfft auf eine Bewegung auf der anderen Seite des langen Tisches.

Sergej Sudeikin stürzte, einen Speiseteller in der einen und sein Besteck in der anderen Hand, an den gemeinsamen Freunden vorbei auf Djagilew zu. »Meister, retten Sie mich!«, rief er dabei unter dem Gelächter der Gruppe theatralisch aus.

Misia kannte den Maler ebenso gut wie alle anderen, die im Laufe der Zeit die *Ballets Russes* unterstützt oder bei der einen oder anderen Aufführung mitgearbeitet hatten. Sergej Sudeikin war schon bei der Uraufführung vor acht Jahren am Entwurf des Bühnenbildes beteiligt gewesen. Wie viele seiner Landsleute war der Künstler vor der Revolution über die Krim nach Paris geflüchtet. Es verstand sich von selbst, dass er und seine Frau nach ihrer Ankunft im vorigen Jahr Halt und Heimat bei Djagilew suchten, zumal Vera Sudeikina wie Olga Picasso einst seine Tänzerin gewesen war.

»Strawinsky hat mein Kotelett einfach von meinem Teller genommen und es gegessen«, berichtete Sudeikin, als er neben Djagilews Stuhl stand. »Einfach so. Und ich habe nichts abbekommen!« Dabei klang er so trotzig wie ein kleiner Junge, dem sein liebstes Spielzeug entwendet wurde.

»Wahrscheinlich konnte er dem Duft des gebratenen Fleisches nicht widerstehen«, meinte Misia glucksend, die ihre Erheiterung kaum verbergen konnte. Ihre Augen flogen zu Strawinsky, der über seinen Teller gebeugt deutlich vergnüglicher wirkte und wohler aussah als zuvor bei dem Verzehr von rohen Kartoffeln und Tomaten.

»Er sagte, er wolle seinen Magen erstaunen«, jammerte Sudeikin.

»Was für eine Überraschung!« Misia brach in schallendes Gelächter aus.

Djagilew hatte während des Dialogs geschwiegen und nachdenklich zum Ende des Tisches geblickt, wo neben Strawinsky nun ein Platz frei war. Misia bemerkte aus den Augenwinkeln, wie er seinen Blick über seine gut gelaunt plaudernde und speisende Gästeschar wandern ließ. Nach einer Weile fixierte er Vera, die ein paar Stühle von ihrem Mann und Strawinsky entfernt saß. Obwohl Vera Sudeikina standhaft behauptete, dass ihr Vater aus Chile stammte, wussten die meisten der Freunde, dass Eduard Bosse aus dem Baltikum nach Sankt Petersburg gekommen war. Allerdings wirkte sie durchaus wie eine rassige Südamerikanerin und war trotz ihrer unverhältnismäßig großen Nase eine Schönheit. Auf jeden Fall war sie so dunkel wie Coco Chanel.

»Entschuldigen Sie mich bitte für einen Moment«, raunte Djagilew seiner Tischdame zu. Er hantierte mit seinem Monokel, um es wieder an den richtigen Ort zu bringen. »Ich werde Vera bitten, Strawinsky die Karten zu legen. Wenn sie ihm eine wundervolle Zukunft voraussagt, gelingt es ihr vielleicht, ihn aus seiner morbiden Stimmung zu erlösen, und er wird ein wenig umgänglicher.« Er schob seinen Stuhl zurück und sagte zu Sergej Sudeikin: »Setzen Sie sich hierher, mein Freund, und bestellen Sie sich, was immer Sie möchten. Sie erweisen der Musik damit einen großen Dienst.«

Voller Bewunderung sah Misia ihm nach. Was für eine charmante Idee! Ihr ging durch den Kopf, dass sie in Sachen Kuppelei noch einiges von Djagilew lernen konnte. Mit ihrem liebenswürdigsten Lächeln wandte sie sich an den Bühnenbildner, der neben ihr Platz genommen hatte: »Was möchten Sie essen? Wenn Sie Fisch mögen, kann ich Ihnen die Dorade empfehlen ...«

KAPITEL 11

Gabrielle umarmte Dimitri, als sie das Laboratorium verließen. Sie küsste ihn, als sie im Wagen saßen. Sie bestellte Champagner, als sie an der Bar des Carlton an der Croisette ankamen. Und sie war geneigt, in die Songs einzustimmen, die eine dunkelhäutige Jazzsängerin nach Einbruch der Dunkelheit zum Besten gab.

Diesen Teil ihrer ungeniert zur Schau gestellten Freude über das neue Parfüm konnte Dimitri jedoch gerade noch verhindern, indem er die inzwischen ziemlich angetrunkene Gabrielle über die Schulter warf und zu ihrem Rolls-Royce trug.

Im Wagen zog sie die Beine unter sich, schloss die Augen, genoss den Fahrtwind auf ihrem Gesicht und die Sicherheit, die ihr Dimitri vermittelte. Seit ihrer ersten Begegnung in Venedig fühlte sie Dankbarkeit ihm gegenüber, doch dieses Gefühl war nach dem Fund bei Ernest Beaux so groß geworden, dass sie meinte, ihr Herz müsse bersten vor dem Sturm, der es erfasste. Sie konnte nicht sagen, ob es Liebe war. Aber es war in jedem

Fall die tiefste Form freundschaftlicher Zuneigung, die sie sich vorstellen konnte.

Umhüllt von dem Vertrauen, das mit ihrer Empfindung einherging, schlief sie später im Riviera-Palace Hotel in Dimitris Armen ein.

Bis zu ihrer Rückkehr nach Paris fuhr Gabrielle noch einige Male nach La Bocca. Vorgeblich, um mit Ernest Beaux weitere Experimente durchzuführen, die vielleicht einen noch besseren Duft ermöglichten. Doch tatsächlich bat sie Dimitri immer wieder um Ausflüge nach Cannes, weil sie ihrem Parfüm nahe sein wollte. Es bereitete ihr Spaß, die Essenzen in sich aufzusaugen und eingehüllt in die Aromen etwa in ein Restaurant zu gehen. Sie studierte jedes einzelne Detail des Geruchs, er haftete an ihren Kleidern, ihrem Haar und ihrer Haut, bis er eine Einheit mit ihr bildete.

Schließlich musste sie sich trennen. Ihre Abreise stand bevor. Dimitri wollte unbedingt Mitte April zurück in Paris sein, um dort den Geburtstag seiner Schwester Marija zu feiern.

Auch für Gabrielle wurde es Zeit, die langen Ferien zu beenden. Ihr Atelier verlangte nach ihrer Präsenz, und bis die Produktion ihres Parfüms in der Fabrik von Chiris in Grasse beginnen würde, hatte sie noch viel Arbeit vor sich, die sie nur in Paris erledigen konnte. Sie brauchte einen Flakon und eine Verpackung. Obwohl es Fachmänner gab, deren Entwürfe sicherlich hervorragend ausfallen würden, beschloss Gabrielle, diesen Teil der Schöpfungsgeschichte von *Chanel No 5* nicht aus der Hand zu geben. So viel schwerer als die Idee für einen Hut oder ein Kostüm konnte es doch nicht sein, einen besonderen Glasflakon und eine hübsche Verpackung zu konzipieren. Gabrielle wollte zumindest versuchen, ihrem Parfüm, nach dem sie so lange gesucht hatte, ihren eigenen Stil aufzudrücken. Erst wenn sie scheiterte, würde sie sich an Georges Chiris oder an François Coty mit der Bitte um eine Empfehlung wenden.

Monte Carlo machte ihr den Abschied leicht. Es regnete in Strömen. Die azurblaue Küste hatte sich in eine anthrazitfarbene Landschaft verwandelt, der Himmel war grau und verhangen, das Mittelmeer eine in allen Aschetönen schimmernde Fläche, auf der weiße Schaumkronen schwammen.

»In den Bergen schneit es«, berichtete der Page, der einen Schirm über Gabrielle hielt, während sie die Freitreppe des Hotels hinab zu ihrem Wagen schritt.

»Ein Glück, dass wir uns gegen eine Rückfahrt auf der Route Napoleon entschieden haben«, meinte Dimitri, als sie im Automobil saßen und er die Verstrebungen des Verdecks prophylaktisch nach einem Leck abtastete. »Weiter westlich soll das Wetter besser werden. Also auf nach Marseille!« Er legte den Gang ein, und als er anfuhr, drehten die Reifen kurz durch, und Wasser spritzte in Fontänen auf. Dann fuhr er in ruhigem, mäßigem Tempo durch die Kurven zur Corniche.

Gabrielle schwieg. Sie sah den Rinnsalen zu, die am Seitenfenster hinabliefen. Vor ihren Augen verschwammen die Villen am Straßenrand zu einer grauen Masse. Der Anblick entsprach ihren Gefühlen. Der Abschied ließ sie wehmütig werden, nur mühsam hielt sie die Tränen zurück. Das Ende ihrer sorglosen, glücklichen Ferien machte ihr zu schaffen. Ihr blieben zwar noch ein paar gemeinsame Tage mit Dimitri, da sie besprochen hatten, die Rückfahrt durch die Provence und das Rhônetal mit einer Reihe von Übernachtungen zu verlängern. Und es gab keinen Grund, anzunehmen, dass ihre Beziehung nicht auch in ihrem Alltag in Paris fortbestehen würde. Aber Gabrielle fürchtete, dass irgendetwas – oder irgendwer – die Magie zerstören würde, die sie beide umgab.

Häuser, Felsen, Baumreihen, die wenig einladende See flogen vorüber. Gabrielle fiel ein, dass sie vergessen hatte, Dimitri zu fragen, ob er gern segelte. Trotz der lauen Frühlingsluft war es an den meisten Tagen ihres Aufenthalts noch zu kalt für den Ausflug mit einer gemieteten Yacht. Auf jeden Fall fuhr ihr Geliebter gern Auto – das war gewiss. Er fuhr manchmal verwegen, meistens chauffierte er sie jedoch mit einer Sicherheit durch die Lande, dass sie ihm inzwischen vollends vertraute. Auf gewisse Weise, fuhr es ihr durch den Kopf, vertraute sie ihm sogar ihr Leben an. Ein erstes kleines Lächeln schlich sich ein.

Nizza, Antibes, Cannes – sie passierten die vertrauten Ortsschilder. Das Wetter besserte sich nicht. Aber wahrscheinlich waren sie noch nicht weit genug westlich, um dem Regen zu entfliehen, der unaufhörlich gegen die Scheiben schlug und auf das Dach prasselte. Obwohl Gabrielle im Trockenen saß, glaubte sie zu spüren, wie die Feuchtigkeit unter ihre Kleidung und durch ihre Glieder zog. Sie schob ihre Hände in die weiten Ärmel ihrer Jacke. Ihre Augen verfolgten die rhythmischen Bewegungen des Scheibenwischers. Hin und her, hin und her. Die Landschaft veränderte sich kaum, es blieb alles in einem Farbton – Grau in allen Nuancen.

Ihre Lider wurden schwer. Eine Weile lang döste sie, dann nickte sie ein.

Sie wusste nicht, wie lange sie geschlafen hatte, als sie plötzlich hochschreckte.

Es war ihr völlig unverständlich, wieso sie aufgewacht war. Dimitri fuhr sicher wie zuvor. Die Straße stieg ein wenig an, fiel wieder in Täler herab, doch er lenkte den Rolls-Royce ruhig über den regennassen Asphalt. Kein Wagen kam ihnen entgegen, kein Lastkarren kreuzte ihren Weg. Die unwirtliche Witterung zwang sogar Bauern und Vieh in die Ställe.

Gabrielle blickte aus dem Seitenfenster, sah durch den Schleier der Regentropfen auf Felsen, auf denen Heidekraut wucherte, Kiefern säumten die Täler, die hellgrauen Stämme der Eukalyptusbäume erhoben sich aus den schroffen Steinen in einen nebelverhangenen Himmel. Plötzlich stutzte sie.

»Wo sind wir?«, fragte sie tonlos.

»Keine Ahnung«, gab Dimitri leichthin zurück, ohne seinen Blick von der kurvigen Straße zu wenden. »Irgendwo auf der Nationalstraße 7 vor Saint-Raphaël …«

Ihr Schrei klang wie der eines waidwunden Tieres, das in eine Falle getreten war.

Erschrocken trat Dimitri auf die Bremse. Der Wagen geriet

ins Schleudern, doch er lenkte geschickt gegen, bis das Automobil wieder in der Spur war und schließlich anhielt.

Gabrielle hielt sich am Armaturenbrett fest. Dem verzweifelten Ausruf folgte kein zweiter. Sie starrte aus dem Wagenfenster auf das Kreuz, das eine Stelle dicht von ihrem Haltepunkt am Wegesrand markierte. Tränen rannen in Sturzbächen über ihre Wangen. Wie der Regen, der sintflutartig vom Himmel fiel.

»Coco?«

Stumm schüttelte sie den Kopf.

»Was ist mit dir?«

Wie sollte sie Dimitri erklären, dass ihr gerade das Herz herausgerissen wurde?

Er hatte an derselben Stelle angehalten, an der vor fast eineinhalb Jahren der Chauffeur von Boys Schwester geparkt hatte, um Gabrielle und Étienne Balsan den Unfallort zu zeigen. Und ebenso wie damals brach sie zusammen. Es machte keinen Unterschied, wie viel Zeit inzwischen vergangen war. Nicht einmal der neue Mann an ihrer Seite bedeutete ihr so viel, dass sie seine Nähe in diesem Moment auf irgendeine Weise als tröstlich empfunden hätte. Der Schmerz war so unverändert stark, als hätte sie erst in der vergangenen Nacht erfahren, dass Boy sie für immer verlassen hatte.

Er war viel zu schnell unterwegs, aber er war ein Mensch, der nichts besonnen oder langsam tat. Das Aufheulen des Motors war

Musik in seinen Ohren, mal Scherzo, dann Rondo. Die Bremsschei-
ben quietschten. Stahl rieb auf Stahl, Gummi auf Teer. Dann hob
sich das Fahrzeug in die Lüfte, knickte Sträucher und Bäume ab,
um schließlich auf einer Felskante aufzuschlagen und in einem
Feuerball zu explodieren.

Dimitri zögerte einen Moment, dann drückte er die Fahrer-
tür auf und stieg aus.

Sie sah zu, wie er binnen Sekunden durchnässt war, wie sich
dunkle Schlieren auf dem hellen Tuch seines Reiseanzugs bildeten, seine Haare in feuchten Strähnen herabhingen. Mit langen Schritten lief er zu dem Mahnmal am Straßenrand, beugte
sich über den halbhohen schmiedeeisernen Zaun, der es umschloss. Der Regen lief in seinen Kragen, aber er ließ sich offensichtlich nicht davon abhalten, die in den Stein gemeißelte
Inschrift zu lesen:

In Gedenken an Captain Arthur Capel,
an diesem Ort tödlich verunglückt am 22. 12. 1919

Gabrielle wusste, was dort stand, ohne dass sie einen einzigen
Buchstaben oder die Jahreszahl lesen musste. Sie kannte die
Gedenkschrift, weil sie das kleine Denkmal in Auftrag gegeben hatte. Nicht einmal Misia hatte sie davon erzählt. Ebenso
wenig wie ihre engste Freundin auch nur ahnte, dass Gabrielle einen Blumenhändler in Fréjus dafür bezahlte, regelmä-

ßig ein frisches Gesteck anzuliefern. Heute lagen zu Füßen des Kreuzes weiße Tulpen, die jetzt die Köpfe hängen ließen, vollgesogen mit dem Wasser, das aus den Wolken brach. Sie hatte auf diese Weise ein Grab für den geliebten Mann geschaffen, das nur ihr allein und nicht seiner Witwe gehörte. Doch hatte sie es in der Vergangenheit ebenso wenig besucht wie den Friedhof Montmartre, auf dem Arthur Capel beerdigt worden war.

Die schützende Hülle, die Gabrielle gegen die Trauer um sich herum aufgebaut hatte, zersprang wie die Tropfen auf der Windschutzscheibe. Sie weinte. Und konnte nicht aufhören zu weinen.

Als Dimitri zu ihr in den Wagen zurückkehrte, brachte sie es nicht einmal über sich, die Hand zu berühren, die er ihr in einer hilflosen, zärtlichen Geste auf die Schulter legte. Sie war bewegungsunfähig. Ihre Tränen waren das einzige Zeichen, dass noch Leben in ihr war.

Still zog er seine Hand zurück, seine Finger umklammerten das Steuerrad. Er ließ seinen Kopf hängen. Gabrielles Verzweiflung übertrug sich auf Dimitri, wenn auch aus anderen Gründen.

Natürlich wusste er, welche Rolle Arthur Capel in ihrem Leben gespielt hatte. Das hatte sie ihm erzählt. Jetzt war sie ihm dankbar für seine Rücksichtnahme. Vor allem dankte sie ihm im Geiste, dass er nicht mit Fragen oder wohlmeinenden Ratschlägen in sie drang. Irgendwann würde sie die Worte finden, ihm zu sagen, dass er alles richtig machte.

Schließlich ging ein Ruck durch seinen Körper. Er setzte die Fahrt fort.

Außer dem prasselnden Regen, dem brummenden Motor und Gabrielles ersticktem Schluchzen gab es bis Marseille kein Geräusch in dem Wagen.

KAPITEL 12

»Es tut mir leid«, flüsterte Dimitri, seine Lippen streiften ihr Ohr. »Wir hätten uns absprechen müssen, welche Route wir nehmen. Ich hätte dich fragen sollen.«

Gabrielle schmiegte sich an ihn, vergrub ihr tränennasses Gesicht in seiner Armbeuge. Es gab nichts zu sagen. Sie konnte nur versuchen, ihm zu vermitteln, dass er keine Schuld an der Situation trug. Wenn sie es recht bedachte, hätte sie ihn wahrscheinlich noch nicht einmal gewarnt, wenn er ihr gesagt hätte, dass er die Nationalstraße 7 nehmen wollte. Sie hätte geglaubt, stark genug zu sein, um den Anblick des Ortes zu ertragen, an dem Boy gestorben war. Wenige Stunden später im Bett eines komfortablen Hotels in Marseille wusste sie, dass es anders war.

Am nächsten Tag fuhren sie weiter nach Aix-en-Provence. Das Wetter hatte sich tatsächlich aufgehellt, und die leuchtenden Farben trugen dazu bei, Gabrielles Stimmung wieder etwas zu heben. Honiggelb, Piniengrün, zartes Purpur und Weiß bestimmten das Bild. Die Obstbäume blühten, und die jungen Kräuter am Wegesrand verströmten einen intensiven Duft.

Hand in Hand spazierte sie mit Dimitri unter den Platanen den Cours Mirabeau entlang, sie nahmen einen Imbiss im Café Les Deux Garçons, bestaunten die prachtvollen Fassaden aus der Renaissance und die Ruinen aus der Römerzeit. Erfüllt von den Eindrücken und in stiller Zufriedenheit nach einer glücklich verbrachten gemeinsamen Nacht brachen sie nach Arles auf.

Unter dem Dach von silbern schimmernden Olivenbäumen erreichten sie die Stadt, deren Sehenswürdigkeiten vom römischen Amphitheater bis zur romanischen Kathedrale reichten. Lachend erkundeten sie die Akustik in dem alten Rundbau, sahen sich die verschiedenen Gebäude an und sparten sich den Besuch der Basilika als letzten Punkt ihrer Tour auf. Als habe Gabrielle geahnt, dass sie die Besichtigung tief berühren würde.

Saint-Trophime mit dem angrenzenden Benediktinerkloster machte Gabrielle betroffen wie kein anderes Bauwerk. Es waren die gen Himmel weisende Architektur mit den mächtigen Säulen im Inneren und der Kreuzgang mit seinen schon vor Jahrhunderten ausgetretenen Mosaiken, die sie an Aubazine erinnerten. Dieser in Stein gemeißelte Ausdruck des Glaubens versetzte Gabrielle in jene Zeit vor fünfundzwanzig Jahren, als sie ein entbehrungsreiches Leben im Kloster führen musste. Plötzlich fragte sie sich, ob die Schatten der Vergangenheit, die sie immer wieder belasteten, verschwinden würden, wenn sie sich ihnen noch einmal stellte.

Ausgerechnet an diesem Ort spürte sie sich Dimitri noch

näher als sonst. Still wanderten sie durch das mittelalterliche Gotteshaus und zündeten gemeinsam Kerzen an. Wie in der russischen Kathedrale in Nizza hielten sie sich dabei an den Händen. Sie wollte ihm gerade zuflüstern, wie glücklich sie dieser Moment machte, als Orgelklänge durch das Kirchenschiff hallten. Ihre Finger verflochten sich mit den seinen in stummem Einvernehmen, während sie lauschten.

Die Töne trugen Gabrielles Gedanken wieder zurück in ihre Jugend. Sie wusste nicht, ob damals irgendwann die *Symphonie fantastique* gespielt worden war, und wenn, hätte sie das Werk von Hector Berlioz nicht erkannt. Ihre Kenntnisse über Musik hatte ihr erst Strawinsky vermittelt. Zwar waren in der Klosterkirche von Aubazine auch Choräle und andere Stücke gespielt worden, aber alles, was mit ihrer Zeit dort zu tun hatte, hatte sie danach rigoros abgeschüttelt. Vielleicht war sie deshalb so von diesen – in der Rückschau ziemlich albernen – modernen Chansons begeistert gewesen, die sie im Tingeltangel gesungen hatte.

Eine vage Idee formte sich in ihr – sollte sie es tun? Oder wäre ein Ausflug in die Auvergne ebenso lächerlich wie die Lieder, mit denen sie seinerzeit vor allem die männlichen Gäste in Moulins und Vichy erfreut hatte? Konnte der Zarewitsch etwa der richtige Mann sein, dem sie sich öffnen und den Blick in ihre Vergangenheit gestatten würde? Nicht einmal mit Boy war sie an die Orte ihrer Kindheit und Jugend gereist. Mit einem Mal fühlte sie sich schuldig. Sie hatte Boy diesen wichtigen Teil ihres Innersten nicht sehen lassen, wollte es jedoch einem anderen gestatten. Das konnte nicht richtig sein. Sie ließ Dimitris Hand los.

Tief in ihre Gedanken versunken, ging sie aus der Kirche.

Ihr Quartier lag in der Altstadt direkt an der Rhône in einem schmalen gelben Gebäude mit blauen Fensterläden. Die überraschend feudalen Zimmer von Gabrielle und Dimitri waren zwar nicht durch eine Tür verbunden, wie sie es gewünscht hätten, aber durch die Terrasse davor. Auf dieser tranken sie ein Glas Champagner zur blauen Stunde. Sie beobachteten, wie die Sonne hinter dem Fluss versank, nachdem sie die Eisenbahnbrücke mit ihren letzten Strahlen zum Leuchten gebracht hatte, und die Dämmerung die roten Ziegel auf den Dächern in ein eigentümlich violettes Licht tauchte.

Anschließend gingen Gabrielle und Dimitri in ein nahegelegenes Restaurant, wo sie niemand erkannte und wo sie mit größtem Vergnügen provenzalische Hausmannskost wie Ratatouille und Lammrücken mit Kräuterkruste probierten. Gut gelaunt fütterten sie sich gegenseitig mit ihren Gerichten. Anschließend unternahmen sie einen Verdauungsspaziergang durch die inzwischen stillen Gassen, in denen nur ein einsamer Straßenmusiker auf seiner Geige Melodien aus *Carmen* spielte.

»Diese Musik gehört hierher«, erklärte Gabrielle, als sie kurz stehen blieben, um dem Violinisten zuzuhören. Sie gab mit ihren eigenen Worten wieder, was Strawinsky ihr nach einem Konzertbesuch erzählt hatte: »Prosper Mérimée, der das Libretto für Georges Bizets Oper geschrieben hat, wurde von den schönen Frauen in Arles zu der Geschichte von Carmen inspiriert.«

»Die *belles Arlésiennes* sind mir nicht aufgefallen«, erwiderte Dimitri ernst und ohne jede Galanterie. »Ich habe nur Augen für dich, Coco.«

Er ist es wert, dass ich mich ihm öffne, fuhr es ihr durch den Kopf.

Einen Atemzug später spürte sie wieder diesen Stich im Herzen. Wie am Nachmittag in der Kathedrale fühlte sie sich schuldig, weil sie Boy über ihre Kindheit und Jugend im Unklaren gelassen hatte. Sie hatte ihm ebenso wie allen anderen die haarsträubende Geschichte über die beiden bourgeoisen, strengen Tanten aufgetischt, bei denen sie aufgewachsen war, und von einem Vater erzählt, der als Geschäftsmann nach Amerika auswanderte und es dort zu einem Vermögen brachte, das er freilich nicht mit seinen Kindern zu teilen beabsichtigte. Warum wollte sie ausgerechnet einem Mann die Wahrheit sagen, der gesellschaftlich noch weniger als Arthur Capel zu ihr passte? Einem Mann, der ihr Leben womöglich nur mit dem Flügelschlag eines schönen Schmetterlings streifte. Wer wusste schon, ob ihre Beziehung die Rückkehr nach Paris und die Gefahren des Alltags überstand?

Gabrielle versank wieder in ihren stummen Gedanken. Doch nun beschäftigte sie nicht die Trauer um Boy. Sie kämpfte mit sich und ihrer immer größer werdenden Zuneigung zu Dimitri Pawlowitsch Romanow. Sie hatte geglaubt, sie hätte Anspruch auf ein erotisches Abenteuer, das mit Liebe nicht viel zu tun hatte. Eine Affäre, wie jeder Mann sie im Laufe seines Lebens irgendwann einmal hatte, ein Fest der Sinne, das die Seele dennoch nicht berührte. Bei Strawinsky hatte sie eben dies gesucht und auch gefunden. Doch sie hatte nicht mit der Liebenswürdigkeit und Integrität ihres Liebhabers Dimitri gerechnet, hatte nicht diese Anziehungskraft erwartet, die weit über seinen schönen, athletischen Körper hinausging. Tatsächlich wollte sie schon längst nicht nur Sex und Gesellschaft von Dimitri, es ging ihr um viel mehr. Und das war nicht mehr die Träumerei eines naiven kleinen Mädchens, das sich in einen Prinzen verliebte.

Obwohl es eine laue Nacht war, verschloss sie bei ihrer Rückkehr die Terrassentür ihres Hotelzimmers.

* * *

Am nächsten Morgen saß Gabrielle im Wagen und ließ sich von Dimitri über die alte Römerstraße nach Avignon chauffieren, ohne die wunderschöne Landschaft zu betrachten, die an ihr vorbeiflog. Zu sehr mit sich selbst beschäftigt, bemerkte sie den kurzen Abstecher zum Pont du Gard erst, als Dimitri in Sichtweite des berühmten römischen Viadukts anhielt. Sie stiegen aus dem Automobil und gingen am Flussufer spazieren, warfen Steinchen ins Wasser und beobachteten die Kreise, die die Kiesel zogen.

Gabrielle sog den würzigen Duft der Landschaft ein. »Es riecht fast wie mein Parfüm«, stellte sie fest. Sie war froh, ein

Thema gefunden zu haben, an dem sie voller Leidenschaft hing, das aber weitaus unverfänglicher war als ihre eigene Lebensgeschichte.

»Diesen frischen Geruch riecht man in der Provence aber nur jetzt im Frühling, nicht mehr, wenn es richtig heiß wird«, meinte Dimitri.

Sie zog die Nase kraus und nickte.

»Das Besondere an deinem Toilettenwassr ist die Klarheit des Duftes. Das macht nicht nur *Chanel No 5* oder *Le Boquet de Catherine* aus, sondern auch die Weißen Nächte in Petrograd.« Er zögerte, dann senkte er den Kopf und fügte leise hinzu: »Ich wünschte, ich könnte dir meine Heimat zeigen.«

»Das wünschte ich auch.« Um die gerade überwundene Schwermütigkeit in ihrem Herzen nun nicht auch in Dimitri zu wecken, lenkte sie das Thema in eine andere Richtung: »Monsieur Beaux hat mir erzählt, dass er für die Komposition eine bestimmte Sorte Jasmin verwendet, die ausschließlich in Südfrankreich wächst und nirgendwo sonst auf der Welt.«

Er sah sie an. »Deshalb wird *Chanel No 5* ja auch so teuer.«

»Mich kümmert der Preis nicht.«

Dass die Herstellungskosten wegen der wertvollen Aromen und synthetischen Ingredienzien ungewöhnlich hoch sein würde, störte sie nicht weiter. Ernest Beaux hatte sie zwar ausdrücklich darauf hingewiesen, aber sie konnte es sich leisten, ihre besten Kundinnen zu verwöhnen. Es war ja nur eine einmalige Ausgabe, die dazu diente, Werbung für ihr Modehaus zu machen.

»Du bist die ungewöhnlichste Frau, die ich jemals kennenlernen durfte.« In einer intimen Geste strich ihr Dimitri eine Haarsträhne hinter das Ohr.

»Ich bin nur ein einfaches Mädchen aus der Auvergne.« Ihre Antwort kam ganz automatisch über ihre Lippen, führte jedoch dazu, dass sie wieder zu ihren Überlegungen zurückfand, mit Dimitri in ihre Vergangenheit zu reisen.

Trotzdem war sie deutlich besser gestimmt als auf der ersten Etappe ihrer heutigen Reise. In Avignon bezogen sie ein Zimmer im romantischen Hôtel d'Europe, das in einem Stadtpalais aus dem 18. Jahrhundert untergebracht war und in einem bezaubernden kleinen Innenhof lag, in dem ein Springbrunnen plätscherte. Wie alle Touristen planten sie zunächst einen Rundgang innerhalb der alten Stadtmauern und anschließend die Besichtigung des Papstpalastes. Auf dem Rückweg machten sie einen Umweg über den Rathausmarkt, über die Place de L'Horloge, obwohl Gabrielle bereits die Füße schmerzten.

»Ich bin in den vergangenen Tagen zu viel über altes Kopfsteinpflaster gelaufen, dafür sind diese Schuhe nicht gemacht«, stellte sie mit einem kritischen Blick auf ihre Absätze fest. »Wahrscheinlich sollte ich bequemere Schuhe entwerfen.«

»Hier gibt es viele Cafés. Lass uns einkehren und uns bei einem Glas Wein ausruhen.«

Auf dem Platz mit seinen schönen Gebäuden aus dem 16. bis 18. Jahrhundert wurden gerade die ersten Laternen entzündet. Das Büchsenlicht verwandelte die Lampen in goldene

Punkte vor purpurviolettem Hintergrund. Die Einheimischen strömten auf dem Heimweg vorüber oder ließen sich ebenso wie Gabrielle und Dimitri auf einen Aperitif in einem der Straßencafés nieder, die wenigen Touristen, die um diese Jahreszeit in Avignon waren, taten es ihnen gleich oder standen nur herum und bestaunten den Glockenturm, das Rathaus und das am Platz gelegene Opernhaus. Vor dem säulengeschmückten Theater versammelte sich eine Gruppe junger Musiker, ein Akkordeonspieler, ein Geiger und ein Klarinettist. Ein paar Minuten später erklangen die ersten Takte des alten Volksliedes »Sur le pont d'Avignon« – und Coco summte ganz selbstverständlich mit.

Dimitri lauschte dem Text:

> *Sur le pont d'Avignon,*
> *l'on y danse, l'on y danse …*

Schmunzelnd bemerkte er: »Weißt du, was ich tun möchte? Ich möchte mit dir auf der Brücke von Avignon tanzen.«

Nach einem demonstrativen Blick auf ihre Füße meinte Gabrielle scherzhaft: »Ich habe keine Ahnung, ob ich dazu heute noch in der Lage sein werde. Es sei denn, du trägst mich durch die Stadt.«

»Diese Gelegenheit kommt nie wieder«, sagte er und hob sein Glas, in dem ein leichter Rotwein aus dem Rhônetal schimmerte.

»Wir können jederzeit wieder in die Provence reisen …«

Er wurde nachdenklich. »Aber es wird niemals wieder so sein wie heute, Coco.«

Still schüttelte sie den Kopf. Nein, das wird es nicht, dachte sie. Die Vertrautheit würde mit ihrem Zusammensein wachsen, bestenfalls, aber was war mit dem Vertrauen, wenn sie ihm gegenüber weiter an der Legende über ihre Herkunft festhielt? Wenn er sie nicht gleich verließ, weil er sich ebenso wie sie für ihren Vater und die Erziehung im Waisenhaus schämte, würde er es später aus Verletzung tun, wenn er irgendwann zufällig erfuhr, dass sie ihm die Wahrheit vorenthalten hatte.

Wie auf ein Stichwort wehten Töne über den großen Platz, die Gabrielle besser kannte als wohl die meisten Zuhörer. Gerade war sie noch bei dem Gedanken an ihre Kindheit und Jugend gewesen, und nun spielten die Straßenmusiker jenes schwungvolle Lied, das ebenso zu Gabrielles Leben gehörte wie ihr unnachahmlicher Kleidungsstil. Obwohl sie es schon sehr lange nicht mehr gesungen hatte, formten ihre Lippen wie von selbst den Text, drang die Melodie aus ihrer Kehle. Ohne es wirklich zu wollen, sang sie die Verse mit. Sie hatte in all den Jahren kein einziges Wort vergessen:

> »J'ai perdu mon pauvr' Coco,
> Coco mon chien que j'adore,
> tout près du Trocadéro,
> il est loin s'il court encore ...

Vous n'auriez pas vu Coco?
Coco dans l'Trocadéro,
Co dans l'Tro,
Co dans l'Tro,
Coco dans l'Trocadéro.
Qui qu'a qui qu'a vu Coco?
Eh! Coco!
Eh! Coco!
Qui qu'a qui qu'a vu Coco?
Eh! Coco!«

Sie nahm Dimitris erstauntes Gesicht wahr, verstummte jedoch nicht. Auch nicht, als sie sich der Aufmerksamkeit bewusst wurde, die sie verursachte. Sie sang nur leise mit, aber offenbar laut genug, dass sich die Gäste an den Nebentischen zu ihr umdrehten. Doch was ihr sonst möglicherweise peinlich gewesen wäre, tangierte sie in diesem Moment nicht. Sie nahm es als Zeichen, dass ausgerechnet zum Ausklang des Tages, an dem sie mehr mit ihrer Vergangenheit haderte als sonst, ein Lied gespielt wurde, das zwar inzwischen längst aus der Mode gekommen und dennoch für sie von großer Bedeutung war. Angeregt durch ihren Gesang, fielen mehrere andere Gäste – Tenor- wie Sopranstimmen – in den Refrain ein. Am Schluss brandete Beifall auf, lachende Gesichter wandten sich mit einem zustimmenden Kopfnicken in Gabrielles Richtung.

»Ich hätte mir niemals vorstellen können, dass ein Schlager über einen am Pariser Trocadéro entlaufenen Hund für so viel

Ausgelassenheit sorgen kann.« Dimitri schien sich bestens zu amüsieren. »Wie lustig, dass der Hund ausgerechnet *Coco* heißt und nicht Fifi oder etwas in der Art. Kennst du den Text so gut, weil du auch so genannt wirst, *ma chère* Coco?«

»Nein. Nein, es ist genau umgekehrt.«

»Ich verstehe nicht …?«

Sie atmete tief durch, dann: »Ich möchte dir etwas zeigen, Dimitri. Hättest du etwas dagegen, wenn wir unsere Rückkehr nach Paris noch um ein oder zwei Tage verschieben und die Reiseroute ändern?« Sie wartete seine Antwort nicht ab, sondern fügte atemlos hinzu: »Ich möchte dir die Auvergne zeigen, die Orte meiner Kindheit und Jugend. Dort erfährst du, wie aus Gabrielle *Coco* wurde.«

»Das würde mich sehr glücklich machen.« Er nahm ihre Hand.

Sie verflocht ihre Finger mit den seinen. »Nach dem Abendessen werden wir auf dem Pont Saint-Bénézet miteinander tanzen. Einerlei, wie es meinen Füßen geht. Das verspreche ich dir. Diese vielleicht einmalige Gelegenheit sollten wir tatsächlich nicht verstreichen lassen. Hier erkennt uns kein Mensch, wir können jede Menge Dummheiten machen.«

Es war Mitternacht, als sie zu der Brücke schlenderten, für die einst das berühmte Lied geschrieben worden war. Im Laufe der Jahrhunderte war die mittelalterliche Konstruktion durch mehrere Hochwasser beschädigt worden, irgendwann hatte die Rhône einen Großteil des Bauwerks mitgerissen, und es waren nur noch vier Arkaden von der einst längsten Brücke

Europas übrig geblieben. Doch nicht nur die Tatsache, dass der relativ schmale Gehweg im Nichts endete, auch das Fehlen einer Brüstung war gefährlich für jeden Besucher. Bei Tage – und in der Nacht ganz besonders.

Es herrschte nur wenig Licht. Der Mond brach sich in den leise an das Ufer schwappenden Wellen, die Spiegelungen der noch nicht ausgeschalteten Lampen der Stadt tanzten auf dem dunklen Wasser wie schwimmende Leuchtkäfer. Das durchdringende Trillern der Frösche wurde von dem Motorengeräusch eines Automobils unterbrochen, das die Straße am Fluss entlangfuhr. Scheinwerfer streiften die ersten beiden Brückenbogen. Das Brummen verklang, und zurück blieb der Liebesgesang. Außer Gabrielle und Dimitri waren nur noch wenige Menschen in den Gassen unterwegs. Auf den Pont Saint-Bénézet traute sich in der Dunkelheit niemand. Hier waren sie ganz allein.

Nach einem üppigen Mahl und reichlich genossenem Wein in einem kleinen Restaurant fand Gabrielle die fehlende Sicherheitsbegrenzung eher amüsant als beängstigend. »Wir müssen aufpassen, dass wir nicht ins Wasser fallen«, kicherte sie, während sie eine Pirouette drehte.

Sie drohte das Gleichgewicht zu verlieren, taumelte. Dimitri fing sie auf, bevor sie stürzen konnte. Er wollte sie festhalten, aber sie löste sich aus seiner Umarmung, hakte sich bei ihm unter.

»Es ist Zeit für einen Cancan«, rief sie und wedelte mit der freien Hand, als wollte sie ein imaginäres Orchester zu spielen auffordern. »Kennst du die Operette *Ba-ta-clan* von Jacques Offenbach?«

Dimitri schüttelte den Kopf. »Nie gehört.«

»Dann pass mal auf …« Sie ließ ihn los, baute sich vor ihm auf, verbeugte sich in theatralischer Manier. Im nächsten Moment warf sie die Beine in die Luft, tanzte übermütig einen Cancan und schmetterte mit einer durch den Alkohol etwas kicksigen Stimme das Lied »Ko-ko-ri-ko …« von Offenbach. Sie erinnerte sich genauso gut an den Text wie an die Worte über den entlaufenen Hund Coco – und sie hatte es als junge Frau kaum weniger enthusiastisch vorgetragen als heute.

Ihr einziger Zuhörer spendete ihr begeistert Applaus.

Um Atem ringend warf sie sich an seine Brust.

»Ich glaube, ich erspare es dir lieber, jetzt noch einen Kasatschok zu tanzen«, scherzte Dimitri.

»Das glaube ich auch«, stimmte sie zu. Dann fiel ihr etwas ein. Sie legte ihren Kopf in den Nacken und sah stirnrunzelnd zu ihm auf, bevor sie feststellte: »Du willst dich drücken. Einen Kasatschok tanzen Männer ganz allein.«

Lachend wirbelte er sie herum. »Das stimmt. Und den Cancan überlässt man den Damen. Aber einen English Waltz tanzt man zusammen.«

Der Begriff weckte in Gabrielle eine Erinnerung, obwohl der langsame Walzer zu Boys Lebzeiten so gut wie gar nicht gespielt und gerade erst en vogue geworden war. Allein das Wort *English* genügte, um an den toten Geliebten zu denken.

Sie wiegte sich mit Dimitri langsam im Dreivierteltakt,

passte sich seinen Bewegungen an, ließ sich von ihm führen. Sie hatten nicht viel Platz zur Verfügung, aber es genügte für diesen einen Tanz. Versonnen lauschte sie der Melodie, die er leise summte.

Nach einer Weile legte sie ihre Stirn an seine Schulter – und überließ sich den Träumen von dem anderen Mann, mit dem sie niemals so innig getanzt hatte und es auch nie mehr tun konnte.

KAPITEL 13

Nachdem sie noch eine Nacht in Lyon verbracht hatten, machte sich Gabrielle am Morgen auf den Weg in ihre Vergangenheit. Nie zuvor war sie zurückgekehrt, auch nicht allein, und während sie neben Dimitri in ihrem Rolls-Royce saß, fragte sie sich, ob sie dem Wiedersehen gewachsen war.

Obwohl sie das Massif Centrale niemals mit einem Automobil passiert hatte – dafür fehlten ihr damals die Mittel –, erschien ihr die kurvenreiche Straße fast erschreckend vertraut. Sie schlängelte sich an frühlingsgrünen Wiesen entlang, auf denen die stämmigen Aubrac-Rinder grasten, an den Steinhütten der Bauern und an sprudelnden Flussläufen vorbei. Es hatte sich merklich abgekühlt, die runden Gipfel der Vulkanberge waren weiß überpudert. Gabrielle zog ihren Mantel enger um sich, obwohl es im Wagen warm war. Sie fröstelte ganz automatisch, weil sie sich nicht daran erinnern konnte, hier jemals nicht gefroren zu haben.

Thiers war eine Kleinstadt, in die sich keine Touristen verliefen, zumal der Ort in den meisten Reiseführern nicht einmal vermerkt war. Die Einwohner waren traditionell mit sich selbst beschäftigt und interessierten sich wenig für das, was im fernen Paris geschah, und für die Prominenz aus der Hauptstadt schon gar nicht. Zwar fiel der teure Wagen auf, aber niemand erkannte den Fahrer und seine Begleiterin. Die Neugier der Bürger richtete sich höchstens auf den glänzenden Chrom an den Kotflügeln und den Pelzkragen auf Gabrielles Mantel, nicht aber auf die Personen. Auf diese Weise unbeobachtet, hakte sich Gabrielle bei Dimitri unter. So schweigsam, wie sie die ganze Fahrt hindurch gewesen war, führte sie ihn durch die von hübschen Fachwerkhäusern gesäumten, verwinkelten Gassen, die seit dem Mittelalter kaum verändert worden waren. Es gab nur wenige Cafés, aber außerordentlich viele Handwerksbetriebe, das unaufhörliche Klirren und Hämmern der Schmiede hallte durch den Ort, und als sie zum Zusammenfluss von Dore und Durolle wanderten, wurde das Plätschern der beiden Flüsse lauter und das Quietschen der alten Mühlenräder deutlicher.

Gabrielle lehnte sich gegen die Brüstung der Brücke und blickte hinunter. Sie hatte erwartet, aufgewühlt zu sein. Doch es überraschte sie, wie kalt sie die Begegnung mit Thiers ließ. Sie fühlte nichts. Höchstens Erstaunen darüber, wie klein diese Welt war, die ihr als Mädchen atemberaubend aufregend und entsprechend groß erschienen war. Es war der einzige Ort ihrer Kindheit, wo sie eine Weile lang so etwas wie Geborgenheit kennenlernte. Das war unter der Obhut ihrer Großeltern gewesen und viel zu schnell vergangen.

»Es gibt hier so viele Schmiede, weil die Stadt ein Zentrum der Messerherstellung ist«, sagte sie unvermittelt. Sie wandte sich Dimitri nicht zu, sondern starrte auf die kleinen Strudel und Schaumkronen weit unter sich.

Dimitri horchte auf. »Handelte dein Vater mit Schneidwerkzeugen und Waffen?«

Sein Interesse war verständlich, er hatte die meiste Zeit seines Lebens als Soldat verbracht. Kurz erwog Gabrielle, eine neue Legende zu erfinden. Die Behauptung, das nahe gelegene Château de La Chassaigne wäre das Zuhause ihrer Kindheit gewesen, lag ihr auf der Zunge. Ein schönes mittelalterliches Manoir war gewiss akzeptabler für einen Großfürsten als ein windschiefes Bauernhaus aus derselben Zeit. Vielleicht konnten sie einen Spaziergang durch den Park unternehmen …

Aber sie war hierhergekommen, um sich der Wahrheit zu stellen, auch wenn dies weit problematischer war als das Wiedersehen an sich. »Meine Familie wohnte in einem Dorf in der Nähe, mein Vater fuhr nur in die Stadt, um Messer für seine eigenen Bedürfnisse einzukaufen.«

Offenbar wusste Dimitri darauf keine Antwort. Er wirkte verwirrt, und es dauerte eine Weile, bis er konstatierte: »Dann wurdest du also in der Stadt der Messer geboren …« Seine Stimme klang amüsiert, als er hinzufügte: »Schneid kommt von Schneide, nicht wahr? Jetzt weiß ich endlich, woher du deinen Schneid hast, Coco.«

Sie sah schmunzelnd zu ihm auf, doch ihre Augen waren

umwölkt von Traurigkeit. »Ich bin hier aufgewachsen, aber ich wurde nicht in Thiers geboren, sondern in Saumur.«

»Wie schön! Warum hast du nicht früher gesagt, dass die Loire deine Heimat ist? Ich liebe das Schloss, die Gestüte und den Wein von Saumur. Dorthin sollten wir unbedingt fahren.«

Sie schluckte. »Meine Mutter stammte aus einem Dorf bei Saumur und war dort Wäscherin«, stieß sie hervor. »Wie ihre Mutter zuvor.«

»Oh« war sein einziger Kommentar.

In seiner Miene zeigte sich keinerlei Regung. Er blickte sie aufmerksam an, und Gabrielle fragte sich, ob er in ihren Zügen nach einem Hinweis suchte, dass sie scherzte. Doch zu einem Spaß war sie nicht aufgelegt.

Ihre Stimme klang trotzig: »Vielleicht verkaufte mein Vater hier und da ein Messer aus seiner Heimatstadt – ich weiß es nicht. Jedenfalls war er ein fahrender Händler, der sein Glück im Süden versuchte. Ein Geschäftsmann war er nicht.«

Die Wolken am Himmel verdichteten sich, verdeckten die ohnehin schwachen Sonnenstrahlen. Das Licht veränderte sich, der Fluss unter ihnen wirkte nicht mehr blau, sondern grau. Ein kalter Luftzug wehte herauf, der nicht nur Gabrielle, sondern auch Dimitri erschauern ließ.

Er schlang die Arme um seinen Körper. Nach einer Weile fragte er: »Wie sind sie zusammengekommen? Deine Eltern, meine ich.« Er wirkte nicht sonderlich interessiert, schien nur nach etwas gesucht zu haben, mit dem er das Schweigen zwischen ihnen unterbrechen konnte, bevor es schwerer und missverständlicher wurde.

»Albert Chanel war ein Filou. Gutaussehend, charmant, witzig. Ich glaube, sie begegneten sich auf einem Jahrmarkt, wo sich einfache Leute damals eben amüsierten. Leider war mein Vater ein Filou im schlechtesten Sinne, nämlich vor allem verantwortungslos. Er wollte sich nicht binden und heiratete meine Mutter wohl auch nur auf Druck seiner Eltern, als sie bereits zwei Kinder hatten. Für uns war er nie da.«

»Also bist auch du von Verwandten erzogen worden«, stellte Dimitri fest.

Die Sachlichkeit in seinem Ton verunsicherte Gabrielle, weil seine Stimme nichts von dem preisgab, was er fühlte. Abneigung oder Verständnis – sie ahnte nicht, was in ihm vorging, konnte nur raten oder abwarten. Im besten Fall sah er die Gemeinsamkeit, die trotz der unterschiedlichen gesellschaftlichen Ebenen zwischen ihnen bestand. Herzeleid und Verlassensängste eines kleinen Kindes waren gewiss gleich, unabhängig von der Herkunft. Aber das wussten sie ja eigentlich bereits voneinander.

Ein Windstoß fuhr in das Tal. Das Klappern des Mühlrads wurde lauter, die Schaumkronen auf dem Fluss dichter. Gabrielle drückte die Cloche fester auf ihren Kopf. Dimitri, der keinen Hut trug, fuhr sich durch das Haar. Zuerst ein flüchtiger Blick zum anderen, dann sahen sie sich an. Beide hielten sie die Hand mit derselben Geste an die Stirn. Während die Schatten dunkler wurden, erhellte plötzlich ein Lächeln Dimitris Gesicht. Dann nahm er ihre Hand zwischen seine Finger.

»Bekamen deine Eltern mehr als zwei Kinder?«, fragte er.

»Maman, ich habe so großen Hunger.«

»Sei still, Gabrielle, wir haben nichts. Wir müssen warten, bis Papa von seiner Reise zurückkommt. Dann haben wir wieder Geld. Bis dahin musst du dich mit dem zufriedengeben, was ich auftreiben kann. Mehr gibt es nicht.«

»Bitte, Maman. Nur eine halbe Tasse Milch ...«

»Nein, meine kleine Gabrielle. Die Milch ist für deine Brüder. Du und deine Schwestern können Wasser trinken.«

»Wir waren zu sechst. Drei Mädchen und drei Jungen, wobei der kleine Auguste nur wenige Monate lebte.« Gabrielle strich sich über die Wange und wusste nicht, ob es eine Träne war, die sie fortwischte. Vielleicht war es auch Schnee. Kleine Flocken begannen im fahlen Licht dieses Vormittags zu tanzen, zerplatzten auf dem Brückengeländer – und auf ihrer Haut. Sie drückte Dimitris Hand und ließ ihn los, um ihre Hände in den Taschen ihres Mantels zu vergraben. Die Feuchtigkeit in ihrem Gesicht ignorierte sie, nahm all ihren Mut zusammen, um ihm endlich zu erzählen, wofür sie sich noch mehr schämte als für die Verhältnisse, aus denen sie stammte: »Als unsere Mutter starb, war ich zwölf, meine Schwestern Julie und Antoinette dreizehn und acht Jahre alt, mein Bruder Alphonse war zehn und Lucien erst sechs. Unser Vater brachte die Jungen in ein Kinderheim, von wo aus sie als Arbeitskräfte verkauft werden sollten. Meine Schwestern und ich kamen in ein Waisenhaus zu Nonnen.«

»Deshalb hast du in Venedig geweint.« Es war keine Frage, sondern eine Feststellung. Sie kam ihm prompt über die Lippen und ohne Ressentiment. Dimitri zog sein Taschentuch hervor und tupfte ihr damit sanft über die Augen. »Wie einsam ein Kind sein kann, brauchst du mir nicht zu erklären. Ich weiß genau, was in dir vorgegangen ist.«

»Hm«, machte sie nur, weil sie fürchtete, tatsächlich in Tränen auszubrechen, wenn sie den Mund öffnete und ihre Gefühle in Worte zu fassen versuchte. Sie wurde überwältigt von den Erinnerungen. An Julie und an Antoinette, die beide nicht mehr lebten. Und sie spürte Trauer um ihre Brüder, von denen sie nicht wusste, was aus ihnen geworden war. Doch das allein machte ihr nicht zu schaffen. Dimitris Zärtlichkeit, dieser Anflug von Verständnis berührte sie tief. Es war zwar nicht zum ersten Mal, dass sie bemerkte, wie ähnlich sie sich über alle gesellschaftlichen Schranken hinweg waren, weil ihre Kindheit von großen Verlusten geprägt war. Aber mit welcher Gelassenheit und Sanftmut er die Wahrheit über ihre Herkunft aufnahm, überstieg ihre Erwartungen.

Als habe er ihre Gedanken erraten, sagte Dimitri ernst: »Am Hof in Petrograd und in Moskau sind mir viele Damen edler Herkunft begegnet, natürlich auch in Paris, London und den anderen Städten, in denen ich war, aber ich habe keine kennengelernt, die ein so sicheres Gespür für Eleganz und Stil besitzt wie du. Ich bin beeindruckt, Coco. Ein Mädchen mit deiner Geschichte wird zur Ratgeberin der Hautevolee. Das ist mehr als nur bemerkenswert.«

Das Schneetreiben wurde stärker. Durch den dichten Flockenwirbel sah sie ihn mit einer Dankbarkeit an, in die sie ihre Seele legte. War ihr dieser verständnisvolle Mann vom Schicksal oder von Boy selbst aus dem Himmel geschickt worden?

Er erwiderte ihren Blick. Nach einer Weile lächelte er sie aufmunternd an. »Wollen wir zum Wagen gehen? Du wolltest doch noch nach Moulins und nach Vichy. Wir sollten fahren, bevor wir eingeschneit werden.«

»Das werden wir bestimmt nicht«, versicherte sie ihm. Tatsächlich blieb die weiße Winterpracht nicht liegen. Die Flocken hinterließen nur einen feuchten, schmierigen Film auf dem Straßenpflaster, die Kopfsteine schimmerten blausilbern wie der Stahl, aus dem in Thiers die Messer gefertigt wurden. »Aber trotzdem sollten wir fahren. Du hast recht. Es ist alles gesagt.«

Jedenfalls für den Moment, fügte sie in Gedanken hinzu.

* * *

Jenseits der Stadtmauern blieb der Schnee liegen. Die Reifen des Automobils zogen eine dunkle Spur durch den weißen Schmelz auf der Straße. Dimitri fuhr sehr konzentriert und vorsichtig, um nicht ins Schleudern zu geraten. Er schwieg, was Gabrielle angenehm war, zumal sie sich sicher sein konnte, dass sein Schweigen nicht an ihrer Vita, sondern an dem für April zu winterlichen Wetter lag. Die Stille war keine Belastung, sondern eine Notwendigkeit.

Dass Dimitri die Geschichte ihrer Kindheit mit einer derartigen Gelassenheit aufnahm, glich für sie einer Sensation. Als habe er geahnt, dass etwas an ihrer Legende nicht stimmte. Während sie darüber nachsann, was es gewesen sein könnte, lullten sie die monotonen Geräusche des Motors und der Scheibenwischer ein. Auf die Erleichterung, die Wahrheit ausgesprochen zu haben, folgte bleierne Müdigkeit. Ihre Lider wurden schwer, und sie schlief ein …

Die vertraute Stimme weckte sie: »*Bonjour, Mademoiselle!*« Sacht stupste Dimitri sie an. »Wir sind in Vichy.«

Gabrielle massierte mit zwei Fingern ihre Nasenwurzel, um sich von den Kopfschmerzen zu befreien, die wohl durch ihre verspannte Schlafhaltung entstanden waren. Skeptisch blickte sie aus dem Seitenfenster, das gesprenkelt war von Regentropfen, und erkannte die neobarocke Fassade des Casinos hinter einer gepflegten Rasenfläche. Auf dem Kiesweg, der durch den sogenannten Quellenpark führte, bildeten sich Pfützen, die die Besucher mehr oder weniger geschickt zu umgehen versuchten. Dutzende von schwarzen Regenschirmen wölbten sich über die elegant gekleideten Passanten. Die Damen und Herren strebten gewiss der Trinkhalle am anderen Ende der Anlage entgegen, um unter einer Kuppel aus orientalisch anmutenden blauen und goldenen Fliesen einen Becher mit Thermalwasser entgegenzunehmen. Obwohl Gabrielle seit fünfzehn Jahren nicht mehr dort gewesen war, hatte sie ein leuchtendes Bild vor Augen und war sich sicher, dass sich nichts verändert hatte in all der Zeit.

Vichy war das größte Heilbad Frankreichs, und während der Saison traf sich hier *tout le monde*, daran hatte auch der Große Krieg nichts geändert. In Paris hörte Gabrielle immer wieder davon, die Faszination war an ihr jedoch abgeprallt wie die Regentropfen an der Karosserie ihres Automobils. Es war zwar noch längst keine Hochsaison, aber es war beachtlich, wie viel hier trotz der Jahreszeit und des Wetters los war. Wahrscheinlich brauchten sie nur einen Fuß aus dem Wagen zu setzen, um für Aufsehen zu sorgen. Zumindest Dimitri würde von der adeligen Klientel sofort erkannt werden.

»Wollen wir aussteigen?«, fragte er, scheinbar begierig auf eine Besichtigungstour. Er demonstrierte eine aufgesetzte Fröhlichkeit, die Gabrielle wunderte und die seine innere Anspannung nicht zu überdecken vermochte.

Befürchtete er etwa, dass sie ihn kompromittierte? Sie erschrak über ihren Gedanken.

In Thiers hatte er ihr geduldig und verständnisvoll zugehört, hatte voller Zärtlichkeit auf ihre Herkunft reagiert. Sie hatte sich so darüber gefreut. Warum sollte sich an seiner Meinung über sie nach fünfunddreißig Kilometern Autofahrt, die sie überdies sogar verschlafen hatte, etwas geändert haben? Das vertrautere Umfeld sorgte gewiss nicht dafür, dass er sich innerhalb einer Stunde in einen Snob übelster Sorte verwandelte.

Oder doch? Täuschte sie sich in ihm? Wie hätte er in Thiers auch anders reagieren sollen? Immerhin konnte er sie ja wohl kaum an Ort und Stelle stehen lassen.

Ein kleiner Teufel begann an Gabrielles Seele zu nagen. Ein Teufel, der sie glauben machen wollte, dass Dimitri Pawlowitsch Romanow eigentlich nicht gelassen, sondern schlichtweg emotionslos gewesen war. Seine höfische Erziehung reichte natürlich so weit, sie nicht aus ihrem eigenen Auto zu werfen, er war gewiss so freundlich, sie sogar nach Paris zu chauffieren – das lag ja auch in seinem eigenen Interesse –, aber ansonsten wäre ihre Romanze hiermit beendet. Er blickte nach ihrem Bericht über ihre Herkunft auf sie herab. Was sollte er auch sonst tun? Sie selbst betrachtete ihre Kindheit ja mit Geringschätzung. Nicht umsonst schämte sie sich für die Wahrheit.

Sie griff nach ihrer Handtasche, zog ihr Zigarettenetui hervor. »Ich glaube, wir brauchen nicht auszusteigen. Vichy ist doch nicht so wichtig für mich. Es sollte nur eine letzte kurze Station vor Paris sein. Lass uns nach Moulins fahren. Das liegt auf dem Weg nach Hause.«

Kaum hatte sie ihren Wunsch ausgesprochen, fragte sie sich, warum sie Dimitri um den Abstecher nach Moulins bat. Ihr Aufenthalt in dieser Kleinstadt war ein Meilenstein in ihrem Leben, sicher, aber ergab es noch Sinn, ihn in diesen Teil ihrer Biographie einzuweihen? Sollte und wollte er überhaupt noch wissen, was sich dort zugetragen hatte, das ihr den Spitznamen »Coco« verlieh? Es gab nichts, das so auf ihr lastete wie die Kindheit im Waisenhaus, dennoch war es wieder eine ganz andere Welt als die eines Zarewitschs. Wenn ihre Vergangenheit ihn brüskiert hatte, war ohnehin alles verloren. Für ihre Beziehung war es gleichgültig, ob sie ihren Weg noch zu Ende ging. Nicht jedoch für sie selbst. Nur für sich wollte sie nach Moulins. Nicht, um ihm noch etwas zu zeigen.

Er startete den Wagen nicht, sondern gab ihr Feuer und zündete sich selbst eine Zigarette an. »Was ist los mit dir, Coco?«

Nach einem tiefen Lungenzug sagte sie: »Es tut mir leid, ich habe mich geirrt. In Vichy gibt es nichts außer einem oder zwei Hutläden, deren Schaufensterdekorationen mich damals darauf brachten, es mit eigenen Kreationen zu versuchen. Es lohnt nicht, deshalb durch den Regen zu laufen.«

Im Prinzip stimmte das. Die Weichen waren in Moulins gestellt worden. Im viel nobleren Vichy hatte sie gehofft, ihr Glück als Sängerin in dem berühmten Opernhaus zu machen. Eine neue Mistinguett wollte sie sein. Erreicht hatte sie das bei weitem nicht. Als Sopranistin war sie nicht talentiert genug, das sah sie rückblickend ein. Doch nicht ihre Misserfolge als Sängerin waren der Grund für die Wehmut, die sie nun beschlich. In Vichy war sie von der besten Freundin verlassen worden, die sie je besessen hatte. Ein Lächeln huschte bei diesem Gedanken über ihr Gesicht. Nein, Misia war nicht vergleichbar mit Adrienne. Gabrielles Geschichte mit Adrienne begann eigentlich schon in Thiers, denn Adrienne Chanel wurde als ihre Tante geboren und war ihr dennoch so verbunden wie eine Schwester. Sie war die jüngste Tochter von Gabrielles Großeltern und die Schwester ihres Vaters, fast ebenso alt wie sie. Nach den Jahren in Aubazine hatten sie sich in Moulins wiedergesehen – und Gabrielle war es erschienen, als ginge die Sonne in ihrem Leben auf.

»Ich würde gern auf eine Teegesellschaft gehen«, sagte Adrienne und betrachtete verträumt die karge Tafel im Stift Notre-Dame. »Wie eine feine Dame.«

»Wie eine feine alte Dame«, kicherte Gabrielle. Die strenge Miene der Freundin ließ sie jedoch zögern. »Wer geht denn noch auf die Teegesellschaften außer den feinen alten Damen?«, fragte sie vorsichtig.

»Die eleganten Herren. Die, die nichts arbeiten. Die sehen viel, viel besser aus als die, die arbeiten.«

Gabrielle riss die Augen auf. »Tun die denn gar nichts?«

»Sie tun dies und das. Denke immer daran, dass es besser ist, einen Herrn kennenzulernen, der nicht arbeitet, als einen, der einer bezahlten Beschäftigung nachgeht. Na ja, du wirst selbst merken, welche Männer besser riechen.«

»Hier in Vichy habe ich zum ersten Mal gesehen, was Stil bedeutet.« Gabrielle schmunzelte in der Erinnerung, wobei sie mit ihren Gedanken noch immer mehr bei Adrienne und in Moulins war als im Kurpark Vichys. »Das, was die Damen damals auf ihren Köpfen spazieren trugen, war unglaublich. Die meisten sahen wie aufgetakelte Streitrosse aus.«

»Schade, dass wir uns nicht davon überzeugen wollen, ob die Putzmacherinnen von Vichy ihren Geschmack verbesserten. Männer haben einen Blick für Damenhüte, heißt es.« Er zwinkerte ihr zu. Offenbar wollte er die Schwermütigkeit, die zum Greifen zwischen ihnen hing, durch gute Laune vertreiben.

»Dein Geschmack ist kein Grund, nasse Füße zu bekommen«, erwiderte sie, erleichtert, ein Thema gefunden zu haben, über das sie leidenschaftlich referieren konnte, das aber ihre Seele nicht so tief berührte wie ihre Vergangenheit. »Die Hüte damals waren handwerklich gut gemacht. Daran gab es nichts auszusetzen. Sie entsprachen der Mode. Riesige Wagenräder mit viel Tüll, Stoffblumen, Federn und Vögeln. Vögel, mein Gott! Überall Blumen und Vögel aus den absurdesten Materialien.«

»Ich erinnere mich noch sehr gut an die Hüte der Zarin Alexandra. Meine Tante trug auch immer diese Kopfbedeckungen, die wie ein ganzer Wald aussahen.«

Er hatte das sicher, ohne groß darüber nachzudenken, gesagt, aber heute versetzte er ihr mit dem Hinweis auf die Stellung seiner Verwandtschaft unbewusst einen Stich.

»Für mich waren diese unerhört kostspieligen Aufbauten niemals ein Zeichen von Eleganz. Die Kunst des Weglassens ist die wahre Kunst, verstehst du?«

Wenn er den Affront bemerkte, so lächelte er darüber hinweg. »Und dann bist du nach Paris gekommen, und alle Frauen haben sich sofort in deine Hüte verliebt.«

Sie erwiderte sein Lächeln. »Nicht ganz so schnell und nicht ganz so einfach, aber über kurz oder lang geschah es so ähnlich. Ich lernte in einem Schloss nördlich von Paris – in Royallieu – die Schauspielerin Émilienne d'Alençon kennen. Sie mochte meine Kreationen und trug sie auf der Bühne und bei vielen gesellschaftlichen Anlässen. Ihren Freundinnen gefielen sie ebenfalls, und bald wollten sie die gleichen Modelle.« Sie kurbelte das Fenster herunter und warf den noch glimmenden Zigarettenstummel in eine Pfütze.

»Im Grunde läuft es heute nicht anders«, fuhr sie fort und schloss den Regen wieder aus. »Warum, glaubst du wohl, überlasse ich meinen Mannequins kostenlos die schönsten Kleider? Die Prinzessinnen und Gräfinnen aus deiner Heimat gehen abends häufiger aus als ich, sie bewegen sich in den gehobenen Kreisen. Wenn sie in einem Restaurant, auf einem Empfang oder einem Ball gesehen werden, ist das wie eine Modenschau. Sie laufen herum, amüsieren sich und machen nebenbei die beste Werbung für mich.«

»Das ist eine kluge Idee. Du bist eine großartige Geschäftsfrau, Coco. Übrigens, du wolltest mir verraten, warum du *Coco* genannt wirst – darauf warte ich noch.«

War er trotz allem, was er bislang erfahren hatte, wirklich noch interessiert an den Details ihres Lebens? Er wirkte so erfrischend fröhlich, dass sie es aus ganzem Herzen glauben mochte. Es wurde Zeit, den Teufel zu vertreiben.

»Was es mit *Coco* auf sich hat, erzähle ich dir in Moulins. Dort nahm diese Geschichte ihren Anfang.«

* * *

Der Glanz und die Macht der Renaissance hatten sich in Moulins nicht ins 20. Jahrhundert retten können. Der Putz bröckelte von den schönen mittelalterlichen Fassaden, und alles in allem wirkte die Kleinstadt ausgesprochen verschlafen, was nicht nur an dem schlechten Wetter lag.

»Früher hat eine Garnison für Betrieb gesorgt«, erklärte Gabrielle, als Dimitri durch die stillen Straßen am Ufer der Allier fuhr. »Ansonsten lebten und leben hier Staatsbedienstete und ihre Familien. Nicht sehr aufregend.«

»Was hat dich ausgerechnet hierhergeführt?«, wollte Dimitri wissen.

»Die Nonnen aus dem Kloster schickten mich zu den Stiftsdamen von Notre-Dame de Moulins. Wie ein lästiges Paket, für das keine Verwendung mehr besteht. Es gab aber sonst niemanden, der sich einer achtzehnjährigen Waise annehmen wollte.« Die Art und Weise, wie damals mit ihr umgegangen worden war, stieß ihr noch heute bitter auf. Sie beschloss, Dimitri nicht zu erzählen, dass sie als sogenannte Barmherzigkeitsschülerin andere Kleidung als die jungen Mädchen tragen musste, die auf Kosten ihrer Eltern in dem Heim lebten, dass sie an einem anderen Tisch saß und niedere Arbeiten verrichtete. Immerhin hatte sie auf diese Weise Aubazine verlassen dürfen. Und es hätte auch schlimmer kommen können, wenn man sie etwa als Arbeitskraft auf einen Bauernhof geschickt hätte. Deshalb sagte sie in einem etwas nüchterneren Ton: »Die Stiftsdamen gaben mir Unterricht, Logis und Essen, und …« Der Klang ihrer Stimme verwandelte sich wieder und wurde weicher. »… und ich sah Adrienne wieder. Das war das Beste, das mir passieren konnte.«

Dimitris Augenbrauen hoben sich. »Wer ist Adrienne? Ich glaube nicht, dass ich eine Freundin von dir mit diesem Namen kenne.«

»Sie war meine Tante.« Gabrielle schmunzelte bei der Erinnerung an sie. »Sie war die Schwester meines Vaters. Wir waren fast im selben Alter, und eigentlich war sie meine dritte Schwester neben Julie und Antoinette.«

»War?«

Gabrielle stieß einen tiefen Seufzer aus. »Adrienne lebt nicht mehr. Wie Julie und Antoinette. Wie meine Mutter. Ich bin die letzte der Chanel-Frauen. Ich bin übrig geblieben. Noch. Anscheinend ist es unser Schicksal, vor der Zeit zu sterben.«

Er schwieg. Vielleicht schockierte ihn ihre Befürchtung, ein kurzes Leben zu haben. Vielleicht dachte er auch an seine Mutter, die nur einundzwanzig Jahre alt geworden war. Er ließ sich nichts anmerken, lenkte den Wagen sicher, wenn auch ziellos durch die engen Gassen der Altstadt.

Als die Stille bedrückend wurde, hob Gabrielle an: »Keine Sorge! Ich habe vor, dem Unheil entgegenzutreten und – Vorsicht!« Sie kreischte auf.

Das Automobil geriet in der engen Kurve einer leicht ab-schüssigen Straße aus der Spur. Dimitri trat hart auf die Bremse, bevor der rechte Hinterreifen eine Straßenlaterne touchierte. Gabrielle wurde nach vorn geschleudert. Reaktionsschnell hielt sie sich am Armaturenbrett fest.

Der Wagen stand kaum, da bemerkte sie: »Wenn du so weitermachst, wird sich die Tradition der Chanel-Frauen wohl doch fortsetzen.«

Offensichtlich konnte er nicht so recht über ihren Kommentar lachen. Die Muskeln an seinem Kiefer spannten sich an. Er sagte keinen Ton, legte den Rückwärtsgang ein, wandte sich um und setzte vorsichtig zurück.

Natürlich war ihr schwarzer Humor nicht angebracht. Es war das erste Mal auf ihrer Reise, bei der sie nun schon etliche Kilometer zurückgelegt hatten, dass etwas passierte. »Du hast mich bisher wunderbar gefahren«, beeilte sich Gabrielle daher zu sagen.

»Ich werde alles tun, was in meiner Macht steht, um dich am Leben zu erhalten«, erwiderte Dimitri ruhig. Der Rolls-Royce bewegte sich in gemächlichem Tempo durch die Stadt, doch dann lenkte Dimitri plötzlich rechts ran und ließ das Automobil am Straßenrand ausrollen. »Lass uns aussteigen und zu Fuß gehen.«

»Es regnet«, gab sie lakonisch zurück.

Seine Mundwinkel zuckten. »Wir haben einen Schirm.«

»Ich könnte mich erkälten.« Sie schmunzelte.

»Das bringt dich nicht um.«

Wie auf ein Stichwort riss der Himmel plötzlich auf, und ein Sonnenstrahl spiegelte sich in der Kühlerhaube, blendete die beiden Insassen des Fahrzeugs.

»Anscheinend drängt uns das Schicksal zum Aufbruch«, meinte Dimitri.

»Ich hoffe, man kann im Grand Café noch immer so gut essen wie früher.«

Vorsorglich hängte sich Dimitri den Regenschirm über seinen Arm. Er benutzte ihn jedoch nicht, da es tatsächlich aufgehört hatte zu regnen. Der feuchte Straßenbelag glänzte in der Sonne wie Blei, und in den Pfützen schillerten bunte Farben. Langsam schien die Stadt wieder zu erwachen: Handwerker in Arbeitskleidung und Bürodiener in Anzügen strebten für einen Aperitif dem *tabac* an der Ecke entgegen, zwei Jungen in Schuluniformen wurden von ihrem Kindermädchen ermahnt, nicht durch die Wasserlachen zu waten, eine Frau mit einem Einkaufskorb eilte vorüber, ein hübsches junges Mädchen mit Glockenhut und dunklem Bubikopf verließ ein Geschäft …

Gabrielle sah dem Mädchen nach. Es erinnerte sie an sich selbst, nur trug sie damals eine Kreissäge und hatte ihre langen Haare zu einem Knoten im Nacken geschlungen, auch war ihr Rock deutlich länger gewesen. Aber die Unbekannte sah aus wie eine Doppelgängerin, wenn Gabrielle heute in derselben Situation wäre wie vor zwanzig Jahren.

»Gehen wir zur Rue de L'Horologe«, schlug sie vor. »Mal sehen, ob La Maison Grampayre noch existiert. Es war ein Laden für Kurzwaren. Adrienne und ich arbeiteten dort als Verkäuferinnen. Seide, Spitzen und Bänder erfreuten sich damals reger Nachfrage. Und Änderungen. Ich saß manchmal stundenlang an der Nähmaschine. Wahrscheinlich hatte ich meine Finger an fast jeder Hose in Moulins.« Ein albernes Kichern begleitete ihre doppeldeutigen Worte.

Dimitri ignorierte den Unterton. »Und heute sind es die Röcke und Hosen in Paris, die von deinen Händen stammen«, erwiderte er sachlich.

»Noch nicht alle«, gab sie lächelnd zurück.

»Aber sehr, sehr viele.«

Sie nickte, stolz auf die Gegenwart, mit ihren Gedanken war sie jedoch in der Vergangenheit. Sie dachte an Étienne Balsan, dessen Hosen sie unzählige Male im Hinterzimmer des Maison Grampayre gesäumt oder mit neuen Knöpfen versehen hatte. Er war damals im Rahmen seines Militärdienstes in Moulins stationiert gewesen. Von dem Mann, der ihr vom Schloss in Royallieu den Weg nach Paris bereitet hatte, würde sie Dimitri jedoch nichts erzählen. Wenn ihm dieser Teil ihrer Vergangenheit nicht von einem wohlmeinenden Freund bereits zugetragen worden war, brauchte er nichts über ihre Beziehungen jener Zeit zu erfahren. Weder über Étienne, der durch eine Erbschaft reich geworden war, noch über die anderen Offiziere, die ihren Weg nicht nur als Kunden der Kurzwarenhandlung gekreuzt, sondern auch heimliche Besuche in ihrem Zimmer gemacht hatten. Gabrielle schämte sich nicht für die damals empfundene Freiheit, die manche als Leichtsinn bezeichnen mochten. Es erschien ihr jedoch nicht klug, einem Liebhaber etwas über seine Vorgänger preiszugeben.

»Sie haben Rennpferde, Monsieur?«

»Ja. Eine ganze Menge sogar. Ja. Und Poloponys besitze ich auch.«

»Sie Glückspilz!« Gabrielle mimte Begeisterung, obwohl sie nicht die geringste Ahnung von Pferden besaß. Sie reichte dem Kunden den Uniformrock mit dem gerade angenähten Knopf. Während sie mit dem Flickwerk beschäftigt war, hatte Étienne Balsan neben ihr gestanden und ihr zugesehen. Dabei hatte er von sich und seiner Leidenschaft erzählt.

»Möchten Sie mal beim Training zusehen, Mademoiselle?«

»Das wäre großartig.«

Sie verabredeten sich für den nächsten Tag. Nie zuvor war Gabrielle bei den Wiesen hinter dem Fluss gewesen. Wozu auch? Sie war froh, in einer Stadt zu sein, vor dem Landleben war sie ja geflohen. Doch hier sah es anders aus als in ihrer Heimat: Das zum Ufer abfallende Grün war sorgfältig gemäht, schneeweiße Koppelzäune umschlossen die Weiden, schlanke Rosse mit glänzendem Fell grasten seelenruhig in der Sonne. Die Szenerie wirkte so wohlhabend und gepflegt, dass Gabrielle einen tiefen Seufzer ausstieß. Es war herrlich! Und die Vollblüter führten zweifellos ein besseres Leben als die Waisenkinder in Aubazine oder anderswo.

»Einen Anblick wie diesen genieße ich das ganze Jahr über,

wenn ich zu Hause in Compiègne bin«, erzählte Étienne, während er den Arm um Gabrielles Schultern legte. »Wie wäre es? Würde Ihnen das auch gefallen?«

In diesem Moment wusste sie noch nicht, dass seine Einladung nur der Situation geschuldet und nicht wirklich ernst gemeint war. Aber sie wusste auch nicht, dass sie ihm eines Tages einfach in den Norden von Paris nachreisen würde. Sie wusste nur, dass diese Form des Landlebens sie glücklich machen könnte.

Die Zeit schien stillgestanden zu haben. In der Einkaufsstraße von Moulins hatte sich nichts geändert. Fasziniert und gleichsam abgestoßen schlenderte Gabrielle an Dimitris Seite an den vertrauten Schaufenstern entlang. Vor dem Maison Grampayre blieb sie stehen, legte ihren Kopf in den Nacken und deutete auf die kleinen Dachfenster einige Stockwerke über dem Geschäft. »Da oben wohnten Adrienne und ich. Es war unser erstes eigenes Reich, bevor wir uns ein Zimmer in einer anderen Gegend suchten.«

»Wieso lebte diese Adrienne in Moulins und nicht in Thiers?«

Geld, fuhr es Gabrielle durch den Kopf, es läuft immer wieder auf die finanziellen Mittel hinaus. Ihre Tante und Gefährtin war besser versorgt.

Sie antwortete: »Meine Großeltern gaben ihre jüngste Tochter zu den Stiftsdamen von Notre-Dame, weil das Institut einen guten Ruf hatte. Sie bezahlten für Adrienne. Dadurch war sie angesehener als ich, die eine Barmherzigkeitsschülerin war. Trotzdem standen wir uns vom ersten Moment an sehr nahe. Wir sind sogar zusammen als Gesangsduo aufgetreten.«

»Hier in Moulins?« Dimitri sah sich überrascht um, als könne er sich nicht vorstellen, dass in dieser spießbürgerlichen Welt ein Cabaret existiert hatte.

»Natürlich.« Gabrielle lachte. »Wohin hätten wir sonst gehen sollen? Paris war so fern wie der Mond.«

»Dann scheint dieser Ort ja doch nicht so langweilig gewesen zu sein.«

»Im Grand Café trafen sich Gott und die Welt. Na ja, überwiegend waren es die Offiziere aus der Garnison. Viele Orte, um sich zu amüsieren, gab es hier tatsächlich nicht – und ich nehme an, das hat sich auch nicht geändert. Das Grand Café ist ein schönes Lokal mit vielen Tischen, die schon vor zwanzig Jahren mit Telefonen ausgestattet waren, hohen Spiegeln und Decken. Adrienne und ich haben für die musikalische Unterhaltung gesorgt.«

»Ich verstehe. Ihr habt ›Qui qu'a vu Coco?‹ gesungen, nicht wahr?«, erinnerte sich Dimitri.

»Ja. Auch. Das Lied wurde zu einer Art Markenzeichen für mich …« Sie unterbrach sich, versank wieder in den Gedanken an die Erinnerung. »Genauso wie das Chanson von Ko-ko-ri-ko.« Sie sah ihm in die Augen. »So wurde aus Gabrielle schließlich *Coco*.«

»Hat Jacques Offenbach nicht auch eine Operette über einen Parfümeur geschrieben? Die Musik ergänzt dein Leben, *ma chère*.« Er nahm ihren Arm. »Wir sollten uns den Geburtsort von *Coco Chanel* ansehen. Ehrlich gesagt, jetzt habe ich Hunger.«

* * *

Am späten Abend trafen sie endlich in Paris ein. Inzwischen hatte wieder Schneeregen eingesetzt, der sie sogar bis in die Hauptstadt begleitete und vor den gelben Lichtern der Laternen tanzte. Dimitri lenkte den Rolls-Royce zur Place Vendôme und direkt vor den Eingang des Hôtel Ritz, doch Gabrielle stieg nicht aus. Auch als der Portier mit einem Schirm herbeieilte und ihren Schlag öffnete, blieb sie sitzen.

»Ich kann jetzt nicht allein sein«, sagte sie zu Dimitri. »Nicht nach den vielen Wochen mit dir. Wirst du heute Nacht bei mir bleiben?«

»Heute Nacht und jeden Tag, den du es wünschst.«

Sie nickte ernst. Dimitris Stimme klang wundervoll, regelrecht feierlich. Seltsamerweise legte sich dennoch ein Schatten über sie.

Und der verging auch nicht, als er sie später in den Armen hielt.

KAPITEL 14

Zwei Tage später fuhr Gabrielle mit Dimitri nach *Bel Respiro*. Nicht, dass sie die Absicht gehabt hätte, fortan in Garches zu bleiben. Die Nähe des Hôtel Ritz zu ihrem Atelier war unverändert verlockend. Aber sie wollte nach Hause zu ihren Hunden – und zu den Erinnerungen an Boy. Auch musste sie sich über kurz oder lang der Begegnung mit Igor Strawinsky stellen.

Doch ihr abgelegter Liebhaber war nicht da, wie ihr Joseph gleich bei der Begrüßung mitteilte. Zugegeben, sie vermisste ihn nicht sonderlich.

Es schien sich in dem Landhaus seit ihrer Abreise in den Süden nichts geändert zu haben: Jekaterina Strawinsky war meist bettlägerig, ihr Mann glänzte durch Abwesenheit, und die gemeinsamen Kinder tollten durch das Haus und den matschigen Garten, während das Dienerehepaar für einen reibungslosen Ablauf des Haushalts sorgte, für glitzernde Lüster an den Lampen und Folianten in den Regalen entstaubte. Dennoch fühlte sich Gabrielle nicht wohl in ihrem eigenen Zuhause. Ihr kam es vor, als wäre sie in den Hotels, in denen sie mit Dimitri logiert hatte, willkommener gewesen als in *Bel Respiro*. Das lag freilich nicht an ihren Gästen und schon gar nicht an den fleißigen Leclercs, auch nicht an dem neuen Mann, der nun bei ihr einzog. Es war die Aura des Anwesens, die ihr unbehaglich war. Wenn sie darüber nachdachte, war es eigentlich von Anfang an so gewesen: Sie hatte Boy zwischen diesen Wänden gesucht, gefunden hatte sie ihn nicht.

Als sie sich in dem Spiegel in ihrem Badezimmer betrachtete, sah sie Traurigkeit in ihren Augen schimmern. Wie albern, dass sie noch immer nicht über den Verlust dieses Mannes hinweggekommen war. Sie weinte viel zu viel über die Vergangenheit. Dabei öffneten sich gerade jetzt so viele Möglichkeiten für ihre Zukunft. Es gab so viel zu tun. Sie hatte endlich ihr Parfüm gefunden, doch die Duftkomposition allein genügte nicht, es musste auf den Weg in die Welt geschickt werden. Überdies begleitete ein liebevoller Gefährte ihr Leben, ihre Freunde freuten sich auf ein Wiedersehen, allen voran natürlich Misia. Sie war nicht allein. Warum fühlte sie sich dennoch so elend?

Sie fasste einen Entschluss, doch als sie ihn umsetzen wollte, begann sie zu zittern und musste sich zwingen, ihre Hände ruhig zu halten.

Es erschien ihr wie ein Frevel, Boys persönliche Sachen aus dem Regal neben dem Waschbecken zu räumen. Hier hatte sie eine Art Schrein für Boy geschaffen. Auf den Borden befanden sich persönliche Dinge, die er damals in *La Milanaise* zurückgelassen hatte: Ein Rasiermesser, der Pinsel mit den Dachshaaren, Flakons mit seinem bevorzugten Toilettenwasser, ein Seifenstück von Yardley und ein Kamm lagen griffbereit, als käme er jeden Moment zu ihr zurück. Auch ein altes Reisenecessaire von ihm sah sie vor sich. Die typischen Toilettenartikel eines Hausherrn, der nur kurz fortgegangen war – nicht für immer. Es fühlte sich grausam an, hier Platz für die Utensilien eines anderen zu schaffen. Als wollte sie die Erinnerung an Boy aus ihrem Leben tilgen. Sie gestand sich ein, dass diese Überlegung albern war. Aber es waren nun einmal vor allem diese kleinen Dinge, an denen ihr Herz hing, die materiellen Werte in ihrer Schmuckschatulle oder etwa in ihrem Salon waren ihr weitgehend gleichgültig.

In einem Anfall tiefster Verzweiflung hob Gabrielle die Hand, um Boys Sachen ein für alle Mal aus ihrem Leben zu verbannen. Sie wollte die Gegenstände hinwegfegen, zu Boden werfen.

Doch mitten in der Bewegung hielt sie inne.

Die Hand noch in der Luft, sah sie wieder in den Spiegel – und gewahrte eine Frau, aus der die Zerstörungswut sprach. Doch würde sie damit auch nur eine einzige schmerzvolle Erinnerung tilgen?

An jedem Gegenstand, der ihr von dem geliebten Mann geblieben war, hing eine Geschichte, ein gemeinsames Erlebnis. Sie würde diese Momente auch dann nicht aus ihrem Gedächtnis löschen, wenn sie zerstörte, woran sie sich sonst festhalten konnte. Es würde sie nur noch trauriger machen, wenn sie auch verlor, was ihn auf gewisse Weise für sie lebendig hielt.

Sie griff vorsichtig nach der kleinen Ledertasche. Es war wie ein Reflex, der sie das Necessaire an ihr Herz drücken und dann auf den breiten Rand des Porzellanbeckens wieder abstellen ließ. Der Kulturkoffer hatte ihn auf mancher Reise begleitet – nur nicht auf seiner letzten. Sie wusste gar nicht, wann er ihn durch einen neuen ersetzt hatte.

Durch einen Türspalt sah Gabrielle, wie Arthur Capel seine Sachen packte. Sie hatte es sich angewöhnt, ihre Augen und Ohren im Schloss von Royallieu so gut wie überall zu haben. Es war nützlich, so viel wie möglich über die Gäste zu erfahren, die Étienne beherbergte. Nicht, dass Gabrielle besonders neugierig gewesen wäre – sie interessierte sich für den Stil der Damen und den Geschmack der Herren aus den oberen Kreisen, sie wollte alles in sich aufsaugen, was sie von diesen ihr gesellschaftlich so überlegenen Herrschaften erfahren konnte, und es sich zunutze machen. Dass der attraktive Engländer mit den grünen Augen, die so klar und tief waren wie ein Bergsee, offensichtlich abreisen wollte, versetzte ihr einen Stich.

Vorsichtig trat sie mit der Fußspitze gegen die Tür. Sie schwang auf. Unwillkürlich blickte sich Gabrielle nach einem Diener um, doch der Gentleman packte seine Reisetasche erstaunlicherweise selbst. Sein Necessaire in der Hand, das er eben verstauen wollte, blickte er überrascht zu dem Eindringling auf.

Überflüssigerweise fragte Gabrielle: »Sie verlassen uns?« Gleichzeitig ärgerte sie sich, dass ihr nichts Intelligenteres zu sagen einfiel.

»Ja.« Er hielt ihren Blick fest. »Leider.«

»Wann fahren Sie?«

»Ich nehme den Frühzug nach Paris.«

»Dann muss ich jetzt auch packen.«

Ohne einen weiteren Kommentar wandte sie sich zum Gehen.

Boy erwiderte nichts.

Am nächsten Morgen trafen sie sich am Bahnhof.

Gabrielle löste die Kofferschnalle aus der Öse und öffnete das kleine Gepäckstück. Unverzüglich wehte ihr das unvergessene zitronige Aroma seines Parfüms entgegen: *Mouchoir de Monsieur*. Als Boy zu Étiennes Clique stieß, stand diese Kreation von Guerlain unter den Lebemännern hoch im Kurs. Ein Rest war in dem schneckenförmigen Flakon verblieben, der wie das übrige Sammelsurium von Glas- und Silbergefäßen in unterschiedlichen Formen und Größen auf rotem Samt gebettet war. Seine Bürste war noch vorhanden, ebenso der Rasierhobel und eine Reihe von Klingen, allein das zur Aufbewahrung seiner Uhr vorgesehene Fach war leer. Das Fehlen dieses persönlichen Gegenstandes traf Gabrielle ins Herz. Es verwunderte sie jedoch nicht, da sie annahm, dass Boy seine Uhr zu dem Zeitpunkt getragen hatte, als sich der Stundenzeiger seines Lebens aufgehört hatte zu drehen. Um sich von dem Schmerz abzulenken, hob sie die Fläschchen nacheinander aus ihren Halterungen, betrachtete sie kurz und legte sie wieder zurück.

Plötzlich stutzte sie.

Sie hielt eine eckige Apothekerflasche aus weißem Glas mit schmalem Hals in Händen, die verschlossen wurde von einem runden Stöpsel. Gabrielle hatte keine Ahnung, wofür Boy dieses Gefäß benutzt hatte, es enthielt nichts, nicht einmal ein bestimmtes Aroma, wie sie sogleich feststellte. Sie wünschte, sie hätte darauf geachtet, für welche Flüssigkeiten er es verwendet hatte. Ob für ein Medikament, eine Tinktur oder auch nur ein Haarwasser. Die Form sprach sie an, die Schlichtheit und die Verbindung von dem kantigen Unterbau zu dem runden Verschluss wirkten elegant und irgendwie ungewöhnlich. Ein unaufdringlicher, schöner Flakon – wie geschaffen für einen umso besonderen Inhalt.

Darauf bedacht, ihren Fund nicht fallen zu lassen, stellte sie das Fläschchen auf die Ablage unter dem Spiegel. Dann schloss sie das Reisenecessaire und legte es zurück an seinen ursprünglichen Aufbewahrungsort. Sie würde Joseph bitten, einen Beistelltisch oder ein Regal für Dimitris Kulturbeutel zu besorgen. Das Badezimmer war groß genug für ein zusätzliches Möbel. Ebenso wie für einen neuen Mann. Boys Utensilien sollten jedoch von beidem unangetastet bleiben.

Nur das Gefäß aus seinem Besitz würde einen neuen Platz finden. Sie verließ das Badezimmer und nahm den Flakon mit.

KAPITEL 15

Ein schüchternes Klopfen, Gabrielles »Herein!«, und dann erschien Jekaterina Strawinska im Salon.

Überrascht blickte Gabrielle von dem Stapel Papier auf, den sie auf ihren Knien balancierte. Sie saß auf einem Sofa, das Apothekerfläschchen aus Boys Reisenecessaire vor sich auf dem Tisch, daneben eine Tasse Tee und ein Teller mit Sandwiches, die Marie liebevoll zubereitet hatte, einen Bleistift in der Hand, mit dem sie Flakons und Etiketten skizzierte. Die Entwürfe mussten schnellstmöglich abgeschlossen werden, sie hatte schon viel zu viel Zeit seit ihrer Entscheidung für Ernest Beaux' fünfte Probe auf Reisen vertrödelt. Die Herstellung der Verpackung dauerte eine Weile, das hatte man ihr bei Chiris in La Bocca ausdrücklich gesagt. Und wenn sie sich richtig erinnerte, hatte auch François Coty eine entsprechende Bemerkung gemacht. Daher hatte sie sofort nach ihrem Fund im Badezimmer angefangen und wollte eigentlich nicht gestört werden. Dass sich Igor Strawinskys Frau dazu aufraffte, ihr einen Besuch abzustatten, war jedoch zu ungewöhnlich, um verärgert zu reagieren.

Obwohl Jekaterina die meiste Zeit in ihrem Zimmer blieb, sah sie deutlich besser aus als bei Gabrielles erster Begegnung mit ihr. Die ehemalige Tänzerin war natürlich eine zarte Person, aber sie wirkte nicht mehr ganz so zerbrechlich wie noch vor einem Jahr. Sie war nach wie vor schwach und ihre Haut durchscheinend, doch nicht mehr bleich. Ihr langes, zu einem Zopf geflochtenes und um den Kopf gelegtes Haar besaß sogar ein wenig Glanz. Maries gute Küche trug gewiss ebenso wie die funktionierende Heizung dazu bei, dass sich Strawinskys Frau erholt hatte. Hinzu kamen die Konsultationen bei einem Lungenfacharzt, dessen Rechnungen Gabrielle bezahlte und die offensichtlich erfolgreich verliefen. Dennoch sah sie deutlich älter aus als die zwei Jahre, die sie von Gabrielle trennten.

»Darf ich Sie kurz sprechen?«

Gabrielle schob die Entwürfe zusammen und legte sie auf den Tisch, den Bleistift darauf. Ihr war unbehaglich zumute. Wollte Jekaterina über Igor reden? Das Ehepaar war Cousin und Cousine, kannte sich ein Leben lang. Er hatte Gabrielle gesagt, dass er seiner Frau alles anvertraute. Kam sie nun zu ihr, um für den einstigen Geliebten, ihren Mann, zu werben? Gabrielle dachte, dass sie sich nie auf die Affäre mit dem Musikgenie hätte einlassen dürfen. Alles, was mit diesem Mann zusammenhing, war einfach zu anstrengend.

Mit einem freundlichen Lächeln kam sie ihren Gastgeberpflichten nach. »Setzen Sie sich zu mir. Möchten Sie auch einen Tee?«

»Ich wollte Sie nicht stören …« Verlegen rang Jekaterina die Hände.

»Das haben Sie bereits getan. Deshalb sollten wir es uns gemütlich machen.«

»Ja, dann …« Jekaterina sprach ihren begonnenen Satz wieder nicht zu Ende. Aber sie nahm auf einer Sesselkante Platz.

Gabrielle hob die kleine Glocke von dem Couchtisch und klingelte nach Joseph. Sie bestellte eine zweite Tasse und Schnittchen für Jekaterina, obwohl diese nicht sagte, ob sie das wolle. Als ihr Diener gegangen war, faltete Gabrielle die Hände in ihrem Schoß, um Geduld zu demonstrieren. Es war nur allzu deutlich, dass das Gespräch schwierig werden würde.

»Ich freue mich, dass Sie mir Gesellschaft leisten«, behauptete sie, während sie einen verstohlenen, sehnsuchtsvollen Blick auf ihre Zeichnungen warf.

Jekaterina zögerte, dann brach es aus ihr heraus: »Es ist mir wichtig, dass Sie von den Veränderungen durch mich erfahren und nicht von einem Dritten. Eigentlich sollte Monsieur Strawinsky mit Ihnen sprechen, aber Sie haben ihn gerade verpasst. Er ist gestern nach Paris gefahren.« Das Reden strengte sie an. Sie atmete schwer.

»Das ist natürlich schade«, räumte Gabrielle ein, obwohl sie sich der Konfrontation gern noch eine Weile entzog. »Aber es wird sich gewiss bald die Gelegenheit zu einer … Aussprache ergeben.«

»Ja. Natürlich. Das wird es bestimmt.« Die Kranke schlug sich die Hand vor den Mund und hustete.

Es war offensichtlich, dass Jekaterina sehr aufgewühlt war. Und in dem Moment, in dem Joseph ein Tablett mit der zweiten Teetasse und einem Teller mit weiteren Sandwiches brachte, begriff Gabrielle, warum.

Sie war fest davon überzeugt, dass die arme Frau befürchtete, das Dach über ihrem Kopf zu verlieren. Als wenn Gabrielle sie und ihre Kinder einfach vor die Tür setzen wollte, weil sie sich für einen anderen Mann als Igor Strawinsky entschieden hatte.

Gabrielle schickte ihren Diener mit einer kleinen Handbewegung hinaus und beugte sich vor, griff nach der Teekanne und schenkte der anderen ein. Sie wartete, dass Jekaterina ihre Sorgen in Worte fasste, doch nichts geschah.

Nach einer Weile hob Gabrielle an: »Sie sind und bleiben mir ein gerngesehener Gast, Jekaterina.«

»Was?« Sie sah sie bestürzt an.

»Es liegt mir nichts ferner, als Sie aus dem Haus zu weisen, nur weil …«

»O nein!«, rief Jekaterina erschrocken aus. Sie gestikulierte hektisch, während sie sprach, ihre Hände flatterten wie aufgeregte Schmetterlinge umher und verschütteten beinahe den Tee. »Nein, nein, nein. So etwas Niederträchtiges würde ich Ihnen nie unterstellen. Sie waren so gut zu uns wie niemand zuvor, seit wir Russland verlassen mussten.«

Verwirrt durch ihren Irrtum wartete Gabrielle stumm ab.

»Monsieur Strawinsky … Igor … Er liebt eine andere Frau!« Nach dieser Feststellung sackte Jekaterina in sich zusammen, als habe sie all ihre Kraft für diesen einen Moment aufgespart und nun verloren.

Gabrielle war baff. Die Neuigkeit traf sie völlig unvorbereitet. Sie hatte erwartet, dass Igor Strawinsky nach dem Ende ihrer Affäre zurück zu seiner Frau fand. Er war schließlich ein Familienmensch, daran hatte er niemals einen Zweifel gelassen. Dass er sich so rasch eine neue Geliebte suchte, störte sie maßlos. Sie empfand es als Verrat. Nicht an sich persönlich, sondern an Jekaterina, seinen Kindern – und letztlich auch an ihrer Gastfreundschaft. Erwartete er womöglich, dass sie noch eine Person in ihrem Haushalt aufnahm? Ihre Verwunderung verwandelte sich langsam in Ärger.

In dem Salon herrschte bedrückende Stille. Nur das leise Klirren des Porzellans war zu hören, Jekaterinas rasselnder Atem, irgendwo im Haus bellten die Hunde, die Kaminuhr tickte. Für Gabrielle, die harmonisches Schweigen sehr schätzte, wurde diese angespannte Ruhe zu einer Belastungsprobe. Ihre Ungeduld begann die Oberhand zu gewinnen.

»Um wen handelt es sich?«, wollte sie schließlich wissen. »Kenne ich die Dame?«

Jekaterinas blasse Wangen röteten sich. »Ich nehme an, dass Sie sich schon einmal begegnet sind. Monsieur Strawinsky hat sich in Vera verliebt, die Frau von Sergej Sudeikin. Er will, dass sie sich scheiden lässt.« Ihre letzten Worte wurden begleitet von einem leisen Röcheln. Endlich griff sie nach ihrer Tasse, um den Husten mit dem Tee hinunterzuspülen. Anschließend fügte die betrogene Ehefrau hinzu: »Madame Sudeikina hat

Igor die Karten gelegt. Sie sagt, die Karten lügen nicht. Das tun sie wirklich nicht, glaube ich. Und es steht darin, dass sie füreinander geschaffen sind – bis in den Tod.«

»Die Karten lügen vermutlich nicht«, murmelte Gabrielle betroffen. Sie war zwar ausgesprochen abergläubisch, aber in diesem Fall wollte sie nicht so recht an höhere Mächte glauben. Vielmehr fürchtete sie, dass Vera Sudeikina ein wenig nachgeholfen hatte. Gewiss war sie der Anziehungskraft des Komponisten erlegen und versuchte nun mit allen Mitteln, ihn an sich zu binden. Und Gabrielle kannte Strawinsky gut genug, um zu wissen, dass er darauf hereinfiele. Andererseits war ihm eine vor Lebenslust sprühende Person sicher eine bessere Partnerin als die meist bettlägerige Jekaterina. Sie war Vera Sudeikina ein- oder zweimal bei Djagilew begegnet, eine schöne Frau, eine, die die russische Seele verstand. Aber auch eine, die anscheinend genau wusste, was sie wollte.

»Vielleicht lügen die Karten doch«, konstatierte Gabrielle plötzlich. »Man sollte sich nie nur auf eine einzige Meinung verlassen.«

Ein feines Lächeln glitt über Jekaterinas Gesicht. »Monsieur Strawinsky ist ganz vernarrt in den Gedanken, dass wir alle zusammenleben ...«

»Oh!«

Ungeachtet Gabrielles Einwurf fuhr die Gattin fort: »Er kann nicht ohne seine Kinder sein. Und er ist so anständig zu mir. Er möchte mich nicht verlassen.«

Wenigstens das, dachte Gabrielle grimmig. Während sie

überlegte, wo sie Vera Sudeikina in diesem Haus unterbringen könnte und ob sie diese *ménage à trois* überhaupt unterstützen wollte, sprach Jekaterina weiter. Doch Gabrielle war zu sehr mit den eigenen Gedanken beschäftigt, um dem mit keuchendem Atem hervorgestoßenen Monolog zu lauschen. Erst als ein ihr wohlbekannter Ortsname fiel, horchte sie auf.

»Was wollen Sie in Biarritz?«, entfuhr es ihr.

Jekaterina sah sie irritiert an. »Darf ich bitte noch etwas Tee haben?« Ihre Stimme klang heiser.

»Wie unaufmerksam von mir. Verzeihen Sie.« Gabrielle beeilte sich, ihr nachzuschenken.

Jekaterina nahm hastig einen Schluck. Nun erklärte sie klar und mit festem Tonfall: »Monsieur Strawinsky möchte mit uns allen nach Biarritz ziehen. Er sagt, das Klima dort wäre das beste für meine Lungen.«

»Meinen Sie *umziehen*?«

»Igor will ein Haus für die Kinder, für mich und seine neue Partnerin an der Atlantikküste suchen. Sie verstehen das, nicht wahr? Er ist so ein Familienmensch.«

Was für eine Überraschung. In ihrer Abwesenheit schien sich allerlei zugetragen zu haben, dachte Gabrielle. Ihr ehemaliger Geliebter schmiedete Pläne mit einer anderen, die seine Frau ohne Widerspruch akzeptierte. Das klang nach Harmonie und kam Gabrielles Bedürfnissen durchaus entgegen. Dennoch kostete es sie einige Mühe, ihre Fassung zurückzugewinnen. Es war tatsächlich gut, dass Jekaterina ihr von den Veränderungen erzählte. Wäre es Misia, sie würde ihr nicht glauben. Selbst Strawinskys Worte würde sie in Zweifel ziehen und für den blinden Eifer eines liebenden Mannes halten. Durch Jekaterina bekam die Geschichte eine andere Dimension.

Gabrielle beugte sich vor und ergriff Jekaterinas kalte Hände. »Ich danke Ihnen für Ihre Offenheit und wünsche Ihnen für die Zukunft alles Glück. Wenn ich für Sie da sein kann, Jekaterina, werde ich zur Stelle sein. Darauf können Sie sich verlassen.«

»Da wäre noch etwas ...« Jekaterina senkte beschämt die Lider.

»Ja?«

»Der Scheck ...« Plötzlich wich die Zuversicht in Jekaterinas Miene purer Verzweiflung. Sie schluckte. »Ich weiß, dass Sie Monsieur Strawinsky jeden Monat einen Scheck ausstellen. Wäre es möglich, dass Sie ihm diesen Kredit weiterhin gewähren? Ich meine, über unseren Umzug nach Biarritz hinaus.«

Gabrielle lächelte. »Ich hänge nicht am Geld – und ich habe ziemlich viel davon. Seien Sie unbesorgt, ich werde weder Sie noch Igor jemals vergessen.«

Zu Gabrielles größter Bestürzung sprang Jekaterina auf, um vor ihr auf die Knie zu fallen.

KAPITEL 16

Es war für Marija Pawlowna Romanowa absolut unverständlich, wie ihr Bruder so viele Wochen in Südfrankreich turteln konnte, während sich in ihrer Heimat eine neue Revolution anbahnte. In den Emigrantenkreisen zwischen Berlin und London wurde über nichts anderes gesprochen als über die Nachrichten von Unruhen, die bereits seit Februar andauerten. Hungersnöte und Unzufriedenheit mit den regierenden Bolschewiki führten zu Streiks der Arbeiter und dem Matrosenaufstand in der Festung Kronstadt vor Petrograd. Die Menschen forderten Neuwahlen, Rede- und Pressefreiheit, die Beseitigung der Privilegien für Parteimitglieder, Gleichheit bei der Lebensmittelzuteilung, die Möglichkeit für Handwerker, eigene kleine Betriebe zu gründen, und die Verfügungsfreiheit der Bauern über ihr Land.

Zwar war der Matrosenaufstand von der Roten Armee blutig niedergeschlagen worden, doch die Hoffnung auf eine Rückkehr nach Russland erfasste die Flüchtlinge in Paris wie eine Welle und riss selbst die größten Skeptiker mit sich. Es wurde von einer neuerlichen Inthronisation der Romanows in einem demokratisch-parlamentarischen Russland gesprochen, ähnlich dem Vorbild der britischen Krone. Das war der Moment, in dem Dimitri seine Ansprüche anmelden sollte. Doch der war mit Coco Chanel auf Reisen. Seine Anhänger mussten sich gedulden, bis er wieder in Paris weilte.

Marija hasste nichts so sehr wie Untätigkeit. Die Lethargie ihres damaligen Mannes war der Grund, warum sie vor acht Jahren einen Skandal riskierte und sich von Prinz Wilhelm von Schweden scheiden ließ, sogar die Trennung von ihrem damals erst vierjährigen Sohn Lennart nahm sie für ein selbstbestimmtes, freies Leben in Kauf. Sie hatte sich nie darauf verstanden, die Hände ruhen zu lassen wie andere Prinzessinnen. In Stockholm erzwang sie von ihrem Schwiegervater, dem König, die Erlaubnis, die Kunstgewerbeschule zu besuchen, sie bildete sich im Zeichnen weiter, lernte alles über Fotografie. Als nach ihrer Heimkehr an den Zarenhof der Große Krieg ausbrach, meldete sie sich sofort als Krankenschwester an die Front. Trotz vieler schlechter Erfahrungen glaubte sie unverändert an die Liebe und heiratete kurz vor Ausbruch der Oktoberrevolution den Fürsten Sergej Michajlowitsch Putiatin. Doch auch auf dieser Ehe lag kein Glück. Jedenfalls nicht das, das sie sich erhofft hatte. Sie gebar einen Sohn, aber auch diesen musste sie auf der Flucht in Bukarest bei ihren Schwiegereltern zurücklassen, er starb kurz darauf. Mit ihrem Gemahl ging sie nach London, dann nach Paris. Wie sich zeigte, war Sergej unfähig, sich der Realität anzupassen und Geld zu verdienen. Marija verkaufte ihren Schmuck, um zu überleben, und nähte und stickte, wann immer ihr jemand ein Modell abkaufte. Viel verdiente sie nicht, aber ihre Tatkraft blieb trotz der Rückschläge ihr zuverlässigster Motor.

Pünktlich zur Feier ihres einunddreißigsten Geburtstages in einem kleinen Kreis russischer Freunde war Dimitri zwar wieder in Paris aufgetaucht, aber es hatte sich keine Gelegenheit ergeben, ihn zur Seite zu nehmen. Dabei musste sie ihren Bruder dringend sprechen, um ihm zu berichten, dass nicht nur er als neuer Zar im Gespräch war, sondern auch ihr Cousin Kyrill Wladimirowitsch und ihr Onkel Nikolai Nikolajewitsch. Sie war überzeugt davon, dass er noch nichts davon wusste, weil der Kreis französischer Künstler, mit dem er sich neuerdings umgab, sicher keine Ahnung davon hatte – oder sich schlichtweg nicht für Politik interessierte. Die konservativste Gruppierung der Auslandsrussen setzte auf Kyrill, was gewiss auch am legendären Ehrgeiz seiner verstorbenen Mutter lag; die modernen Exilanten indes wollten Dimitri auf dem Thron wissen. Für Marija stand außer Frage, dass Dimitri unverzüglich Kontakt zu seinen Anhängern aufnehmen musste, um seinen Thronanspruch zu manifestieren.

Als sie im endlich frühlingshaften Paris nach einem Taxi Ausschau hielt, um sich zu einer Verabredung mit Dimitri im Ritz zu begeben, war sie sich bewusst, dass sie mehr einer Bäuerin glich als einer Großfürstin. Sie hatte nie gelernt, sich die Haare vorteilhaft aufzustecken oder sich selbst anzukleiden. Mangels einer Zofe legte sie seit ihrer Flucht aus Petrograd nicht mehr besonders großen Wert auf ihr Aussehen, blickte nicht einmal regelmäßig in den Spiegel, sondern nahm ihre Garderobe wie auch ihre Frisur als lästige Notwendigkeit, die schon irgendwie passte. In nobler Umgebung war ihre mangelnde Eitelkeit jedoch fehl am Platz, das war ihr durchaus bewusst.

Und offenbar hielt ihr Äußeres die Pariser Taxifahrer davon ab, sie aufzunehmen. Die Chauffeure fuhren trotz ihres eifrigen Winkens mit einem Achselzucken an ihr vorüber. Anscheinend trauten ihr die Männer nicht zu, dass sie genug Geld besaß. Wenn die wüssten!

In ihrer Tasche befanden sich die Perlen ihrer Großmutter. Die atemberaubend schönen, langen Ketten der Zarin Maria Alexandrowna hatte Marija heimlich in Besitz nehmen und außer Landes schaffen können. Wie ihre eigenen Juwelen. Doch im Gegensatz zu ihrem persönlichen Schmuck hatte sie sich bislang gescheut, das wertvolle Erbe zu Geld zu machen. Jetzt war es ihrer Ansicht nach an der Zeit, die sogenannten Romanow-Perlen dem Zarewitsch zu übergeben. Es konnte gut sein, dass Dimitri die kostbaren Schnüre brauchte, um die Durchsetzung seines Thronanspruchs zu finanzieren.

Endlich hielt ein Wagen neben ihr an.

»Wohin, Mütterchen?«, fragte der Fahrer mit deutlich slawischem Akzent.

Die Anrede entsetzte Marija. Sie musste sich wohl tatsächlich mehr um Äußerlichkeiten als um Politik kümmern. Als sie ihr Ziel angab, legte sie ihre kaiserliche Überheblichkeit in ihren Ton: »Bringen Sie mich ins Hôtel Ritz an der Place Vendôme.«

»*Bosche moj!*« Der Chauffeur, von dem Marija bisher nur den Hinterkopf gesehen hatte, wandte sich zu ihr um. »Mein Gott!« Er bekreuzigte sich nach orthodoxer Art. »Kaiserliche Hoheit, es ist mir ein Vergnügen, Sie fahren zu dürfen.«

»Vielen Dank«, erwiderte Marija automatisch. Doch dann erkundigte sie sich vorsichtig: »Kennen wir uns?« Dabei erübrigte sich die Frage eigentlich. Denn wenn der Russe sie sogar durch den Rückspiegel und in ihrer schlichten Montur erkannte, mussten sie sich in der Vergangenheit mindestens einmal persönlich begegnet sein. Fotografien, die von ihr kursierten, zeigten sie stets nur in glanzvoller Aufmachung.

»O ja. Es war auf einem Ball im Alexanderpalast. Mir wurde sogar die Ehre zuteil, mit Ihnen zu tanzen. Und dann sahen wir uns fünfzehn im Lazarett in Pskow wieder. Ich habe Ihnen mein Leben zu verdanken.«

Marija schämte sich, aber sie erinnerte sich nicht an das freundliche, von Falten zerfurchte Gesicht des Mannes. Um ihn nicht zu enttäuschen, nickte sie trotzdem.

Er durchschaute sie. »Ich bin Fürst Paul Nikolajewitsch Soljaschin«, stellte er sich vor. »Aber das sieht man mir heute nicht mehr unbedingt an.«

Mir sieht man die Großfürstin auch nicht mehr unbedingt an, fuhr es Marija durch den Kopf. Gleichzeitig setzte sich ein Rädchen in ihrem Hirn in Bewegung. Vor ihrem geistigen Auge tauchte das Bild eines strahlenden, jugendlichen Helden auf. Traurig, wie stark ihr Landsmann in der Emigration gealtert war. Unwillkürlich verglich sie ihn mit ihrem gutaussehenden Bruder, der sich seine Attraktivität bewahrt hatte.

»Ja«, bestätigte sie sanft, »ich erinnere mich an Sie, Fürst Soljaschin. Aber jetzt sollten Sie losfahren, sonst komme ich zu spät zu meiner Verabredung.«

Während er das Gaspedal durchtrat, fragte sie sich, wie viel Trinkgeld sie einem Herrn aus ihren Kreisen geben sollte. Ihren alten Kreisen.

KAPITEL 17

Natürlich war Misia ihre erste Besucherin. Als sich herumsprach, dass Gabrielle wieder in Paris weilte, stand die Freundin – wie immer unangemeldet – in ihrem Atelier. Ihre Einmischung in Gabrielles Privatleben kommentierte sie mit keinem Wort. Sie benahm sich, als habe es das Telegramm an Strawinsky nie gegeben. Und Gabrielle tat ihr den Gefallen, die Sache unter den Tisch fallenzulassen. Misia hätte ohnehin jede Beteiligung an der Intrige abgestritten, daran bestand für Gabrielle kein Zweifel. Also erübrigte sich jedes Gespräch darüber. Sie umarmte sie so herzlich, als wäre nichts gewesen.

»Ich möchte alles wissen«, flötete Misia und warf ihren Mantel mit einer eleganten, nachlässigen Geste über die Lehne eines Sessels. »Du musst mir alles über deine Reise und über deinen Großfürsten erzählen.«

»Nimm bitte Platz«, sagte Gabrielle schmunzelnd, doch Misia hatte sich bereits gesetzt.

»Wie geht es Dimitri Pawlowitsch?«

Gabrielle ließ sich neben ihrer Freundin auf dem Sofa nieder und zündete sich eine Zigarette an. »Ich hoffe, dass es ihm gutgeht.« Mit jedem Wort stieß sie kleine Rauchwölkchen aus. »Er ist nach Berlin gefahren, um sich mit ehemaligen hochrangigen Militärs zu treffen. Ich habe keine Ahnung, warum die russsischen Generäle alle nach Deutschland ins Exil gegangen sind, aber dort wird wohl schon seit Wochen über eine Neuordnung in Russland diskutiert.«

»Heißt das, dass er seinen Anspruch auf den Thron angemeldet hat?« Misia schnappte vor Aufregung nach Luft.

»Ja. Natürlich hat er das.«

Misia klatschte in die Hände. »Meine Güte, wenn ich mir vorstelle, dass ich dir beim Aussuchen helfen durfte, als du ihm neulich eine anständige Kollektion Seidenkrawatten bei Hermès gekauft hast! Schlipse für den Zaren – das wäre ein origineller Titel für meine Memoiren.«

»Du kommst wirklich auf Ideen, Misia«, lachte Gabrielle und verzieh Misia in diesem Moment die Intrige noch einmal. »Ich habe dich vermisst.«

»Sechs Wochen Urlaub. Du musst verrückt gewesen sein. Ist dir nicht furchtbar langweilig geworden?«

»Überhaupt nicht.« Gabrielles Lachen verwandelte sich in ein stilles Lächeln. Sie dachte einen Moment lang zurück, dann wiederholte sie: »Nein, wirklich nicht. Es ist sehr angenehm, mit Dimitri zu reisen. Wir verstehen uns gut. Auf gewisse Weise ergänzen wir uns sogar. Er ist ein wunderbarer Freund.«

»Mehr nicht?« Misia klang enttäuscht. »Dabei wollte ich gerade mit dir darüber reden, was ich bei seiner Krönung trage. Die dann natürlich auch deine Krönung sein dürfte. Hat er dir schon einen Antrag gemacht?«

»Hör auf mit diesem Unsinn!«

»Also hat er dich noch nicht gefragt«, konstatierte Misia. »Nun ja, er sollte es tun. Eine Frau wie dich hat man im Winterpalast noch nicht gesehen, Coco. Das wird ein herrlicher Spaß.«

Dimitris Abreise nach Berlin war so überstürzt geschehen, dass Gabrielle noch gar keine Zeit hatte, über die Folgen seiner Konferenzen nachzudenken. Was wäre, wenn er tatsächlich der Nachfolger des unglücklichen Zaren Nikolaus II. werden würde? Sicher, sie hatte hin und wieder davon geträumt, seine Frau zu werden. Aber waren diese Träume nicht aus der Sorglosigkeit ihrer romantischen Stimmung in Südfrankreich geboren? In Paris, inmitten ihres Alltags, schien ihre Position wie von selbst wieder geradegerückt worden zu sein. Inzwischen erwartete Gabrielle nichts von Dimitri, am allerwenigsten einen Heiratsantrag.

»Wir werden sehen, welche Nachrichten Dimitri aus Berlin mitbringt«, versuchte Gabrielle, die Begeisterung ihrer Freundin zu dämpfen. »Seine Abreise verlief so hastig, weil er nicht der einzige Thronanwärter ist. Ein ehrgeiziger Cousin namens Kyrill scheint ihm im Wege zu stehen, und der wohnt im Deutschen Reich. Kyrill ist mit einer Prinzessin von Sachsen-Coburg und Gotha verheiratet, das Paar floh mit seinen Kindern vor den Bolschewiki zu seinen Schwiegereltern nach Coburg. Er hat es wohl nicht so weit nach Berlin wie Dimitri.«

»Seit der Ermordung des Zaren sprach meine Tante Maria Pawlowna von nichts anderem, als dass ihr ältester Sohn die Nachfolge antreten soll«, erklärte Dimitri, als er neben Gabrielle auf der Rückbank eines Automobils saß. Ein Chauffeur fuhr sie zur Gare du Nord, wo Dimitri den Zug nach Berlin nehmen wollte, und Gabrielle ließ sich eine rührende Abschiedsszene nicht nehmen. »Kyrill hat sich kurzfristig sogar auf die Seite der Roten geschlagen. Es ist sicher bedauerlich, dass Tante Maria die aktuelle Entwicklung nicht mehr erlebt hat. Sie wäre sehr glücklich darüber, aber sie hätte mir das Leben deutlich schwerer gemacht, als es allein durch die Erinnerung an sie schon ist.«

Der Name brachte in Gabrielle eine Saite zum Klingen. »Maria Pawlowna?«, wiederholte sie nachdenklich. »Meinst du die Großfürstin, die so eng mit Djagilew verbunden war?«

»Sie schenkte ihm ihr parfümiertes Taschentuch – ja.« Dimitri lächelte trotz der Anspannung, die ganz offensichtlich auf ihm lastete. »Wir sprachen damals in Venedig über sie. Durch meine Tante hast du indirekt den Duft Bouquet de Catherine *kennengelernt.«*

»Die Familienverhältnisse der Romanows sind so herrlich verzwickt«, sagte Misia und kicherte. »All diese Intrigen und

Mesalliancen. Unser Freund Marcel Proust sollte einen Roman darüber schreiben, sofern er jemals die verlorene Zeit findet.« Sie amüsierte sich köstlich über ihren Witz, der auf den Romanzyklus des Schriftstellers abzielte, den er seit einigen Jahren in verschiedenen Teilen herausbrachte und noch nicht abgeschlossen hatte.

»Auch mich faszinieren die Geschichten aus dem alten Russland. Ich trage mich sogar mit dem Gedanken, für meine nächste Kollektion Anleihen bei der slawischen Kultur zu nehmen. Kosakenhemden, Stickereien – so etwas.«

»Aber bitte keine Troddeln«, begehrte Misia auf. Sie gestattete sich eine wegwerfende Handbewegung. »Ich kann mir zwar überhaupt nicht vorstellen, wie ausgerechnet du diese Art der Folklore präsentieren möchtest, aber du sprachst bereits davon, und gut, ich lasse mich überraschen. Bis zu deiner nächsten Kollektion ist noch ein Jahr hin. Wer weiß, was bis dahin alles passiert. Zunächst einmal wolltest du den Parfümeur der Romanows in Cannes treffen, wenn ich mich recht entsinne. Bist du in Sachen *Eau de Chanel* weitergekommen?«

»O ja!« Gabrielle drückte den Zigarettenstummel in einem Aschenbecher aus und stand auf, um an ihren Schreibtisch zu treten.

Sie öffnete eine Schatulle und entnahm dieser eine mit einem Korken verschlossene Phiole, in der eine goldgelbe Flüssigkeit schimmerte. In ihren braunen Augen tanzten strahlende Punkte wie Sterne am dunklen Himmel, als sie die Kostbarkeit betrachtete. Sie schwenkte das Glasröhrchen leicht hin und her, bevor sie es Misia brachte und öffnete. Sofort verbreitete sich das süßlich-würzige Aroma des Parfüms.

»*Mon dieu!*«, entfuhr es Misia. »Was für ein Duft! Coco – er ist herrlich!«

Gabrielle nickte stolz. Sie tropfte einen Hauch der Essenz auf Misias Handgelenk. Dann senkte sie ihre Nase über das Fläschchen und sog die Mischung der achtzig verschiedenen Ingredienzien tief ein. Es war vollkommen gleichgültig, wie oft sie an dieser Probe schnupperte, sie entdeckte immer wieder eine neue Nuance. Es war wie eine nie endende Begegnung ihrer Sinne mit absoluter Vollkommenheit.

»Darf ich vorstellen?«, sagte sie feierlich. »*Chanel No 5.*«

»Eine Zahl als Namen?« Misia nuschelte, weil sie ihren Arm vor ihr Gesicht hielt, um den Duft in seiner Entfaltung einzuatmen. »Warum nicht?« Offensichtlich war sie mit Gabrielles Entscheidung einverstanden, denn sie insistierte nicht. Stattdessen meinte sie: »Aber du wirst diesen wundervollen Duft doch wohl nicht in diesem Gefäß aus dem Chemielabor vertreiben wollen. Das ist so unromantisch. Und elegant ist es auch nicht. Eher abschreckend.«

»Natürlich nicht«, sagte Gabrielle. Sie verschloss die Phiole wieder mit dem Korken und legte sie zurück in die sichere Dunkelheit der Schatulle. »Meine Entwürfe für den Flakon orientieren sich an einem Fläschchen aus Boys Reisenecessaire. In der Glasmanufaktur Brosse wird bereits an der Umsetzung gearbeitet.« Sie entnahm ihrem Schatzkästlein ihr Fundstück aus dem Badezimmer.

Misia war inzwischen neben sie getreten und blickte ihr neugierig über die Schulter. »Wie ungewöhnlich!«, kommentierte sie die eckige Flasche mit dem runden Stöpsel. »Sehr schlicht und elegant. Dadurch sticht der Flakon aus der Masse heraus. Der Jugendstil hat sich von den Duft- und Kosmetikverpackungen ja noch immer nicht verabschiedet. Eine bemerkenswerte Idee, Coco. Du widersprichst wieder einmal der gängigen Linie. Aber das ist ja dein Markenzeichen.«

»François Coty hat gesagt, ein Parfüm darf man nicht nur riechen, man muss es auch sehen. Er ist ein Meister. Zweifellos mein Mentor.«

»Übergibst du dem Napoleon der Kosmetikindustrie die Herstellung?«

»Nein. Das kann ich nicht, selbst wenn ich es wollte. Ernest Beaux, mein Parfümeur, arbeitete in Moskau für Rallet und ist nun als technischer Direktor bei Chiris angestellt. Ehrlich gesagt finde ich ein kleines Unternehmen für meine Ansprüche ohnehin besser. Es soll ja gar keine so große Auflage von *Chanel No 5* hergestellt werden, dass sich der Aufwand für eine Fabrik im Ausmaß der Coty-Werke lohnen würde.«

»Sehr weise.« Misia nickte. »Über kurz oder lang würde dir der charmante François sicher jede Eigenständigkeit absprechen. Coty ist ein Despot, etwas anderes kann man über ihn nicht sagen. Aber ein netter Diktator – und ein kluger. Das muss man ihm zugestehen. Du solltest jeden seiner Ratschläge beherzigen.«

»Das habe ich vor.«

Misia neigte den Kopf: »Was ist mit der Verpackung? Diese hübsche kleine Flasche benötigt einen Karton mit einem Schriftzug.«

»Ich habe noch keine Idee. Jedenfalls möchte ich keine Jungfrauen, die Destillationsgefäße in Händen halten, auf der Schachtel haben.«

»Du wirst dich mit einem Entwurf beeilen müssen. Die Herstellung der Verpackung dauert sicher ebenso lange wie die Arbeit der Glasbläser.«

»Ich weiß«, seufzte Gabrielle. Sie legte das Apothekerfläschchen zurück in die Schatulle und schloss sorgfältig den Deckel.

Als ihre Hände wieder frei waren, griff sie sofort nach Zigaretten und Feuerzeug. Sie bot Misia davon an, aber die schüttelte den Kopf, das Handgelenk wieder unter der Nase. Nachdem sie sich eine Zigarette angezündet hatte, gestand Gabrielle: »Leider fällt mir nichts ein, und je mehr ich mit mir hadere, desto leerer ist mein Kopf.«

»Hm«, machte Misia, schloss ihre Augen und sog den Duft ein. »Aus welchen Blüten besteht dein *Eau de Chanel* – pardon, *Chanel No 5*?«

»Jasmin …«, hob Gabrielle an, doch Misia unterbrach sie, bevor sie mit ihrer Aufzählung fortfahren konnte: »Wunderbar! Das sind weiße Blüten. Ich finde, das spricht für einen weißen Karton. Und dazu eine schwarze Schrift …«

»Weiß. Schwarz. Ja, das sind meine Farben.«

»Eben. Coco, diese Kombination entspricht genau deinem

Stil. Warum sonst hast du dein Haus weiß und die Fensterläden schwarz streichen lassen?«

»Schwarz auf weiß«, wiederholte Gabrielle nachdenklich. »Ist das verführerisch? François Coty hat mich immer wieder darauf hingewiesen, dass ein Parfüm verführen soll ...«

»Oh, das tut es ganz gewiss«, versicherte Misia.

»Er meinte auch die Verpackung, Misia.« Gabrielle runzelte die Stirn. »Schwarz auf weiß. Ich bin mir nicht sicher, aber ... Ja, es könnte wohl gehen. Natürlich darf das Päckchen nicht wie eine Tablettenschachtel aussehen. Doch aus einem sehr hochwertigen Material und mit einem eleganten Logo ist es sicher perfekt.« Sie lächelte Misia durch den Rauch ihrer Zigarette an. »Und Perfektion ist das Einzige, was wir akzeptieren. Auch so ein Satz von unserem Freund.«

»*Chanel No 5*, Coco Chanel, *Chanel No 5* ...«, murmelte Misia in steter Wiederholung vor sich hin. Plötzlich sah sie auf. »Besitzt du noch die alten Dokumente von Katharina von Medici?«

»Natürlich. Das ist ja kein Buch, das man verleiht und danach vergisst.«

»Schau dir das unbedingt noch einmal an. Ich glaube, irgendwo das Monogramm der Königin gesehen zu haben. Ich weiß nicht mehr genau, wo, aber ich denke, ihr Wappen befand sich auf den Papieren. Ansonsten sollten wir einen Besuch im Louvre einplanen. Oder eine Fahrt zu den Schlössern an der Loire, wo sie gelebt hat. Wir werden es schon finden ...«

»Misia!«, stoppte Gabrielle die Begeisterungsstürme der

Freundin. »Ich verstehe nicht, worauf du hinauswillst. Erklär mir das bitte, bevor du mich auf Reisen schickst.«

»Ich spreche von dem Monogramm Katharina von Medicis. Im Französischen nennen wir sie Catherine de Médicis, nicht wahr? Ihr Monogramm ist ein verschlungenes doppeltes C. Der Anfangsbuchstabe ihres Namens. Und der deines Namens.«

Erstaunt hoben sich Gabrielles Augenbrauen. »Bist du sicher?«

»Bewahrst du die alten Schriften hier auf oder in Garches?«

Gabrielle zeigte mit einer vagen Handbewegung in Richtung eines Schranks.

»Lass uns gleich nachsehen.« Misia grinste verschwörerisch. »Wenn wir auf diese Weise dein Logo finden, hat es sich wenigstens für dich gelohnt, sechstausend Francs für die vergilbten Papiere auszugeben.«

KAPITEL 18

Während über Paris der Duft von Frühling hing, die Kastanien blühten und die Schwäne mit den Lastschiffen auf der Seine um die Wette schwammen, kam Gabrielle kaum noch von ihrem Schreibtisch fort. Sie fuhr so selten nach *Bel Respiro*, dass sie den Flieder nicht in voller Blüte sah. Selbst die Feierlichkeiten zum hundersten Todestag von Napoleon nahm sie nur am Rande wahr.

Die Bestellungen für die aktuelle Kollektion, die sie am fünften Mai in ihren Räumen in der Rue Cambon gezeigt hatte, mussten bearbeitet und angepasst werden. Ihre Kundinnen gaben sich die Klinke in die Hand, die Lieferanten brachten Stoffe, die wiederum von Boten mitsamt den Schnittmustern zu den vielen Näherinnen getragen wurden, die Gabrielle im Umkreis von Paris beschäftigte. Es war ein ständiges Kommen und Gehen, jede Frau wollte für die Sommerferien gut angezogen sein und davor noch bei den letzten Theaterpremieren der Saison glänzen.

Gabrielle überlegte sich, wie es wohl wäre, wenn all diese

Frauen *Chanel No 5* benutzten und sich eine einzige Duft-wolke über der Stadt senkte wie eine Glocke aus Jasmin, Rosen und Ylang-Ylang. Das war der Moment, in dem sie endlich ihre Entwürfe abschloss, mit Kartonagenfabrikanten – was es nicht alles gab! – und Druckereien verhandelte, um anschließend ein entnervt klingendes Telegramm mit der Frage nach dem Fortgang der Produktion an die Verwaltung von Chiris zu senden. Ihr Alltag glich einer zermürbenden, sich ewig wiederholenden Maschinerie, und manchmal fragte sie sich, ob sie nicht die Herstellung ihres Parfüms besser in die Hände von François Coty gelegt hätte, anstatt fast alles allein zu machen.

Dimitri war ihr ein liebevoller Gefährte, der jedoch so mit seinem eigenen Vorwärtskommen beschäftigt war, dass auch seine Zeit begrenzt war. Wenn sie im Restaurant des Ritz oder in Gabrielles Suite bei einem schnellen Abendessen saßen, bevor sie sich früh zu Bett begaben, erzählte er vor allem von dem, was er bei den Treffen mit anderen Exilanten erfahren hatte: »Aus der alten Heimat treffen immer mehr Nachrichten ein, dass auf den schweren Winter nun eine verheerende Dürre folgt. Besonders die Kornkammern an der Wolga und im Süden Russlands scheinen betroffen. Deshalb nimmt die Hungersnot kein Ende. Wir sind alle verzweifelt und beten für unsere Brüder und Schwestern.«

»Ist es nicht so, dass deine Chancen auf eine Heimkehr steigen, je schlechter es deinem Volk geht?«

»Das hängt davon ab, wie die Weltöffentlichkeit auf die Lage reagiert. Zwanzig Millionen Menschen haben nichts zu essen. Lenins Reformen der Wirtschaft haben nichts an der Situation geändert. Wenn ich richtig informiert bin, bleibt ihm nichts anderes übrig, als um internationale Hilfslieferungen für seine sogenannte Sowjetrepublik zu bitten. Andere Mittel gegen die Not scheint es nicht zu geben. Wenn die Vereinigten Staaten, das britische Empire und Frankreich diese Unterstützung an politische Bedingungen wie etwa die Rückkehr der Zarenfamilie knüpfen, wäre viel gewonnen. Aber es gefällt mir nicht, dass sich mein Schicksal auf dem Rücken der Arbeiter und Bauern entscheiden soll.«

Gabrielle zerteilte still das Brathuhn auf ihrem Teller. Sie mochte sich nicht vorstellen, wie die Zukunft für Dimitri aussah – und für sie. Der Gedanke, dass er tatsächlich als Zar heimkehren könnte, machte ihr plötzlich Angst.

Als könne er in ihren Kopf hineinblicken, sagte er: »Noch ist aber nicht einmal die Thronfolge geklärt, Coco. Die Anhänger von Kyrill Wladimirowitsch meinen, dass Krone und Kommunisten Seite an Seite regieren können. Ich bin für eine parlamentarische Monarchie wie in England und werde von einer anderen Gruppe unterstützt. Dann gibt es da noch die alte russische Ständeversammlung Semski Sobor, die unseren Onkel Nikolai Nikolajewitsch favorisiert. Die verschiedenen Parteien sind zerstritten, das tut der Sache insgesamt nicht gut.«

»Es dauert also noch lange, bis eine Entscheidung gefällt werden kann«, resümierte sie.

»Das ist anzunehmen.«

Erleichterung erfasste sie. Der Status quo würde noch eine Weile anhalten. Ohne groß darüber nachzudenken, redete sie nun einfach drauflos: »Vielleicht hilft es dir, wenn ich in meine nächste Kollektion ein paar slawische Elemente einbringe. Erinnerst du dich, dass ich mich an der Riviera schon mit diesem Gedanken beschäftigte?« Sie wollte ihm einen Gefallen erweisen, wenn sie sich für seine Kultur interessierte. Außerdem wollte sie ein Zeichen setzen: Die Geliebte des Zarewitschs ließ russische Folklore *à la mode* werden. »Ich sollte mich mit konkreten Ideen schnellstmöglich ans Werk machen. Ich muss nur jemanden für die Stickereien finden.«

»Das hast du bereits«, erwiderte Dimitri mit spontaner Begeisterung. »Marija, meine Schwester, besitzt goldene Hände. Sie ist die perfekte Ergänzung für deine Ideen.«

Gabrielle erinnerte sich, dass Dimitri schon mehrmals über die kunsthandwerkliche Begabung seiner Schwester gesprochen hatte. Aber noch nie hatte sie sich wohl bei der Aussicht gefühlt, die Großfürstin für das Atelier Chanel einzuspannen. Wie würde Dimitri reagieren, wenn Marijas Arbeiten doch nicht so hervorragend ausfielen, wie er behauptete? Einem Bruder – und noch dazu einem Mann – fehlte womöglich die Objektivität, Sticktechniken zu beurteilen.

Während sie noch überlegte, wie sie ihn von seiner Idee abbringen konnte, rief er aus: »Du musst Marija endlich kennenlernen! Ich werde dafür sorgen, dass ihr euch in den nächsten Tagen trefft.«

Gabrielle nickte ergeben. Ein Widerspruch erschien ihr zwecklos.

* * *

Als Marija Pawlowna zum ersten Mal ihr Geschäft betrat, erschrak Gabrielle. Sie erinnerte sich zwar schwach an eine junge Frau, die mehr wie eine Bäuerin auf dem Rückweg vom Feld als wie eine Prinzessin aussah, aber es kam noch schlimmer: Dimitris Schwester wirkte in der eleganten Umgebung der Rue Cambon regelrecht vernachlässigt. Weder ihr körperliches Erscheinungsbild noch ihre Kleidung entsprachen in irgendeiner Form dem zeitgenössischen Ideal einer eleganten Frau.

Dass Marija jedoch weder Schönheit noch Mode gleichgültig waren, fiel Gabrielle sofort auf, als sie sie durchs Atelier führte. Mit leuchtenden Augen betrachtete die Großfürstin die fertigen Kreationen, stellte bei Gabrielles Vorstellung ihrer Kollektion die richtigen Fragen und berührte mit einer Bewunderung die Entwürfe auf den Schneiderpuppen, dass Gabrielle sicher sein konnte, es mit einer Frau von Geschmack zu tun zu haben. Auch wenn sie sich völlig unpassend kleidete und frisierte, Dimitris Schwester war ihr ausgesprochen sympathisch.

Zunächst erklärte sie Marija bei einer Tasse Tee in ihrem Arbeitszimmer, dass sie sich vor allem durch die *Rubaschka* inspirieren ließ, jenes schlichte, oft bestickte Hemd, das in Russland seit Jahrhunderten getragen wurde. »Mir ist bewusst, dass diese weit geschnittenen Blusen und Kleider vielleicht nicht das sind, was meine Kundinnen von mir kennen, aber ich möchte das Experiment unbedingt wagen«, schloss Gabrielle ihren Monolog.

»Aber die *Rubaschka* passt zu Ihnen und Ihrer Mode«, entgegnete Marija mit feurigem Eifer. »Sie ist ein klares, strenges Kleidungsstück. Dass es nicht kitschig wirkt oder die Trägerin erdrückt, hängt allein von dem Stickmuster ab, mit dem Sie es verzieren.«

Gabrielle lächelte. Der Hinweis auf die schlichte Eleganz in ihren Kollektionen gefiel ihr. Offenbar hatte Dimitris Schwester verstanden, worum es ihr ging. »Wäre es Ihnen möglich, mir einige Entwürfe zukommen zu lassen? Ich würde sehr gern sehen, wie Sie sich eine zu meinen Blusen passende Stickerei vorstellen. Die Skizzen für die Modelle zeige ich Ihnen gleich …« Sie unterbrach sich, zögerte. Konnte sie es wagen, schon zu Beginn ihrer Bekanntschaft persönlich zu werden? Es brannte ihr förmlich auf der Zunge, Marija Ratschläge zu erteilen.

»Der Vorteil einer Erziehung für höhere Töchter ist, dass wir lernten, mit Nadel und Faden umzugehen«, plauderte Marija ungeachtet der Frage, die in der Luft hing. »Als junges Mädchen ahnte ich noch nicht, dass das eines Tages wichtiger für mich werden könnte als die Bücher, die mir meine Gouvernanten zu lesen gaben.«

Erstaunt sah Gabrielle ihren Gast an. »Sie lesen gern?«

»Und ob. Mademoiselle Hélène und Miss June brachten mir

alles über französische und englischsprachige Literatur bei. Als ich damals nach Schweden zog, befanden sich in meinem Gepäck über siebenhundert Bücher, später wurden es noch viel mehr. Der Verlust meiner Bibliothek ist eine der traurigsten Erinnerungen, die ich an die Heimat habe.«

Gabrielle hätte Marija gern gefragt, warum die Erziehung von Dimitri so anders verlaufen war. Aber sie unterließ es, weil sie mit seiner Schwester nicht über ihren Liebhaber sprechen wollte. Im Grunde kannte sie die Antwort bereits. Zumindest nahm sie das an. Während Marija im Alexanderpalast aufwuchs, lebte Dimitri in einer Kadettenanstalt. Dort wurden den Zöglingen militärische und ganz sicher keine kulturellen Werte vermittelt.

»Meine Sammlung ist inzwischen auch recht ansehnlich«, sagte Gabrielle und deutete auf die Bücherwand im Hintergrund. »Sie können sich jederzeit hier in meiner Bibliothek umsehen, wenn Sie möchten. Oder Sie besuchen uns einmal in Garches. Nehmen Sie sich, was Sie interessiert.«

»Das ist sehr großzügig, Mademoiselle Chanel.«

»Coco. Meine Freunde nennen mich Coco.«

Dimitris Schwester erhob sich vom Sofa, um Gabrielle auf beide Wangen zu küssen. »Ich wäre gern Ihre Freundin, Coco«, sagte sie, als sie sich wieder setzte. »Ich bewundere Sie sehr. Und ich heiße Marija.«

Gabrielle hörte kaum zu, denn durch die Umarmung stieg ihr schwach ein Duft in die Nase, den sie zuvor nicht bemerkt hatte. »Welches Parfüm benutzen Sie?«, fragte sie unvermittelt.

»Oh, Sie werden es nicht kennen. Es heißt *Bouquet de Catherine* und wurde eigens für die Zarenfamilie kreiert.«

»Heißt das, Sie besitzen noch einen Originalflakon?«

Marija nickte. Die Verwunderung über Gabrielles Frage war ihr deutlich anzumerken. »Ja. Mit einem winzigen Rest Parfüm darin. Ich trage es nur noch bei besonderen Gelegenheiten. Gefällt es Ihnen?«

Jetzt ist es mein Parfüm, wollte Gabrielle sagen, doch sie schluckte ihre Antwort hinunter. Mit einer gewissen Belustigung dachte sie daran, wie sie verzweifelt nach der Formel gesucht hatte. Dabei hätte sie einfach nur Dimitris Schwester fragen müssen …

»Ja«, erwiderte sie schließlich. »Es gefällt mir sehr.«

»Der Duft gehört zu den wenigen Erinnerungen an unsere alte Welt, die mir geblieben sind«, gestand Marija, und in ihrer Stimme schwangen jene Traurigkeit und jenes Heimweh mit, die Gabrielle schon von Dimitri so gut kannte. Sie blickte an sich hinunter und fügte sachlich hinzu: »Wie man sieht, ist auch von den materiellen Gütern nichts geblieben.«

Gabrielle beschloss auszusprechen, was ihr zuvor durch den Kopf gegangen war: »Ich weiß, was Sie alles verloren haben, aber man sollte es Ihnen nicht ansehen. Ich halte es für einen großen Fehler, dass Sie wie ein Flüchtling herumlaufen. Sie gewinnen damit keine Sympathie. Im Gegenteil, die Leute werden Sie meiden.«

Zu Gabrielles größter Überraschung schien Marija nicht brüskiert. Sie nickte sogar zustimmend. »Früher war ich regelrecht abhängig von den Diensten meiner Hofdame. Das war sogar im Krieg so, als ich eigentlich überhaupt keine Zeit hatte, mich meinem Aussehen zu widmen. Jetzt denke ich nur über Kleidung nach, wenn ich Handarbeiten für andere ausführe. Sie haben recht, dass das womöglich auch nicht der richtige Weg ist.«

»Wenn Sie beruflich erfolgreich sein wollen, ist das erste Gebot, wohlhabend auszusehen.«

»Ich danke Ihnen für diesen Rat.«

Marija meinte es aufrichtig. Das sah Gabrielle in ihrem offenen, arglosen Blick. Ihr war allerdings klar, dass Dimitris Schwester nicht die geringste Ahnung hatte, wie sie Gabrielles Hinweis umsetzen sollte.

»Wenn wir uns wiedersehen, könnte ich mit Ihnen ein wenig an Ihrer Erscheinung arbeiten«, schlug sie vor. »Ich kann Ihnen zeigen, wie Sie sich am vorteilhaftesten kleiden und schminken. Selbst eine Dame, die nie gelernt hat, auf sich zu achten, kann lernen, ohne Hofdame auszukommen.«

Du lieber Himmel, fuhr es ihr durch den Kopf, was rede ich da? Vor mir sitzt die Enkeltochter eines Zaren, und ich, die Tochter eines Hausierers, sage ihr, was sie zu tun hat. Aber offensichtlich muss es ihr einer erklären.

»Versprechen Sie mir nicht zu viel«, unterbrach Marija ihre Gedanken. »Es könnte sein, dass ich Sie täglich besuchen möchte.«

»Sie sind herzlich willkommen. Aber bitte bringen Sie mir Entwürfe für die Stickereien mit.«

Die beiden Frauen sahen sich in die Augen – und brachen gleichzeitig in schallendes Gelächter aus. Ihr Humor stimmt, dachte Gabrielle zufrieden. Und: arme Misia! Es würde ihrer Freundin gewiss nicht gefallen, dass sie Konkurrenz bekam.

KAPITEL 19

»Unvorstellbar, dass sich ein Schwede für so etwas begeistern kann«, wisperte Gabrielle und deutete auf die Bühne.

Offensichtlich nur widerwillig wandte Dimitri seinen Blick von der extravaganten Aufführung ab. Tänzer in hautengen bunten Kostümen verschmolzen mit einem farbenprächtigen Bühnenbild, streckten sich, sprangen hoch, warfen sich nieder, versanken ineinander zu der dissonanten, nach Aufmerksamkeit schreienden Musik von jenen sechs jungen Komponisten, die sich *le Groupe des Six* nannten. Das Libretto von Jean Cocteau verlieh dem spektakulären Ballett noch eine literarische Note. Verwundert sah Dimitri sie an.

»Ein schwedischer Industrieller ist der Mäzen der Compagnie«, flüsterte Gabrielle.

Dimitri zog fragend die Augenbrauen hoch.

»Marija sagt, dass die Schweden das langweiligste Volk der Erde seien.«

Leise stöhnte er auf. »Du redest zu viel mit meiner Schwester.« Dann wandte er seine Aufmerksamkeit wieder der Premiere zu. Gabrielle konnte jedoch noch ein feines Lächeln in seinem Gesicht ausmachen.

Sie war hin- und hergerissen zwischen Anerkennung und Abscheu, Loyalität und Offenheit. Der schwedische Mäzen und Kunstsammler Rolf de Maré hatte vor einem Jahr eine Truppe namens *Les Ballets Suédois* als Konkurrenz zu den *Ballets Russes* ins Leben gerufen. Nicht nur, dass viele ehemalige Mitstreiter von Sergej Djagilew hier eine neue Wirkungsstätte fanden – es sollte ganz offensichtlich der Stil des Impresarios kopiert werden. Erst war Gabrielle empört. Was sie allerdings auf der Bühne des Théâtre des Champs-Élysées geboten bekam, begeisterte sie. Die überwiegend schwedischen und dänischen Tänzer sprühten vor Energie, und nicht zuletzt das Libretto ihres Freundes Jean Cocteau stimmte sie gnädiger in ihrem Urteil über Djagilews Konkurrenz. Der Einakter *Die Hochzeit auf dem Eiffelturm* gefiel ihr. Daran bestand spätestens beim Schlussapplaus kein Zweifel.

Es war nicht das erste Mal, dass sie sich wünschte, als Kostümbildnerin an einer Produktion wie dieser beteiligt zu sein. Als sie Cocteau nach der Vorstellung hinter der Bühne suchte, um ihm zu gratulieren, wurde dieser Wunsch fast übermächtig. Der Geruch von Farbe, Staub, Theaterschminke, Schweiß und dem viel zu süßen Parfüm der Primaballerina stieg ihr in die Nase. Bei anderer Gelegenheit geradezu ekelerregend, wirkte der Duft in diesem Moment auf sie wie eine frische Brise – belebend, stimulierend, inspirierend.

»Coco!«

Jean Cocteau winkte ihr zu. Er war ein hochgewachsener und unfassbar gutaussehender Mann mit vollem dunklen Haar. Stets vorbildlich gekleidet, sah er auch heute aus wie aus dem Ei gepellt, obwohl Gabrielle überzeugt war, dass ihm die Uraufführung Schweißperlen unter den Kragen seines blütenweißen, gebügelten und gestärkten Hemdes trieb. Offensichtlich war er in ein Gespräch mit Pablo Picasso vertieft gewesen. Der wirkte an Cocteaus Seite eher derb und bäuerlich.

»*Chérie!*« Cocteau schloss sie in seine Arme.

Sie küsste ihn auf beide Wangen. »Herzlichen Glückwunsch! Es war eine wundervolle Aufführung.«

»Wenn Sie noch einen Funken Interesse an der Freundschaft zu Sergej Djagilew besitzen, sollten Sie Ihre Meinung für sich behalten«, dröhnte Picasso. »Ich bin überzeugt, dass er in seinem Hotel sitzt und auf die ersten Nachrichten von seinen Spionen im Publikum wartet. Er wird sich furchtbar grämen.«

Gabrielle drohte ihm scherzhaft mit dem Zeigefinger. »Machen Sie sich nicht lustig über Sergej. Warum sollte in Paris nicht Platz für zwei großartige Balletttruppen sein? Es gibt ja auch mehrere Modeschöpfer – und mehrere gute Maler.«

»Ach? Gibt es die?« Picasso schüttelte den Kopf. »Nun ja, wenn Sie auf die Bühnenbilder anspielen, so muss ich zugeben, dass Irène Lagut gute Arbeit geleistet hat. Obwohl sie natürlich viel besser wäre, wenn sie mehr auf mich gehört hätte.«

»Bist du immer noch verärgert, weil sie dich nicht geheiratet hat?«, fragte Cocteau. »Pablo – das ist vier Jahre her. Heutzutage fast ein ganzes Leben.« Er lachte gekünstelt.

»Wenn Irène meinen Antrag angenommen hätte, wäre ich nicht mit Olga verheiratet.«

Cocteau neigte sich zu Gabrielle und flüsterte so laut, dass Picasso ihn hören musste: »Seine Ehe bringt ihn noch um.«

»Ist Olga hier?«, erkundigte sich Gabrielle höflich.

Ihre Augen wanderten demonstrativ über die Bühnenarbeiter, Künstler und Besucher, die sich zwischen Dekorationen, Instrumentenkoffern, abgelegten Kostümen, rasch verwelkenden Blumen und Handwerkszeug drängten. Die zierliche Frau von Picasso war jedoch nirgends zu entdecken.

»Er ist froh, wenn er vor ihr fliehen kann.«

»Unsinn!«, donnerte Picasso, offenbar in seiner Mannesehre gekränkt. Er wechselte das Thema und fragte: »Und wo ist Ihr Prinz, Mademoiselle Coco?«

Sie schenkte ihm ihr strahlendstes Lächeln. »Dimitri Pawlowitsch wartet im Foyer auf mich.«

»*Mon dieu!* Diese verliebten Russen, sie sind so anhänglich. Man nennt es wohl *Seele.*«

»Du solltest nicht von Olga auf andere schließen«, stichelte Cocteau zurück. Er nahm Gabrielles Arm. »Komm, meine Liebe, verlassen wir unseren unglücklichen Freund. Die Eheprobleme anderer sind so ermüdend. Lass uns Georges Auric begrüßen gehen. Ist seine Ouvertüre nicht göttlich?« Damit zog er sie tiefer in das Gedränge. Außer Hörweite Picassos sprach er leise weiter: »Picasso betete Irène Lagut damals an. Die beiden hätten heiraten sollen. Wusstest du, dass Olga ihn nur deshalb vor den Altar schleppen konnte, weil sie ihn nicht an sich ranließ? Das war wirklich mal etwas Neues für ihn, hat aber eindeutig zu einer Fehlentscheidung geführt.«

Als Gabrielle über die Schulter zu Picasso blickte, sah sie, wie Irène Lagut an seine Seite trat. Die Malerin war nicht nur eine sehr schöne Frau, sie war ihrem ehemaligen Lehrer und Liebhaber auf gewisse Weise ebenbürtig, was sicher auch ihre Anziehungskraft ausmachte.

Unwillkürlich fragte sich Gabrielle, ob Irène Picasso eine bessere Ehegattin gewesen wäre, als Olga es war. Was Cocteau offenbar als Tatsache annahm. Die Frau eines Genies hatte es gewiss nicht leicht, dachte Gabrielle. Von sich selbst wusste sie, dass sie sich einem Mann gegenüber lieber etwas unterwürfiger gab, als sie es eigentlich war. Was auch zu Konflikten führen konnte, wie sie bei Strawinsky erlebt hatte. Sie dachte an Jekaterina Strawinska. Eine Russin wie Olga und ebenfalls die Gemahlin eines Genies – und genauso gefangen in einer Ehe, die alle Beteiligten unglücklich machte. Vielleicht hat es doch etwas mit ihrer Mentalität zu tun, überlegte sie. Russische Seele eben.

Sie hing diesem Gedanken noch nach, als sie dem Komponisten Georges Auric gratulierte, der Irène Laguts derzeitiger Lebensgefährte war, wie sie von Cocteau erfuhr. Während sie den anderen Ensemblemitgliedern vorgestellt wurde, ließ Gabrielle der Gedanke an das Glück und das damit verbundene Leid von Liebesbeziehungen nicht mehr los. Sie dachte an Boy, den niemals ein anderer Mann ersetzen konnte. Nicht einmal Dimitri.

»*Mon ami,* entschuldige mich bitte. Ich möchte Dimitri nicht so lange warten lassen«, sagte sie in einer Atempause zwischen Luftküssen, Umarmungen und Gratulationen zu Cocteau. »Wir sehen uns nachher auf der Feier.«

»Ich begleite dich ins Foyer«, erwiderte Cocteau rasch und legte besitzergreifend den Arm um ihre Schultern.

»Das Ensemble wird dich vermissen, wenn du …«, hob sie an, doch Cocteau unterbrach ihren Protest: »Sie werden warten. Ich möchte etwas mit dir besprechen, das keinen Aufschub duldet, und dazu haben wir später sicher keine Gelegenheit.«

Er führte sie zielsicher durch belebte Flure, die viel zu grell beleuchtet waren, in den nun stillen Theatersaal. Das riesige Halbrund mit fast zweitausend Sitzplätzen, die mit rotem Samt bezogen waren, wirkte seltsam verlassen. Es brannte noch das Pausenlicht, die Bühne lag jedoch bereits im Dunkeln. Eine merkwürdige Stimmung aus Glück, Abschied, Erleichterung und Sehnsucht hing in der Luft, die für Gabrielle fast greifbar war und ihrer eigenen Gefühlslage entsprach. Wurde nicht fast jeder Zuschauer nach einer gelungenen Vorstellung von einer traurigen Glückseligkeit erfasst? Die Truppe war erleichtert, bestmögliche Leistung erbracht zu haben, und über allem schwebte die Hoffnung auf eine Wiederholung. Gabrielle wurde von dieser Erkenntnis fast ebenso stark berührt wie von dem Geruch hinter den Kulissen.

»Hast du Zeit, mein nächstes Stück zu lesen?«

»Was für eine Frage?« Gabrielle lachte. Ihre Stimme hallte

durch den Raum und war für einen heimlichen Zuhörer vermutlich sogar im obersten Rang zu verstehen. »Selbstverständlich nehme ich mir die Zeit, egal, was ich sonst noch zu tun habe.«

In Gedanken fügte sie hinzu, dass er darum nun wirklich nicht so viele Umstände zu machen brauchte. Es wäre nicht das erste Mal, dass er ihr ein Manuskript gab und um ihre Meinung bat. Aber daran erinnerte sie ihn nicht.

»Es ist mir wichtig, was du zu meiner Adaption von Sophokles' *Antigone* sagst.«

»Das freut mich, Jean. Ich verspreche dir, dass ich jede Zeile aufsaugen werde wie ein Dürstender einen Tropfen Wasser. Vielleicht wird es meine Urlaubslektüre – oder ist der Inhalt für die See zu dramatisch?«

Er wirkte verblüfft. »Du willst schon wieder verreisen?«

»Warum nicht?«, fragte sie, ihrerseits erstaunt, zurück. »*Tout Paris* ist im Juli und August in den Ferien. Seit unserer Rückkehr von der Riviera haben Dimitri und ich so viel gearbeitet, dass wir uns ein paar freie Tage redlich verdient haben.«

»Dann treffen wir uns in Cannes und reden dort über alles!« Cocteau klang begeistert von seiner Idee.

»Das ist leider nicht möglich. Ich habe ein Haus in Arcachon gemietet.«

Es war eine spontane Entscheidung gewesen, geboren aus einem Gefühl von Einsamkeit. Dimitri war inzwischen so viel in Angelegenheiten des russischen Zarenthrones unterwegs, dass sie mehr allein als mit ihm zusammen war. Zwar hatte es sie noch nie gestört, ihre Abende mit sich selbst zu verbringen, aber sie erlebte gerade in diesen Wochen so viel, das sie gern mit ihm besprochen hätte. Nicht weil sie seines Rates bedurft hätte. Ihre geschäftlichen Entscheidungen traf sie allein und mit voller Sicherheit. Aber es war schön, ihm davon zu erzählen, was sie beschäftigte. Einfach nur reden wollte sie, sich austauschen. Darüber, wie ihr Parfüm und ihre russische Kollektion Gestalt annahmen, dass Marijas Entwürfe phantastisch waren und seine Schwester den Auftrag erhalten hatte, eine Bluse zu besticken. Gabrielle wollte mehr mit Dimitri teilen als nur gelegentlich ihr Bett. Deshalb war sie sogar für ein paar Tage mit ihm nach Berlin gefahren, sie hatten sehr feudal im Hotel Adlon logiert, doch alles in allem war das keine gute Idee gewesen, weil die gemeinsamen Stunden zwischen den Konferenzen der russischen Exilpolitiker und Generäle noch seltener waren als die in Paris. Danach hatte sie beschlossen, für sie beide ein Sommerquartier zu suchen, das weit entfernt lag von den Orten, an denen die meisten ihrer Bekannten die heißen Monate verbrachten. Aber auch das erzählte sie Cocteau nicht.

Cocteaus Begeisterung von der Vorstellung, gemeinsame Ferien an der Côte d'Azur zu verbringen, wich größter Bestürzung. »Was willst du in Arcachon? Dort gibt es nichts außer einer Menge frischer Austern und einem Casino, das dem in Monte Carlo nicht das Wasser reichen kann.«

»Vielleicht will ich ja genau das.« Sie lächelte ihm aufmunternd zu. »Aber nichts wird mich davon abhalten, dein neues Stück zu lesen.«

»Das hoffe ich sehr. Schließlich möchte ich dich bitten, die Kostüme zu entwerfen.«

»Oh.« Gabrielle brauchte eine Minute, um sich von ihrer Überraschung zu erholen. Sie versuchte, sich nicht anmerken zu lassen, in welche Aufregung er sie versetzte. Deshalb gab sie zunächst die Zurückhaltende. »Wie kommst du darauf, dass ich die Zeit für Theaterfirlefanz habe? Ich muss ein Parfüm lancieren und mich um meine Kollektion kümmern, die Tage fliegen nur so dahin, und ich weiß nicht, wo mir der Kopf steht.«

»Sei still, Coco«, raunte Cocteau und hauchte ihr einen Kuss auf die Wange. »Ich habe in deinen Augen gelesen, wie sehr du es dir wünschst. Außerdem wüsste ich keine bessere Modeschöpferin als dich für diese Bühnenadaption.«

Gabrielle schluckte, sprachlos, weil der Freund sie durchschaut hatte.

»Picasso wird übrigens das Bühnenbild kreieren. Er hat schon zugesagt. Wenn ihr euch nicht umbringt, wird es eine sehr produktive Zusammenarbeit. Davon bin ich überzeugt.«

»Wenn wir uns nicht umbringen …«, wiederholte Gabrielle skeptisch.

Sie war ernüchtert. Vor ihrem inneren Auge ergab sich eine problematische Konstellation. So hatte sie sich ihren Einstand im Theater nicht vorgestellt. Sie hatte großen Respekt vor der Kunst Picassos, sie fand ihn als Mann sogar durchaus anziehend, aber sie hatte sich ihren kritischen Verstand bewahrt und würde sich jede Freiheit im Umgang mit ihm herausnehmen. Vor allem Strawinsky hatte sie gelehrt, wie nötig es war, einem Genie die Stirn zu bieten. Es stand zu befürchten, dass Pablo Picasso darauf ebenso widerspenstig reagierte wie Igor.

»Ihr werdet euch ergänzen«, behauptete Cocteau.

»Darüber muss ich nachdenken«, murmelte Gabrielle.

»Ich schicke dir mein Manuskript in den nächsten Tagen in die Rue Cambon.« Cocteau klatschte in die Hände. »Jetzt ist alles gesagt, und wir sollten feiern. Komm, hier entlang, diese Tür zum Foyer dürfte noch nicht abgeschlossen sein.«

Stumm folgte sie ihm, mit ihren Gedanken noch immer bei Picasso.

Ich liebe seine Bilder, dachte sie, warum sollte ich den Menschen nicht auch lieben können? Sie waren bereits gute Bekannte, vielleicht könnten sie durch die Zusammenarbeit sogar Freunde werden.

KAPITEL 20

Die weiße Villa mit dem ungewöhnlichen Namen *Ama Tikia* lag direkt in der Bucht von Arcachon, nicht einmal hundert Meter von dem breiten Sandstrand von Moulleau entfernt. Bei Ebbe bot sich den Feriengästen ein stimmungsvolles Bild auf das Meer, das im Tageslicht wie flüssiges Gold schimmerte und in dem sich am Abend ein blutroter Sonnenuntergang spiegelte. Während der Flut schlugen die hohen Wellen bis an die Gartenmauer und darüber hinaus. Kleine Boote kreuzten vor der Küste, und gegen ein paar Centimes nahmen die Fischer Mitfahrer auf, die weiter hinaus aufs Meer wollten.

Jeden Morgen ließen sich Gabrielle und Dimitri zu ihrem Lieblingsplatz bei den Sandbänken rudern und kamen erst um die Mittagszeit zurück. Gabrielles Dienerehepaar und Dimitris treuer Bursche sorgten derweil für den Haushalt und einen leichten Lunch. Nach einer ausgiebigen Siesta genossen sie einen Cocktail im Schatten der Terrasse, Gabrielle verbrachte ein paar Stunden mit einem Buch oder Cocteaus Theaterstück oder mit ihrem Zeichenblock. Regelmäßig gingen sie mit Gabrielles Hunden spazieren, hin und wieder trennten sie sich, wenn Dimitri Lust auf eine Partie Golf verspürte. An den meisten Abenden gingen sie nicht aus, manchmal besuchten sie ein Restaurant in Moulleau oder fuhren im Cabriolet nach Arcachon ins Casino. Letzteres taten sie für zwei Menschen, die das Spiel liebten, jedoch ausgesprochen selten. Und nie trafen sie Freunde oder Bekannte.

Gabrielle wunderte sich, wie schnell die Zeit verflog. Als sie das Haus gemietet hatte, war sie bei der Angabe über die Dauer ihres Aufenthalts vorsichtig gewesen. Sie hatte sich nicht vorstellen können, dass sie noch einmal für Wochen ihrem Alltag in Paris entfliehen könnte, ohne ihr Atelier und ihre Freunde zu vermissen. Auch wenn sie sich nach ausführlichen Gesprächen mit Dimitri sehnte, sah sie in dieser engen Zweisamkeit eine harte Probe. Wann würden sie sich langweilen? Wann würden sie einander zu viel werden? Doch die Furcht davor schwand so rasch wie das Sonnenlicht nach der kurzen Dämmerung des Südens. Beide waren sich selbst genug – und das war mehr, als Gabrielle jemals erwartet oder auch nur zu hoffen gewagt hatte. Die Tage verstrichen, und sie verlängerte die Miete schließlich auf zwei Monate. Nie zuvor hatte sie so lange Urlaub gemacht.

An ihrem Geburtstag neigte sich die Erholungsphase langsam ihrem Ende. Nicht nur Gabrielles Kalender, auch das Wetter strebte dem Herbst entgegen. Am 19. August löste sich die Hitzewelle in einer vergleichsweise kühlen Nacht auf, der Himmel schien klarer und fast durchscheinend in seinem leuchtenden Hellblau. Nicht einmal zwei Wochen blieben ihr noch, am letzten Tag des Monats musste sie zurück nach Paris. Wie all die Schulkinder und Angestellten.

Gabrielle lächelte bei dem Gedanken an die Zwänge des Alltags, die ihr wegen der Vorfreude auf die Präsentation ihres Duftes durchaus willkommen waren. Dennoch fiel ihr der Abschied schwer. Sie sah sich in dem in schlichtem Weiß gehaltenen Schlafzimmer um und dachte daran, was alles zu tun war, wenn sie wieder in Paris war. Dass sie ernsthaft – und nicht nur, wie bislang, halbherzig – nach einem Kaufinteressenten für *Bel Respiro* und einer Bleibe in der Stadt suchen sollte, wo sie sich einen Raum wie diesen einrichten würde. Hell und luftig.

Misia hatte sie auf ein Objekt ganz in der Nähe ihrer eigenen Wohnung in der Rue de Faubourg Saint-Honoré hingewiesen, das zur Vermietung stand, aber Gabrielle hatte sich vor ihrer Abreise nicht um einen Besichtigungstermin kümmern wollen. Es eilte nicht. Oder tat es das vielleicht doch? Nachdem Strawinskys ausgezogen waren, wollte sie das Haus in Garches nicht mehr haben. Es war nie ihr Heim gewesen, und ohne die Kinder und die Musik war es zu still. Sicher wäre es anders gekommen, wenn Boy noch lebte und sie gemeinsam dort gewohnt hätten. Aber so war es nur ein kleiner Stein in dem großen Puzzle ihres Lebens. Seltsam, dachte sie, dass ihr das ausgerechnet jetzt einfiel, an ihrem Geburtstag. Genau genommen, ihrem 38. Geburtstag. Es waren keine Pläne, die sie für die Zukunft schmiedete, sagte sie sich im Stillen, nur eine Bestandsaufnahme. Und die passte wahrscheinlich besser zu diesem Morgen als zu jedem anderen Tag.

Nackt räkelte sie sich unter dem dünnen Betttuch. Sie fühlte einen leichten Kopfschmerz hinter ihren Schläfen aufsteigen. Das lag wahrscheinlich an dem Champagner, dem sie um Mitternacht großzügig zugesprochen hatte. Dimitri hatte den Sektkühler und ihre Gläser mit an den Strand genommen, und sie hatten sich in den Sand gesetzt, um auf ihr neues Lebensjahr anzustoßen. Nur sie beide, das Schwappen der Wellen und das Klappern der Takelagen an den Segelbooten, die an den Bojen in Ufernähe festgemacht waren, der Mondschein und ein paar Krebse. Keine Wunderkerzen, keine Musik, keine Clique. Nur zwei Menschen, die sich mehr zu sagen hatten, als sie sich selbst vorstellen konnten. Es war herrlich gewesen – aber eindeutig zu viel Alkohol.

Die salzige Luft des Atlantiks und der würzige Duft der Pinien vor dem Fenster wehten herein und blähten die Vorhänge. Schwach stieg das Aroma von Kaffee in Gabrielles Nase. Marie bereitete offenbar das Frühstück.

Der Gedanke an einen Mokka weckte ihre Lebensgeister. Sie schlug das Laken zurück und schwang die Beine herum. Als sie sich auf der Bettkante aufsetzte, trommelten die Geister der Nacht so heftig gegen ihre Stirn, dass sie sich wieder zurück auf ihr Kissen fallen ließ.

Es klopfte an die Tür – und das Geräusch setzte sich in ihrem Kopf fort.

»Herein!« Ihr Ruf klang nicht so fest wie sonst, eher wie das

Wimmern eines waidwunden Tieres. Rasch zog sie das Tuch bis zum Hals.

Die Tür flog auf. Zuerst sah Gabrielle nur einen Teewagen, der mit reichlich Damast, Porzellan und Silber für zwei Personen gedeckt war. Dann entdeckte sie hinter einer Vase mit einem riesigen Strauß roter Rosen Dimitri. Er servierte ihr persönlich das Frühstück am Bett. Der Zarewitsch als Kellner. Das an sich war ungewöhnlich. Noch erstaunlicher war jedoch die Wahl seiner Garderobe: Er trug einen weißen Bademantel und darunter anscheinend nichts. Seine Badeschuhe klatschten über den Dielenboden, als er mit feierlicher Miene näher kam.

Sie war fassungslos, konnte ihr Kichern nicht unterdrücken. »Was machst du da?«

»Ich gratuliere dir zum Geburtstag, *ma chère*.« Er schob den Servierwagen vor das Bett, bückte sich und klappte unbeholfen die Seitenteile auf. »Warum können Dienstboten so etwas, und unsereins tut sich so schwer mit diesen Handgriffen?«, murmelte er dabei vor sich hin.

Als das Werk vollbracht war, richtete er sich wieder auf und trat zu ihr, beugte sich hinunter und küsste sie. »*S dnjom roschdenja!*«, sagte er auf Russisch. »Herzlichen Glückwunsch, Coco, viel Glück und Erfolg im neuen Lebensjahr und viel Liebe.«

Sie schlang ihre Arme um seinen Hals. »Dass du mir das Frühstück bringst, ist das i-Tüpfelchen auf einem ganz besonderen Morgen. Besser kann ein Geburtstag nicht beginnen.«

»Ich habe Pjotr und Joseph gegen mich aufgebracht.« Dimitri richtete sich schmunzelnd auf. »Die beiden sind ernsthaft verärgert, weil ich mich als dein Kellner hervortun wollte. Nur Marie zeigte Verständnis. Ich hörte, wie sie zu Joseph etwas von Romantik flüsterte.«

Während Gabrielle mit ihm lachte, wunderte sie sich, dass ihre Kopfschmerzen gar nicht mehr so schlimm waren.

Dimitri schob zwei Stühle an den provisorischen Tisch, hob den Deckel der Kanne an, so dass sich das Aroma der Mokkabohnen in der Zimmerluft verstärkte, und goss umständlich ein. Sich selbst zu bedienen war nicht seine Stärke.

»Komm her, Coco, bevor der Kaffee kalt wird«, forderte er sie auf, sah sie dabei aber nicht an, weil er damit beschäftigt war, die silberne Haube auf einem der beiden Teller hin und her zu schieben. Dabei wirkte er in seinem Bademantel unfreiwillig komisch.

»Danke, Kaiserliche Hoheit«, alberte Gabrielle. Kichernd stand sie auf. Diesmal freilich etwas bedachtsamer als zuvor. Sie zog das Laken vom Bett und drapierte es sich wie eine Toga um den Körper. Dann trat sie näher, betrachtete den Korb mit Croissants, das Butterdöschen und die verschiedenen Gläser mit Marmelade, strich mit ihren Fingerspitzen vorsichtig über die perfekt aufgeblühten Rosen. Nicht nur um Dimitris Bemühungen zu würdigen, sagte sie: »Du hast das alles wundervoll arrangiert.« Ihr ging tatsächlich das Herz auf.

Sie wollte sich vor dem Gedeck niederlassen, an dem er gerade nicht hantierte, doch er hielt sie zurück: »Nein. Nicht dort. Hier ist für dich gedeckt.« Er trat zur Seite, um den Platz frei zu machen.

Erstaunt setzte sie sich hin.

Dimitri tat es ihr nicht gleich, sondern blieb neben ihr stehen. Erwartungsvoll, wie es schien.

Mit wachsender Verwunderung trank Gabrielle erst einmal einen Schluck Kaffee. Sie spürte Dimitris Blick und fragte sich, worauf er wartete. Natürlich musste sie nachsehen, was sich unter der Servierglocke befand. Irgendetwas war dort versteckt. Hatte Marie zur Feier des Tages ein englisches Frühstück mit Rührei und Speck angerichtet, das warm gehalten werden sollte? Auch Russen aßen schon am Morgen all die herzhaften Dinge, die für einen französischen Magen um diese Uhrzeit keinesfalls zu verdauen waren. Und um einen leichten Kater zu bekämpfen, war ein fettes Mahl auch nicht sonderlich gut geeignet. Allein der Gedanke an Gebratenes verursachte ihr Übelkeit, geschweige denn der zu erwartende Geruch. Deshalb zögerte sie den Moment, sich der kulinarischen Überraschung zu stellen, noch etwas hinaus, trank noch einen Schluck Kaffee.

»Dimitri, willst du dich nicht setzen?«, fragte sie freundlich, die Tasse in der Hand.

»Ich habe es nicht eilig.«

Er schien tatsächlich darauf zu warten, dass sie nachsah, was auf ihrem Teller lag. Gabrielle begriff zwar nicht, wieso ihm gebratene Eier, Speck und Würstchen oder Blini und Piroggen so wichtig waren, aber sie wollte ihn nicht länger auf die

Folter spannen. Wenn es ihm etwas bedeutete, dass sie davon aß, würde sie es zumindest versuchen.

Sie stellte ihre Kaffeetasse ab und hob den silbernen Deckel an, der wie eine Haube über den Rand ihres Speisetellers ragte.

Beinahe hätte sie die *cloche* fallen lassen.

Das Porzellan war mit einem weißen Seidentuch und Rosenblättern dekoriert, und darauf lag – eine endlos lange Perlenkette. Oder mehrere Schnüre.

Gabrielle konnte es nicht genau erkennen. Es war auch egal. Es sah aus wie ein kleiner Berg aus rosé schimmernden, je nach Lichteinfall in allen Pastelltönen glänzenden, eigentlich cremeweißen Perlen. Man musste kein Fachmann sein, um aufgrund der Größe und des Lüsters zu erkennen, dass es sich um kostbare Juwelen handelte. Allein der Anblick machte Gabrielle sprachlos.

»Herzlichen Glückwunsch zum Geburtstag, Coco«, wiederholte Dimitri leise.

Zaghaft berührte Gabrielle das Geschenk. Insgeheim fürchtete sie, die Perlen könnten zu Muschelstaub zerfallen. Doch sie fühlten sich so wahrhaftig an, dass sie nach Luft schnappte.

Eigentlich machte sie sich nicht viel aus echtem Schmuck. Sie war der Auffassung, dass Ketten, Ringe und Ohrgehänge nur Dekoration sein konnten, jedoch nichts, das den Stellenwert einer Frau in irgendwie relevanter Weise erhöhte. Deshalb pflegte sie eine Vorliebe für Modeschmuck. Natürlich war es nicht immer so gewesen. Auch sie war in jüngeren Jahren dem Zauber funkelnder Diamanten erlegen.

Boy machte Gabrielle keine Geschenke. Jedenfalls nicht so, wie sie es bei Étiennes Clique in Royallieu und deren Mätressen beobachtet hatte. Étiennes Freunde versorgten ihre Geliebten mit sogenannten Morgengaben. Kostbarkeiten, die die jeweiligen Damen mit Stolz präsentierten: Straußenfedern, Pelzkragen oder Juwelen. Boy indes schien sich nichts aus Frauen zu machen, die sich behängen ließen wie Christbäume zu Weihnachten.

Gabrielle war sich nicht sicher, wie sie auf dieses Manko reagieren sollte. Eigentlich hielt sie Schlichtheit für viel erstrebenswerter als diesen ganzen Aufputz. Dennoch hörte sie bisweilen einen kleinen Teufel in ihren Gedanken, der ihr einflüsterte, dass sie etwas verpasste. Umso schneller schlug ihr Herz, als Boy etwa ein Jahr nach dem Beginn ihrer Liebe bemerkte: »Ich mache dir nie Geschenke, nicht wahr?«

»Stimmt!«, gab sie zurück, hin- und hergerissen zwischen Erwartung, Vorfreude und Ratlosigkeit.

Am nächsten Morgen legte er eine Schatulle aus rotem Leder auf ihr Kopfkissen. Als sie das Geschenk öffnete, war sie fast geblendet von dem Funkeln, das ihr von einem mit rotem Samt bezogenen Tableu entgegenstrahlte.

»Wie schön«, hauchte sie ergriffen.

»Das ist ein Diadem«, erwiderte Boy lächelnd. »Es gehört dir.«

Gabrielle hatte nie zuvor ein Diadem gesehen. Sie wusste nicht einmal, worum es sich dabei handelte. Natürlich hatte sie auch keine Ahnung, wie man es trug. Legte man sich dieses Schmuckstück um den Hals?

Später erfuhr sie von einer Bekannten, dass man dieses Krön-
chen in eine Hochfrisur steckte. Doch Gabrielle trug kurze
Haare. Wie sollte sie es feststecken? Und bei welcher Gelegen-
heit? Sie bemühte sich dennoch, sich mit dem Schmuckstück an-
zufreunden. Heimlich übte sie vor dem Spiegel, bis sie es schaffte,
das Diadem so auf ihrem Kopf zu platzieren, dass es ihr weder
in die Stirn fiel noch nach hinten rutschte. Dazu trug sie ein
Abendkleid.

»Möchtest du ausgehen?«, fragte Boy überrascht. »Warum
denn? Wir haben es hier zu Hause doch so schön.«

Das Diadem verschwand in der Schatulle, und Gabrielle er-
füllte ihrem Liebsten den Wunsch nach Zurückgezogenheit. Ein
derartiges Geschenk wiederholte sich nicht. Sie war glücklich mit
ihm. Mit oder ohne teure Juwelen.

Gabrielle war wie gebannt von der schlichten Eleganz der Perlen. Sie hatten nichts gemein mit dem glitzernden Tand, mit
dem sich die Damen der Gesellschaft aufzuwerten versuchten. Diese Perlen besaßen Magie, sie wirkten, als wären sie
noch immer lebendiger Bestandteil einer Auster. Sie waren
mehr als ein Kleinod, strahlten alles aus, was sich eine Frau
von ihren Juwelen überhaupt wünschen konnte.

»Das ist die Kette meiner Großmutter.«

»Wie bitte?« Gabrielle sah – aus ihren Gedanken gerissen –
zu Dimitri auf. Sie hatte zwar jedes Wort gehört, aber nicht
verstanden.

»Das sind die sogenannten Romanow-Perlen, Coco. Sie gehörten der Zarin Maria Alexandrowna, der Mutter meines Vaters.« Dimitri zögerte, trat unsicher von einem Bein auf das andere. Ihr Schweigen schien ihn zu irritieren. Offenbar erwartete er, dass sie vor Freude über dieses großzügige Geschenk ganz aus dem Häuschen geriet.

Doch Gabrielle rührte sich nicht.

Für einen Mann, dessen finanzielle Mittel eingeschränkt waren wie die seinen, bedeuteten wahrscheinlich allein die langstieligen Rosen eine enorme Ausgabe. Dessen war sie sich bewusst. Wenn sie es überhaupt darauf angelegt hätte, ein Geschenk von ihm zu bekommen, wäre für sie schon der Strauß vollkommen ausreichend gewesen. Aber sie erwartete nichts von ihm. Viel wertvoller als jede andere Geste waren für Gabrielle die harmonischen Stunden mit Dimitri. Glück, das hatte Boy sie gelehrt, gab es nirgendwo zu kaufen. Dimitri verwöhnte sie mit seiner Nähe, seiner Zärtlichkeit und seiner Freundschaft – das waren die schönsten Geschenke in einer Beziehung.

»Ich … ich … kann das nicht annehmen …«, stammelte sie.

Er wirkte bestürzt. »Gefallen dir die Perlen nicht?«

»O mein Gott! Natürlich tun sie das.«

Wenn sie es recht bedachte, entsprachen die Ketten genau ihrem Stil. Insofern hatte Dimitri eine sehr gute Wahl getroffen. Es war nicht nur ein großzügiges Geschenk. Er hatte es mit Bedacht ausgewählt. Dennoch war es unannehmbar.

Er würde bei einem Verkauf dieser Perlenschnüre Höchstpreise erzielen, wobei der materielle Wert dieses Schmucks nicht der wichtigste für ihn war, das wusste sie. Die Juwelen seiner Großmutter waren ein kostbares ideelles Gut von hoher Symbolkraft, wahrscheinlich nicht nur für ihn, sondern für alle anderen Monarchisten im Exil. Sie bedeuteten mehr, als Gabrielle je würde erfassen können. Dessen war sie sich bewusst.

»Ich kann das nicht annehmen«, wiederholte sie, ohne ihn anzusehen. Sie konnte sich vorstellen, wie sich Entsetzen in seiner Miene ausbreitete, und wollte nicht Zeugin seiner Enttäuschung sein. Außerdem sollte er nicht die Freude in ihrem Blick sehen. So oder so war es schließlich eine wundervolle Idee, ihr diese Kostbarkeit als Geburtstagsgeschenk zu präsentieren. Er könnte ihre Begeisterung missverstehen. Denn: »Es sind die russischen Kronjuwelen, oder?«

»Ach, das ist es.« Dimitri klang erleichtert, sein Lachen fiel jedoch grimmig aus. »Keine Sorge, die Bolschewiki haben uns so viel gestohlen, dass es nicht auf diese Ketten ankommt. Abgesehen davon meine ich, dass sie zum Privatbesitz der Zarin gehörten. Sie liebte diese Perlen, und es wäre furchtbar für mich, zu wissen, dass sie am Hals der Mätresse eines kommunistischen Kommissars oder bei einem zwielichtigen Pfandleiher landeten. Meine Großmutter war eine besondere Frau, und …« Er legte eine kleine Pause ein und fuhr dann mit sanfter Stimme fort: »Deshalb sollten ihre Perlen nun wieder einer besonderen Frau gehören.«

Während sie noch um ihre Fassung kämpfte, griff er nach

den Schnüren. Es waren mehrere lange Reihen, die er nun vorsichtig über ihren Kopf streifte und um ihren Hals legte. Seine Finger streichelten die empfindliche Stelle an ihrem Schlüsselbein. Diese Berührung und der leichte Druck des Schmucks ließen sie erschauern.

Seltsamerweise fühlten sich die Perlen nicht kalt auf ihrer Haut an, sondern entsprachen sofort ihrer Körperwärme. Sie zu tragen war ein unvorstellbar schönes Gefühl der Vollkommenheit.

»In der Eremitage, dem Teil des Winterpalastes, der schon zu Lebzeiten meines Urgroßvaters in ein Museum umgewandelt wurde, hängt ein Gemälde der Zarin Maria Alexandrowna. Darauf trägt sie diese Ketten. Ich wünschte, ich könnte es dir zeigen.«

Stumm hob sie die Hand und umfasste seine Finger. Sie zog sie an ihre Lippen und küsste jeden einzelnen. Ihre Geste sagte mehr als jedes Wort.

»Ich bewahre dieses Bild meiner Großmutter in meinem Herzen«, sagte er und zog sie von dem Stuhl hoch in seine Arme. »Genauso, wie ich deinen Anblick heute Morgen niemals vergessen werde.«

Und dann wurden die Perlen plötzlich unwichtig, als sein Mund ihre Lippen zu einem langen, leidenschaftlichen Kuss fand.

KAPITEL 21

»Woher hast du diese Perlen?«, wollte Misia statt einer Begrüßung wissen, als sie Gabrielle nach über zwei Monaten endlich wiedersah. Die Freundin umarmte sie nicht, wie Gabrielle natürlich erwartet hatte, sondern legte die Arme auf ihre
Schultern und schob sie sogar von sich. Aus der Distanz betrachtete sie die Ketten, die Gabrielle zu einem schlichten
schwarzen Sackkleid trug. »Sie sind phantastisch!«

Gabrielle ließ ihre Finger die Schnüre entlanggleiten. »Ja.
Das sind sie.«

»Und woher hast du sie? So etwas kann man nicht einmal
bei Cartier kaufen.«

»Vermutlich nicht.« Lächelnd senkte Gabrielle ihre Stimme:
»Dimitri hat sie mir geschenkt. Aber bitte erzähl das nicht
überall herum.«

Kaum hatte sie ihre Bitte ausgesprochen, ärgerte sie sich.
Wahrscheinlich würde Misia gerade diesen Wunsch als Auf-
forderung betrachten, aber sie hoffte unverdrossen auf die
Diskretion ihrer Freundin. Ausnahmsweise.

Misia riss die Augen auf. »Sag nicht, dass das die berühmten Romanow-Perlen sind!«

Gabrielle schwieg.

Aber die Freundin verstand sie auch ohne Worte. Um Atem ringend stieß sie hervor: »Meine Güte, Coco, du kannst damit doch nicht einfach in deinem Laden herumspazieren, als handele es sich um Modeschmuck.«

»Wo sollte ich die Ketten denn sonst tragen?«

Gabrielle traf ihre Freundin ausnahmsweise in ihrer Boutique, meist hielt sie sich im Atelier oder in ihren Privaträumen in der ersten Etage auf. Schon früh hatte sie gelernt, dass es besser für ihr Geschäft war, wenn sie sich vor ihren Kundinnen rar machte und es den Verkäuferinnen überließ, die Damen zu beraten. Mit den Angestellten versuchte niemand über den Preis eines Kleides zu feilschen, bei Mademoiselle Chanel persönlich verhielt es sich jedoch anders. Es erstaunte sie immer wieder, welche Tricks die reichsten Leute anwendeten, um als Bittsteller aufzutreten oder sich gar vor der Bezahlung der Rechnung zu drücken. Heute war sie jedoch nicht mit Kunden beschäftigt, sondern hatte sich die Dekoration des Ladens angesehen und sich gefragt, wo sie die weißen Päckchen mit der schwarzen Aufschrift *Chanel No 5* aufstellen sollte.

Da Misia nichts sagte, fügte Gabrielle hinzu: »Ich habe gehört, dass alte Perlen ihren Glanz verlieren, wenn sie nicht regelmäßig mit der Haut einer Frau in Berührung kommen. Also werde ich gerade diese besonderen Stücke nicht einfach in einer Schatulle liegen lassen.«

»Wer sagt denn so etwas?«, keuchte Misia.

»Marija Pawlowna«, erwiderte Gabrielle schlicht.

»Die muss es ja wissen.« Über diesen eifersüchtigen Kommentar vergaß Misia sogar ihre Ehrfurcht vor den Juwelen.

Dimitris Schwester war gestern in das Atelier gekommen, um Gabrielle die Bluse vorzulegen, die sie in der Zwischenzeit bestickt hatte. Es erschien Gabrielle wie ein Wunder: Die Großfürstin arbeitete besser als jede professionelle Stickerin. Marijas Kunstwerk war so beeindruckend, dass Gabrielle sie um weitere Entwürfe bat. Ihre Unterhaltung drehte sich eigentlich um Mode, aber natürlich fielen Marija die Perlen auf, schließlich handelte es sich ja um den Schmuck ihrer Großmutter. Gabrielle erwartete einen Protest und fühlte sich für einen Moment unwohl, weil sie fürchtete, Marija würde Ansprüche anmelden. Doch die Russin bemerkte nur: »Dimitri hat recht daran getan, Ihnen die Perlen zu schenken. Alles andere wäre nur ein weiterer Verlust.« Gabrielle wusste nicht, was Marija meinte, aber sie fragte nicht nach.

In dem Versuch, ihre beste Freundin wieder versöhnlich zu stimmen, wechselte Gabrielle das Thema: »Vorhin sind die ersten Muster meines Parfüms geliefert worden ...«

Das Ablenkungsmanöver zeigte seine Wirkung. »Die möchte ich sofort sehen!«, rief Misia entzückt und fügte nachdrücklich hinzu: »Sofort!«

»Dann komm mit nach oben. Ich wollte ohnehin ein Glas Champagner darauf trinken, und in Gesellschaft feiert es sich so viel besser.«

Auf Gabrielles Schreibtisch stand eine geöffnete Kiste, aus der weißes Seidenpapier quoll wie Schnee aus einem Brunnen im Winter. Sie hatte die Muster, die man ihr geschickt hatte, sogleich hastig ausgepackt: weiße Päckchen mit schwarzer Aufschrift, darin die schlichten Flakons mit weißem Etikett und demselben geradlinigen Schriftzug, gefüllt mit der hellen bernsteingelben Flüssigkeit. Fünf Beispiele für *Chanel No 5*, die Gabrielle neben das Paket gelegt hatte. Eines davon hob sie hoch und übergab es Misia.

»Für dich. Es ist zwar noch nicht Weihnachten, aber ich möchte, dass du die Erste bist, die meinen Duft trägt.«

»Es ist Weihnachten, Coco.« Misia strahlte. Sie ließ sich in einen Sessel sinken, das Parfüm in der Hand. Andächtig drehte und wendete sie den kleinen Karton, bevor sie die Lasche hochzog. Vorsichtig entnahm sie der Verpackung den Flakon, um auch diesen eingehend zu betrachten.

Gabrielle lehnte sich gegen ihren Schreibtisch und beobachtete ihre Freundin. Es war ein Vergnügen, Misia zuzuschauen, wie sie das Geschenk wertschätzte. Sie war eine am Herstellungsprozess weitgehend unbeteiligte Person, deren Urteil Gabrielle sehr viel bedeutete – und deren Einschätzung ihr womöglich Aufschluss auf die Reaktionen ihrer Kundinnen geben würde. Mit wachsender Nervosität begann sie mit den Perlenschnüren zu spielen, die fast bis zu ihrer Taille reichten.

»Diese abgeschliffenen Ecken sind ein sehr schöner Einfall«, kommentierte Misia den Glasflakon. Sie sah zu Gabrielle auf. »Sehr wirkungsvoll. Und ganz ohne Chichi. Genial!

Wie bist du nur darauf gekommen? Die Apothekerflasche aus Boys Reisenecessaire hatte glatte Ecken, wenn ich mich recht entsinne.«

»Es war an einem Abend im Ritz«, erzählte Gabrielle. »Ich war allein und beschäftigte mich mit den Entwürfen. Zwischendurch sah ich aus dem Fenster, und mir fiel auf, dass die Place Vendôme achteckig ist. Das brachte mich auf die Idee, die Gleichförmigkeit des Originals zu verändern.«

Misia öffnete den Stöpsel, um einen Tropfen *Chanel No 5* auf die Stelle an ihrem Handgelenk zu geben, wo ihr Puls schlug. »Ich kenne den Duft ja schon, aber ich gebe zu, dass ich mich nicht satt riechen kann daran.«

»Dann bist du ja fürs Erste gut versorgt.« Schmunzelnd zündete sich Gabrielle eine Zigarette an. Misias Begeisterung bedeutete ihr nicht nur Erleichterung, sondern auch eine große persönliche Freude. Es war wie ein Triumph. Sie wusste, dass Misia alles tun würde, um in der feinen Gesellschaft Werbung für das Parfüm zu machen.

»Dieses Parfüm ist viel zu schade, um es nur als Weihnachtsgeschenk an deine Kundinnen zu geben, Coco.« Es klang wie ein Protest.

»Ich fürchte, die Herstellung ist für einen Verkauf zu kostspielig. Wahrscheinlich ist *Chanel No 5* momentan das teuerste Parfüm der Welt.«

»Aber auch das beste.« Misia verschloss den Flakon wieder und schob ihn zurück in die Verpackung. »Du solltest es versuchen, Coco, der Preis dürfte keine so entscheidende Rolle spielen. An Käuferinnen wird es dir nicht mangeln. Sieh dir doch die ganzen Amerikanerinnen an, die auf Europareise sind und mit ihren Dollars nur so um sich werfen. Ich würde das Geschäft mit den exklusiven Düften keinesfalls diesem Engländer überlassen. Edward Molyneux heißt er, glaube ich.«

»Ich kenne ihn. Er versucht, meine Modelle zu kopieren, aber das stört mich nicht.« Gelassen schnippte Gabrielle die Asche in eine Kristallschale. »Will er auch ein Parfüm lancieren?«

»Er nennt es *Numéro cinq*«, berichtete Misia in bedeutungsschwerem Tonfall. »Das ist allerdings wohl ein Zufall und nicht die Folge von Betriebsspionage. Das Atelier von Molyneux befindet sich meines Wissens in der Hausnummer fünf an der Rue Royale.«

»Stimmt. Wahrscheinlich sollte ich ihm eine Wette vorschlagen, welcher Duft erfolgreicher wird. Das wäre ein Spaß, meinst du nicht?«

»Das kannst du nur, wenn du dein Parfüm auch auf dem Markt einführst.«

»Hm …« Gabrielle zog nachdenklich an ihrer Zigarette. Misias Überlegungen waren nicht von der Hand zu weisen. Andererseits hatte Gabrielle nicht die geringste Ahnung davon, wie man ein Toilettenwasser in den Handel brachte, etwa in die entsprechenden Abteilungen der großen Kaufhäuser. Sie war Théophile Bader, dem Besitzer der Galeries Lafayette, zwar mehrfach begegnet, aber sie konnte wohl kaum zu ihm hingehen und ihm einfach vorschlagen, die teure neue Ware in sein Sortiment aufzunehmen. Selbst wenn sie es versuchte, wusste sie nicht, welche Konditionen sie verlangen, wie sie mit ihm verhandeln sollte. Boy hätte gewusst, was zu tun wäre. Aber sie war allein. Auf sich gestellt. »Ehrlich gesagt, Misia, bin ich von deinem Elan etwas überfordert.«

»Sprich mit François Coty. Er wird wissen, wie das anzugehen ist.«

»Dann wird er im Gegenzug *Chanel No 5* produzieren wollen, und das geht nicht. Es muss einen anderen Weg geben. Zumindest für den Anfang. Ich werde darüber nachdenken.«

Misia zog eine Grimasse. Sie hielt das Päckchen hoch wie eine Trophäe. »Es ist im wahrsten Sinne des Wortes verschenkte Liebesmüh, das hier nur zu verschenken.«

»Ich sagte doch, dass ich darüber nachdenken werde.«

»Dann beeil dich damit.« Misia legte eine kleine Pause ein, bevor sie herausplatzte: »Es steht so vieles an, du musst über eine Menge nachdenken, Coco. Vor allem über diesen unsinnigen Kauf von *Bel Respiro.* Stoß die Immobilie endlich ab. Ich war von Anfang an dagegen und finde, du solltest dich endlich davon trennen. Ich habe für dich einen Besichtigungstermin mit Comte de Pillet-Will in der Rue du Faubourg Saint-Honoré neunundzwanzig vereinbart. Er ist sehr interessiert daran, dir die große Wohnung im Erdgeschoss zu vermieten.«

»Misia, du überforderst mich heute wirklich.«

»Der Garten reicht bis zu den Grünanlagen an der Avenue Gabriel«, insistierte die Freundin.

Unwillkürlich hielt Gabrielle den Atem an. Als sie in einem

der vornehmen Häuser der Avenue Gabriel glücklich gewesen war, hatte sie Misia noch nicht gekannt. Aber sie hatte ihr später von den wundervollen Stunden mit Boy darin berichtet. Ob sie sich ihm in diesem Quartier wohl näher fühlte als in der Villa in Garches? Würde die Erinnerung an die Liebe ihres Lebens in einer der wohlhabendsten Gegenden des 8. Arrondissements lebendiger sein als in dem Vorort?

Mit einem Mal fühlte sie sich zurückgeworfen in die Nacht, als Étienne Balsan mit der furchtbaren Nachricht nach *La Milanaise* gekommen war. Sie hatte keine Minute vergessen. Auch nicht die Zeit danach, in der sie in ihrer Trauer versunken war und das Haus nicht mehr ertrug, in dem sie zusammengelebt hatten. Obwohl ihr Leben ein anderes geworden war, hatte sich an ihren Gefühlen seither nichts geändert. Diese Erkenntnis stand plötzlich so deutlich vor ihr geschrieben wie ihr Name auf dem Parfümflakon, den Misia noch immer in der Hand hielt.

Gedankenverloren spielte Gabrielle mit den Perlen an ihrem Hals. Es gab nichts, das ihr so wichtig war wie das Andenken an Boy. Sie würde sich die Wohnung ansehen, beschloss sie. Allein. Ohne Misia – und ohne Dimitri.

KAPITEL 22

Sechs Wochen später öffnete Dimitri die Terrassentür. Es waren zwei Flügel mit Sprossenfenstern, typisch für ein Pariser Palais aus dem frühen 18. Jahrhundert. Er trat hinaus in den herbstlichen Garten, dessen Blüte jedoch längst vergangen war. Trotz der engen, gleichmäßigen Bebauung rundherum senkten sich dichte Nebelschwaden über die Grünanlage, fingen sich in den kahlen Ästen der Linden wie Watte, die durch die Luft wirbelte. Zu seinen Füßen lagen tote Blätter, die der Hausmeister noch nicht zusammengekehrt hatte, sie knisterten leise.

Gabrielle stand dicht hinter ihm, und der Rauch ihrer Zigarette verflüchtigte sich im Dunst.

»Nun?«, fragte sie. »Wie gefällt dir meine neue Wohnung?«

»Was soll ich sagen, Coco? Du weißt selbst, dass sie wundervoll ist. Und dazu dieser kleine Park mitten in der Stadt. Ein idealer Rahmen für eine Frau mit Stil.«

»Die Wohnung ist natürlich kleiner als das Haus in Garches, aber sie ist groß genug für mich und meine Hunde, das Personal und meine Freunde. Für meine Bücher und die Koromandel-Wandschirme ist auch genug Platz. Hast du dir schon überlegt, wo ich dir deinen Salon einrichten soll?«

Gerade waren sie auf einer ausgiebigen Besichtigung durch die Zimmerfluchten gewandert, hatten Stuckarbeiten, Marmorsimse und Intarsien bewundert. Die Wandpaneele indes verabscheute Gabrielle, aber die durfte sie nicht entfernen. Es standen noch keine Möbel in den Räumen, hingen keine Bilder an den Wänden, sorgten keine Lampen für Licht. Es war in manchen Ecken ein wenig dunkel gewesen, was vor allem der Tageszeit und dem grauen Wetter geschuldet war, aber nicht so finster, dass Dimitri sich nicht hätte entscheiden können, wo er künftig logieren wollte. Auch der Trakt hinter der Küche war groß genug, um neben den Leclercs Platz für Pjotr zu finden. Doch Dimitri ließ sich mit seiner Antwort Zeit.

Nach einer Weile nahm er ihre freie Hand, hielt sie fest. »Coco«, begann er leise, »ich werde hier nicht einziehen.«

Der Nordwind frischte auf, wirbelte die Blätter hoch und fuhr unter Gabrielles offenen Mantel. Sie spürte den kalten Zug direkt auf ihrer Haut, als würde sie nicht auch ein Kleid tragen.

»Wo willst du denn sonst wohnen?«

»Bei Marija und Sergej. In einem Hotel. Ich weiß es noch nicht genau.« Offensichtlich drückte er sich vor der Wahrheit. Er druckste herum wie ein kleiner Junge, den die Mutter nach einem Streich zur Rede stellte. »Vielleicht fahre ich für eine Weile nach Amerika.«

Gabrielle fröstelte. Sie wäre gern in die Wohnung zurückgegangen, wo es wärmer war als hier draußen. Aber sie fürchtete, den Kontakt zu Dimitri zu verlieren, wenn sie seine Hand losließ.

Solange sie seine Nähe körperlich spürte, war alles gut. Er wollte verreisen. Vielleicht auch nur für eine Weile für sich sein. Nun ja, dann sollte er es tun. Sie wusste, wie schwer es für ihn war, seine Thronansprüche durchzusetzen. Dimitri war kein Diplomat oder Politiker, und er hatte nie gelernt, um sein Erbrecht zu kämpfen. Hatte er bereits verloren? Sie ahnte zwar, dass es nicht allein um die Kaiserwürde ging. Aber das gestand sie sich nicht ein.

Sie schwiegen, wobei sie nicht das gewohnte Einvernehmen verband.

Gabrielle spürte, wie die Harmonie zwischen ihnen zerbrach. Die Scherben dieses stillen Glücks schnitten ihr ins Herz, und sie war dankbar für ihre Zigarette, an der sie hektisch zog. Das Nikotin füllte ihre Lungen und beruhigte ihre Nerven.

»Für dich wird immer Platz bei mir sein«, antwortete sie schließlich, inhalierte, atmete aus, inhalierte, atmete aus. »Die Wohnung ist groß genug.«

Seine Finger umklammerten ihre Hand noch fester. »Ich möchte dein Freund bleiben, Coco, und dich nicht eines Tages wegen einer anderen verlassen müssen.«

Warum tust du es dann?, fuhr es ihr durch den Kopf, aber sie blieb stumm.

»Das Leben trennt die Liebenden«, sinnierte er. Inzwischen hielt er sich an ihr fest, als wäre sie der Anker, den er brauchte, um nicht zusammenzubrechen. »Kein Streit könnte uns auseinanderbringen, nicht wahr?«

»Vermutlich nicht«, murmelte sie.

»Im Gegensatz zu den Hausgesetzen der Romanows«, fuhr er fort, als habe sie nichts gesagt. »Ich kann mich dem nicht widersetzen und dich einfach heiraten.« Es klang, als spräche er zu sich selbst.

Sie war so überrascht, dass sie ihm ihre Hand entwand. Noch nie hatten sie über eine Ehe gesprochen. Natürlich, sie hatte hin und wieder überlegt, wie es wäre, eine echte Prinzessin zu sein. Ihr Scherz in der russischen Kathedrale in Nizza war natürlich unvergessen. Aber ein ernsthaftes Gespräch über eine Zukunft, die über Dimitris politische Interessen oder Gabrielles beruflichen Erfolg hinausging, hatten sie niemals geführt. Sie hatten sogar herzlich gelacht, als nach ihrer Rückkehr aus Arcachon in Paris Gerüchte kursierten, sie wären inzwischen verheiratet. Dabei hatte sie nicht einmal geahnt, dass *er* sich mit dem Gedanken an eine legalisierte Verbindung trug.

Während er in düsteres Schweigen versank, dachte sie an ihre Rückreise von der Riviera im Frühjahr. Warum hatte sie diesem Mann Einblicke in ihr Leben gegeben, die sie sogar Boy verwehrt hatte? Wusste sie damals schon in ihrem tiefsten Inneren, dass ihre Vergangenheit für Dimitri keine Rolle spielen konnte, weil es die Zukunft auch nicht tat?

Ihre Herkunft war mehr als nur das äußere Zeichen einer Mesalliance. Sie würde dem Haus Romanow keine Nachkommen schenken können. Sie konnte nicht schwanger werden, weil sie als junge Frau von einem Kurpfuscher behandelt worden war. Damals in Vichy. Zum ersten Mal seit langer Zeit tauchte die Abtreibung vor ihrem geistigen Auge auf. Davon hatte sie Dimitri nichts erzählt, vermutlich betrachtete er in diesem Fall eher ihr Alter als Hinderungsgrund. Warum wurde sie nur immer wieder von ihrer Vergangenheit eingeholt?

»Ich möchte dein Freund bleiben, aber ich kann nicht dein Mann sein.« In seinem Ton lag eine Verzweiflung, die sich in seinen Zügen widerspiegelte. »Mein Cousin Kyrill Wladimirowitsch ist mit Prinzessin Victoria Melita von Sachsen-Coburg und Gotha verheiratet. Sogar diese Eheschließung sorgte für einen Skandal, obwohl sie als Enkeltochter der britischen Königin Victoria den Vorgaben des Hausrechts meiner Familie entspricht. Aber Viktoria Feodorowna, wie sie sich inzwischen nennt, war von Großherzog Ernst-Ludwig von Hessen-Darmstadt geschieden. Das machte es ebenso schwierig wie die Tatsache, dass die beiden Vettern ersten Grades sind. Der Zar hat Kyrill Wladimirowitsch nach der heimlichen Hochzeit alle königlichen Privilegien aberkannt, musste aber nach einer Weile einlenken und Kyrill wieder in die Thronfolge aufnehmen. Deshalb spielen Details wie dieser alte Skandal gerade heute bei der Gestaltung der Zukunft unserer Heimat eine Rolle.«

Sie hörte ihm kaum zu, in ihrem Kopf schwirrten die Namen wie Bienen um ihre Königin. Die Erinnerung an die Schmerzen und das viele Blut war viel gegenwärtiger. Étienne Balsan war der Vater ihres ungeborenen Kindes, und sie hatte damals keinen Moment gezögert, einen Engelmacher aufzusuchen. Ihr eigenes Schicksal als Bastard wollte sie niemandem zumuten, der Makel der unehelichen Geburt lastete zu schwer. Tränen stiegen ihr in die Augen.

»Du hast sehr viel Glück in mein Leben gebracht«, sagte Dimitri. »Mehr als ich jemals zu hoffen wagte. Dafür werde ich dir für immer dankbar sein.«

Die Zigarette war fast ganz heruntergebrannt, versengte ihre Finger und brachte sie auf diese Weise in die Realität zurück. Sie warf sie auf den Boden und trat den Stummel aus, den starren Blick auf das im Nebel verschwundene Ende des Gartens gerichtet. Dorthin, wo die Avenue Gabriel lag. Wo sie die glücklichsten Jahre ihres Lebens verlebt hatte. Der Verlust von Boy wog schwerer als jeder andere. Er hatte sie einsamer zurückgelassen, als sie sich je zuvor gefühlt hatte. Wenn Dimitri ging, war das nicht einmal annähernd so schlimm. Sie hatte ihre Freunde. Sie brauchte keinen Mann. Vielleicht einen Liebhaber, aber den würde sie schon irgendwo finden. Keinen wie Dimitri Pawlowitsch Romanow – gewiss. Aber spielte das eine Rolle?

»Wir sollten gehen«, entschied sie und wunderte sich über ihre erstickte Stimme.

»Es tut mir leid, Coco.«

Sie ignorierte seine Entschuldigung.

Während sie sich langsam umwandte und zurück in die Wohnung schritt, gewann sie ihre Contenance zurück. Er folgte ihr indes mit hängenden Schultern und gesenktem Kopf. Als sie die Terrassentür hinter ihm schloss, plauderte sie in dem leichten Ton, als wäre ihr Salon bereits mit den Gästen ihrer Einweihungsparty gefüllt. Ihre Worte hallten von den leeren Wänden wider.

»Ich werde in den nächsten Tagen mit Misia und José Sert wiederkommen. Wir wollen uns über die Einrichtung unterhalten. Ich verlasse mich da ganz auf den Geschmack der beiden.« Sie drehte sich um die eigene Achse. »Was meinst du, Dimitri? Wo sollte ich wohl einen Flügel aufstellen lassen?« Etwas Persönlicheres als die unverfängliche Frage nach dem Standort des Pianos gab es zwischen ihnen vorläufig nicht mehr zu debattieren.

Das verstört trommelnde Klopfen ihres Herzens nahm er nicht wahr.

VIERTER TEIL
1922

KAPITEL 1

Ihre Weihnachtsferien waren ein voller Erfolg. Gabrielle hatte die Feiertage mit ihren Freunden in Cannes verbracht und war Anfang Januar wieder abgereist, als die Croisette von den Ministerpräsidenten von Frankreich, Großbritannien, Belgien und Italien und ihren Delegationen sowie dem Außenminister des Deutschen Reichs nebst kleinerem Gefolge bevölkert wurde. Sie wollte nichts mit der hohen Politik zu schaffen haben. Nichts erfahren von Reparationsforderungen der Alliierten an die Deutschen und auch nichts von der Hungerkatastrophe in der sogenannten russischen Sowjetrepublik. Aus Trotz schloss sie die Weltlage nun gänzlich aus ihrem Leben aus.

Die politische Entwicklung hatte eine Rolle dabei gespielt, ihre Verbindung zu Dimitri Romanow zu zerstören, der unverändert, aber wohl auch zunehmend wirkungslos um seinen Anspruch auf den Thron kämpfte. Sie wollte nicht daran erinnert werden, und sogar Marija vermied es, den Namen ihres Bruders in den Mund zu nehmen, wenn sie sich im Atelier Chanel aufhielt, was mittlerweile täglich der Fall war. Es gab so viel anderes zu bereden, Dinge, um die sich Gabrielle kümmern musste. Denn noch sensationeller als die unverändert großartigen Entwürfe von Marija und deren Umsetzung war inzwischen die gelungene Einführung von *Chanel No 5*.

Entgegen Misias Rat war Gabrielle letztlich doch ihrer ursprünglichen Idee gefolgt und hatte das Parfüm als Weihnachtsgeschenk unter ihren besten Kundinnen verteilt. Allerdings nicht ganz so großzügig wie anfangs geplant, sie hielt die meisten der einhundert Flakons aus der ersten Produktion für den späteren Verkauf in ihrer Boutique zurück. Vor den zu erwartenden Rückmeldungen flüchtete sie jedoch an die Riviera. Einerseits fürchtete sie abschlägige Kommentare, andererseits wollte sie sich unbedingt rar machen. Gabrielle folgte der Devise, dass die ersten Testerinnen, je weniger sie ihr persönlich über den Duft erzählen konnten, umso mehr mit ihren Freundinnen darüber sprechen würden. Der Name der neuen Kreation aus dem Hause Chanel sollte somit rasch in aller Munde sein.

Sie lud ihre engsten Freunde aus Paris und Ernest Beaux zum Abendessen in das Restaurant des Hotel Carlton. Bevor die wichtigsten Personen der politischen Bühne Europas von Cannes Besitz ergriffen, versammelte sich hier *tout le monde* der besseren Gesellschaft. Alle Tische waren besetzt, der *Maître d'Hôtel* musste immer wieder Stühle herbeiholen lassen, um neue Plätze für Cliquen zu schaffen, die sich mehr oder weniger zufällig trafen, Frauen aller Altersgruppen in eleganten

Abendkleidern kamen herein oder liefen durch die Reihen auf der Suche nach ihren Begleitern und auf dem Weg zur Toilette. Das war ganz eindeutig Gabrielles Zielgruppe.

Sie zog den mitgebrachten Zerstäuber aus ihrer Handtasche und versprühte großzügig den Duft in Richtung der vorüberschreitenden Gäste. Wie eine große silberne *cloche* hing das Parfüm für einen kurzen Moment über ihrem Platz, bevor es sich langsam verteilte und wie eine sanfte Wolke zu den Nebentischen wehte. Sie hatte gehofft, unbeobachtet vorgehen zu können, doch natürlich fiel Misia sofort auf, was sie trieb.

»Um Himmels willen!«, rief Misia so laut aus, dass sich einige Köpfe nach ihr umdrehten. »Du kannst doch nicht einfach diese Kostbarkeit sich in der Luft auflösen lassen.«

Ernest Beaux, dem die Ehre zuteilwurde, als ihr Tischherr neben Gabrielle zu sitzen, blickte ein wenig betreten, aber demonstrativ in seinen Champagnerkelch.

»Keine Sorge, ich achte darauf, dass keine Schwebeteilchen in die Gläser fallen«, raunte ihm Gabrielle lächelnd zu.

Sie hatte ihren Plan erst umgesetzt, nachdem die Teller mit der Vorspeise abgeräumt worden waren. Selbst sie sah ein, dass *Chanel No 5* nicht das richtige Gewürz für Langusten war.

Der Parfümeur nickte. »Ein guter Geruch ist nicht gleichbedeutend mit einem guten Geschmack. Darf ich Sie trotzdem fragen, was Sie hier tun, Mademoiselle?«

Gabrielle hob den Flakon in ihrer Hand und drückte auf die Pumpe, so dass der Duft dem bloßen Rücken einer jungen Frau folgte, die in ihrem schulterfreien Abendkleid am Arm eines Smoking tragenden Herrn gerade an ihr vorbeischwebte. Die Dame stutzte, drehte kurz den Kopf, krauste die Nase. Im Weitergehen flüsterte sie ihrem Begleiter etwas zu.

»Pass auf, dass man dich nicht hinauswirft«, bemerkte Misia.

»Was machen Sie nur?«, fragte der Parfümeur verwundert.

»Ich folge dem, was mich François Coty lehrte«, erwiderte Gabrielle vergnügt.

Ihr nächstes Ziel war eine ältere Dame, die sich an dem Tisch hinter dem ihren niederließ, an dem eine größere Gruppe Platz genommen hatte, offensichtlich alles Mitglieder einer Familie. Die Stimmen summten laut. Unter Gabrielles Freunden herrschte dagegen verblüfftes Schweigen. Fünf Augenpaare beobachteten ihr Treiben, verwundert, amüsiert – und verständnislos.

Gabrielle beugte sich ein wenig vor, um sich besser Gehör zu verschaffen, als sie in einem leisen Ton berichtete, der deutlich machte, dass diese Worte nur für ihre Freunde bestimmt waren: »Ich habe nicht vergessen, was François Coty mir von dem Beginn seiner Karriere erzählte. Damals versuchte er, den Direktor von Printemps zu überzeugen, sein Toilettenwasser *La Rose Jacqueminot* in das Sortiment aufzunehmen. Anfangs wenig erfolgreich, doch dann warf Coty ein Fläschchen auf den Boden des Verkaufsraums. Das Glas zerbrach, der Duft strömte aus, und die Kundinnen blieben stehen, um sich nach dem Parfüm zu erkundigen. Sie wollten es alle unbedingt haben. Es wurde ein Verkaufsschlager.«

»Noch einmal pumpen, und du hast es ebenso weit gebracht«, behauptete José Sert. »Dreh dich nicht um, Coco, fast
alle Damen recken ihre Nasen und schauen zu dir hin.«

»Coco wird beobachtet, weil sie heute Abend wieder einmal hinreißend aussieht«, flötete Jean Cocteau vom anderen
Ende ihres Tisches. »Dein Kleid ist wie immer eine Sensation,
vor allem mit diesen Perlen.«

Automatisch berührte Gabrielle ihre Juwelen. »Es sind nur
die Ketten«, versicherte sie bescheiden. »Ich denke über eine
Modeschmucklinie nach. Dafür möchte ich die hier kopieren
lassen.«

»Die russischen Emigrantinnen und alle Dollarprinzessin-
nen werden dir Nachahmungen der Romanow-Perlen aus der
Hand reißen«, stimmte Misia zu.

»Wo nehmen Sie nur all diese wundervollen Ideen her?«,
fragte Ernest Beaux.

»Wo nimmst du nur die Zeit her, all deine wundervollen
Ideen umzusetzen?« Jean Cocteau gab den Zerknirschten.
»Coco, meine Liebe, darf ich dich daran erinnern, dass du mir
versprochen hast, die Kostüme für meine *Antigone* zu entwerfen? Wann, um alles in der Welt, willst du das neben deiner
sonstigen Arbeit noch tun?«

»Um Coco brauchst du dir keine Sorgen zu machen«,
meinte Sert. »Im Moment denke ich, dass eher Picasso Probleme mit der Umsetzung des Bühnenbildes haben wird.«

»Sag das nicht. Die Premiere ist für Ende des Jahres angesetzt.«

»Wenn Olga ihn weiter so unter Druck setzt, wird seine Schaffenskraft massiv leiden. Sie hat ihn gezwungen, über die Feiertage mit dem Kind und ihr aufs Land zu fahren und den glücklichen Familienvater zu mimen. Und das Picasso – ich bitte euch!« Sert rang die Hände.

Cocteau nickte. »Ich hörte, sie sperre ihn regelrecht ein.«

»Ich kann mir nicht vorstellen, dass er sich das gefallen lässt«, warf Gabrielle ein.

»Psst!«, machte Misia plötzlich aufgeregt. »Die Enkelin der alten Dame am Nebentisch – oder was auch immer sie ist –, also, die junge Frau steht gerade auf, und es sieht so aus, als würde sie herkommen.« Sie sah an Gabrielle vorbei und bemühte sich, nicht indiskret zu erscheinen. »Entweder will sie sich beschweren, Coco, dass du ihre betagte *Mamie* mit einem unfassbar erotischen Duft eingenebelt hast – oder sie will wissen, wie das Parfüm heißt.«

Cocteau sandte herausfordernde Blicke in die Runde. »Was wird sie tun? Wollen wir wetten?«

»Ihr müsst alle den Mund halten«, zischte Sert. »Natürlich werden wir niemandem sagen, dass es sich um *Chanel No 5* handelt. Das Unbekannte erhöht den Reiz.«

Die sieben Personen am Tisch – Gabrielle, Ernest Beaux und Yvonne Girodon, die Serts, Jean Cocteau und sein erst achtzehnjähriger Freund Raymond Radiguet – hielten unisono den Atem an. Gespannt warteten sie darauf, dass die junge Dame näher trat. Doch es sah so aus, als habe sich Sert geirrt, und sie strebte dem Ausgang entgegen. Enttäuschtes Seufzen ging durch die

Runde. Dann jedoch hielt sie mitten in der Bewegung inne und drehte sich auf dem Absatz um. Sie war eine ausgesprochen hübsche Person mit brünettem Bubikopf und einem blassblauen Seidenkleid, an ihrem Dekolleté schimmerte ein leuchtender Aquamarin.

»Verzeihen Sie bitte, dass ich Sie anspreche. Wir fragen uns gerade«, sie zeigte vage auf den Nebentisch, »was das für ein Duft ist. Es riecht hier so wundervoll. Und ich meine, dass es bei Ihnen ganz besonders gut riecht.« Sie lächelte verlegen.

Cocteau drohte den anderen verstohlen mit dem Zeigefinger.

»Ein Duft?«, wiederholte Sert mit ernster Miene. »Also, ich rieche nichts.«

»Ich rieche ihn«, widersprach Gabrielle, zwinkerte ihren Freunden zu und fuhr mit der größten Harmlosigkeit fort: »Aber ich habe nicht die geringste Ahnung, welches Parfüm das sein könnte.«

Die Fremde war sichtlich enttäuscht. »Schade.« Bedauernd zuckte sie mit den Schultern. »Entschuldigen Sie bitte die Störung.« Daraufhin ging sie nun tatsächlich in Richtung der Erfrischungsräume für die Damen.

Cocteau fand als Erster seine Sprache wieder. »Ich mag nicht, wie du der jungen Dame nachsiehst«, tadelte er seinen Freund. Scherzhaft fügte er an die anderen gerichtet hinzu: »Raymond ist bösartig. Ich glaube, er mag Frauen.« Sein unflätiger Kommentar löste die Spannung, und alle lachten.

* * *

Wahrscheinlich war es Misia, die am Ende dafür sorgte, dass sich herumsprach, um welchen Duft es sich tatsächlich handelte. Gabrielle hatte bis dahin den Inhalt eines ganzen Flakons im Restaurant versprüht und war sich sicher, dass es das wichtigste Gesprächsthema vor den Toilettenspiegeln des Carlton war, wo sich Gruppen vermögender Frauen die Nase puderten. Natürlich bestritt ihre Freundin wieder einmal, irgendetwas ausgeplaudert zu haben, was sie für sich behalten sollte. Mit dieser Indiskretion richtete sie jedoch viel weniger Schaden an als mit dem Telegramm an Strawinsky zehn Monate zuvor.

Tatsächlich kursierte nun eine Information, und die aus den Weihnachtsferien heimkehrenden Pariserinnen eilten auf der Suche nach dem besonderen Parfüm in Gabrielles Geschäft an der Rue Cambon. Dort trafen sie auf die Kundinnen, die das Weihnachtsgeschenk des Modehauses Chanel im privaten Kreis erschnuppert hatten und unbedingt kaufen wollten, was ihre Freundinnen umsonst bekommen hatten.

Gabrielle saß auf der obersten Stufe der Treppe, die von ihrem Laden in die erste Etage führte. Es war ihr Lieblingsplatz, eine Tradition, wenn sie dem Geschehen im Erdgeschoss heimlich folgen wollte. Durch die Biegung der Treppe und den damit verbundenen Mauervorsprung konnte sie zwar alles sehen, was sich unten abspielte, von dort jedoch nicht gesehen werden. Bei ihren Modeschauen kauerte sie stets auf diesem Fleck, einen Aschenbecher, ein frisches Päckchen Zigaretten und ihr Feuerzeug neben sich, sah den Mannequins zu und nahm die Stimmung unter den Zuschauerinnen unverfälscht wahr, die sich ohne ihre Gegenwart sicherer in Anerkennung oder Kritik fühlten. Jetzt verbarg sich Gabrielle vor den Blicken, um zu erfahren, wie *Chanel No 5* ankam.

Sie hatte Anweisung gegeben, dass sich die Verkäuferinnen zieren sollten. Die kostbaren weißen Päckchen mit der schwarzen Schrift durften keinesfalls ohne weiteres über den Tresen geschoben werden. Exklusivität war heutzutage alles, die Lebenshaltungskosten erhöhten sich ständig. Für die reichen Kunden war der Preis inzwischen bedeutungslos, daran maß sich kein Luxus mehr. Wichtig war einzig das Besondere. Und die Neugier erhöhte das Interesse, darin stimmte sie José Sert zu.

»Mademoiselle ist noch gar nicht auf den Gedanken gekommen, *Chanel No 5* zum Verkauf anzubieten«, hallte die klare Stimme der schönen kaukasischen Gräfin, die sie erst kürzlich eingestellt hatte, zu Gabrielle hoch.

»Das ist ja unmöglich«, kreischte die Kundin. »Ich kann nicht einen Tag ohne dieses Parfüm sein. Und jetzt ist es aus meinem Badezimmer verschwunden. Ich bin sicher, die Comtesse Laduree hat es genommen, als sie gestern zur blauen Stunde bei mir zu Besuch war.«

»Meinen Sie wirklich, Mademoiselle sollte versuchen, einige Flakons mehr von dem Duft zu bekommen?«, betete die Verkäuferin ihren einstudierten Text artig herunter.

»Aber natürlich! Wie gesagt, ich brauche diesen Duft unbedingt wieder.«

»Ich werde sehen, was sich machen lässt. Bitte gedulden Sie sich einen Moment, Madame. Ich bin sofort wieder zurück.«

Gabrielle hatte aufgehört zu zählen, wie oft ihre Mitarbeiterin die Treppe hinaufstieg, ihr ein zufriedenes Grinsen schenkte und auf halbem Weg, sobald sie den Blicken der Dame im Geschäft entronnen war, wieder umdrehte, um mit der angeblich frohen Botschaft zurückzugehen, ein einziges Exemplar des Parfüms dürfe sie noch verkaufen. Bis Ladenschluss war noch Zeit, und die Geschäftsführer ihrer Filialen in Deauville und Biarritz hatten bereits angerufen, um von einer erstaunlichen Nachfrage zu berichten. Dabei war an der Küste derzeit nicht einmal Saison.

Es ist ein Siegeszug, dachte Gabrielle, während sie sich die x-te Zigarette anzündete. Sie versuchte, den Rauch in kleinen Kringeln auszublasen, was ihr jedoch nicht gelang.

Sie sollte mit den Spielereien aufhören und sich an die Arbeit machen. Es war an der Zeit, Ernest Beaux ein Telegramm zu schicken. Die Herstellung musste dringend beschleunigt, die Stückzahlen mussten erhöht werden. Auch wurde es Zeit, dass sie sich mit ihrer neuen Kollektion auseinandersetzte. Ihre Modelle in slawischem Stil würden ästhetisch ganz neue Akzente setzen, auch dank Marija. Im Atelier wurde sie gewiss bereits vermisst. Wenn sie heute Abend nicht todmüde von einem anstrengenden Tag ins Bett fiel, wollte sie sich mit den Entwürfen für eine erste Auswahl von Modeschmuck befassen. Wahrscheinlich würde Jean Cocteau schrecklich ungehalten reagieren, wenn er wüsste, dass sie die Arbeit an den

Skizzen für die Kostüme zu seinem Stück auf morgen verschob. Oder auf übermorgen. Die Premiere war ja erst für die nächste Saison vorgesehen.

Trotz all der Aufgaben und Herausforderungen, die sie erwarteten, rauchte sie seelenruhig ihre Zigarette zu Ende. Sie sah zu, wie die eine Kundin glückselig mit ihrem Einkauf davonschwebte, und beobachtete eine andere, die kurz darauf mit demselben Anliegen das Geschäft betrat. Die Dame brachte einen Schwall eiskalter Luft herein, doch ihr Wunsch wärmte Gabrielles Herz. Sie drückte die Kippe in dem bereitstehenden Aschenbecher aus und richtete sich auf. Es war an der Zeit, die Produktion von *Chanel No 5* anzukurbeln.

Boy, dachte Gabrielle, wir haben es geschafft.

KAPITEL 2

Schon nach dem kurzen Weg von ihrem Taxi zu der Haustür triefen Gabrielles Schuhe vor Nässe. Der Schnee blieb als Matsch auf der Rue du Faubourg Saint-Honoré liegen und würde über Nacht vermutlich zu Eis erstarren. Es war bitterkalt, und Gabrielle hoffte, dass Joseph großzügig eingeheizt hatte, selbst in den Zimmern, die sie nicht ständig bewohnte. Eine einzige kalte Wand genügte, um sie an die Frostbeulen ihrer Jugend zu erinnern. Weder in ihrem Elternhaus noch im Kloster hatte es ausreichend Holz oder Kohle für die Öfen gegeben. Nie wieder wollte sie so frieren.

Die Wohnung erwies sich als zu groß für sie allein, aber Gabrielle hatte eine Reihe von Gästezimmern einrichten lassen. Für ihre Freunde. Im Grunde waren es die Räume, die sie für Dimitri vorgesehen hatte. Da die meisten Menschen, mit denen sie verkehrte, in Paris beheimatet waren, benutzte jedoch so gut wie niemand diese Betten. Manchmal übernachtete Paul Reverdy bei ihr, der traurige Lyriker, der sie schon so lange anhimmelte und ihr ständig seine Gedichte widmete.

Sie hatte ihn erhört, um sich über die Trennung von Dimitri hinwegzutrösten. Aber dieser Mann war ein schwacher Trost – wenn sie mit ihm schlief, blieb meist nicht mehr davon zurück als das Chaos ihrer Gefühle.

Müde schloss sie die Haustür auf. Ein Zittern lief durch ihren Körper, kroch von ihren kalten Füßen hinauf, bis es als Schauer über ihren Rücken rann. Ein heißes Bad wäre jetzt gewiss das Beste, um einer Erkältung vorzubeugen. Und danach würde sie ein leichtes Abendessen zu sich nehmen und mit einem Buch zu Bett gehen. Alle Welt sprach über die Neuerscheinung »La Garçonne« von Victor Margueritte, und sie sollte den Roman unbedingt aus ihrem Stapel ungelesener Bücher befreien. Wie sie gehört hatte, handelte die Geschichte von einer jungen Frau, die von ihrem Verlobten betrogen worden war und daraufhin ein freies, selbstbestimmtes Leben führte. Ähnlichkeiten mit realen Personen ausgeschlossen, dachte Gabrielle ironisch.

»Mademoiselle Chanel!« Die Stimme des Comte Pillet-Will unterbrach ihre Gedanken.

Er stand im Dämmerlicht des Hausflurs am Fuße der Treppe, die in die obere Etagen führte, als habe er auf sie gewartet. Seine Haltung entsprach der eines Hausherrn, der Gäste empfing. Ihm wohnte nicht die Attitüde eines Mannes inne, der sich in die erste Etage seines Palais zurückgezogen hatte, um die anderen Wohnungen zu vermieten. Offenbar betrachtete er es als große Geste seinerseits, dass er einer Fremden erlaubte, in seinen Räumlichkeiten zu leben. Dass sie ihm dafür jeden Monat einen Scheck ausstellte, schien er ebenso regelmäßig zu vergessen.

Sie strahlte ihn an. »Ja, bitte?«

»Ich kann diese dauernden Störungen nicht dulden. Gestern wurde bei Ihnen bis in die Nacht hinein Klavier gespielt, und ich muss Ihnen sagen, dass es sich dabei um ganz schreckliche Musik handelte …«

»Der Pianist war Igor Strawinsky«, unterbrach sie ihn. Ihr Verhältnis hatte sich normalisiert, und sie gingen inzwischen respektvoll miteinander um, woran Djagilews Überzeugungskraft, das musste sie zugeben, einen großen Anteil besaß. Strawinsky hatte sie besucht, um ihr ein Geschenk zu bringen: eine Ikone, die sie, wie er sagte, für immer beschützen sollte.

Doch der Name des berühmten Komponisten beeindruckte den Comte Pillet-Will nicht. Ungeachtet ihres Einwurfs fuhr er fort: »Heute ersuchte ein Mann lautstark um Zutritt in die Wohnung. Ich weiß nicht, warum Ihr Diener ihm nicht öffnete. Er wird seine Gründe haben. Aber ich muss Ihnen sagen, Mademoiselle Chanel, dass ich weder Lärm wie gestern noch derartiges Benehmen dulde.«

»Wahrscheinlich war Joseph mit den Hunden unterwegs«, erwog sie. »Ich erwarte keinen Besuch, dessen können Sie versichert sein. Gute Nacht, Comte.« Sie wandte sich rasch ab, um ihrem Vermieter keine Gelegenheit zu geben, weitere Versäumnisse oder Störungen ihrerseits aufzuzählen.

In Gedanken ging sie ihre Freunde durch. Wer mochte vor ihrer Tür randaliert haben? Sie konnte sich niemanden vorstellen, auf den die vage Beschreibung passte. Leider passte es vor allem nicht zu Dimitri, der vielleicht früher von einer Reise zurückgekommen war und sie wiedersehen wollte.

Joseph hatte anscheinend ihre Stimme gehört. Er öffnete ihr, bevor sie die Hand zur Klingel erhoben hatte. Die Wärme der gutgeheizten Wohnung und das warme Licht der Dielenbeleuchtung wirkten wie ein Willkommensgruß.

»Guten Abend, Mademoiselle«, sagte Joseph und beeilte sich, ihr den Mantel abzunehmen, auf dem Schneeflocken wie Tautropfen hingen.

»Haben wir einen Gast, Joseph?«, fragte sie, während sie noch im Stehen die Schuhe abstreifte.

Ihr Diener sah sie erstaunt an. »Nein, Mademoiselle, nicht, dass ich wüsste.«

In diesem Moment klingelte es Sturm. Jemand musste seine Hand auf die Türglocke gelegt haben, denn es hörte nicht auf zu läuten. Der Ton war so durchdringend, dass Gabrielle befürchtete, ihr Vermieter würde ihn in seiner Wohnung im ersten Stock hören. Die Hunde, die sich anscheinend im Küchentrakt aufhielten, schlugen an. Der Lärm war ohrenbetäubend.

Mit einer Geste hinderte sie Joseph daran nachzusehen, wer so dringend Einlass begehrte. »Lassen Sie nur«, fügte sie hinzu und zog die Tür auf.

Die Klingel verstummte.

»Guten Abend, Coco. Ich war schon einmal hier, aber es war niemand da.«

Gabrielle starrte den Mann an, der vor ihr stand.

Er war gut, aber nachlässig gekleidet, eine von der Witterung feuchte Strähne seines dunklen Haares fiel ihm in das Gesicht mit der breiten Nase, seine schwarzen Augen blickten sie trotz der Klage in seinen Worten selbstbewusst und durchdringend an.

Sie war so verblüfft, dass ihr nichts anderes einfiel, als seinen Namen zu sagen:

»Picasso!«

»Sie sind meine Rettung, Coco. Ich verliere den Verstand, bei Olga bekomme ich Platzangst. Darf ich bei Ihnen bleiben?«

Es klang nicht wie eine Frage, eher wie eine Feststellung.

Picassos Blick war hypnotisch, seine Anziehungskraft so stark, dass sie von neuem zu zittern begann. Diesmal vor Hitze und nicht vor Kälte. Sie wusste nicht, ob sie noch ein Genie in ihrem Leben ertrug, wollte eigentlich nicht noch einmal in den Strudel einer Ehekrise hineingezogen werden.

Schick ihn fort, riet ihr eine innere Stimme. Schließ sofort die Tür!

Gabrielle trat zur Seite. »Komm herein.«

Nachwort der Autorin

So ging es mit den handelnden Personen weiter:

Gabrielle Coco Chanel (1883–1971) blieb ihr Leben lang unverheiratet, hatte aber immer wieder Affären mit bedeutenden Männern. Sie entwarf 1926 das *Kleine Schwarze*, mit dem sie anfangs nicht nur Lob erntete, sondern auch Kritik: »Jetzt will Mademoiselle Chanel, dass die ganze Welt mit ihr um Boy Capel trauert« stand in einer Zeitung. Doch der Siegeszug dieses Kleides war nicht aufzuhalten, 1954 folgte das Kostüm aus Bouclé, das als *Chanel-Kostüm* ebenfalls unsterblich geworden ist. Die Romanow-Perlen ließ sie tatsächlich kopieren, und noch heute verbindet man Chanel-Kleider und -Kostüme mit Perlen. 1934 zog sie aus der Wohnung in der Rue du Faubourg Saint-Honoré 29 aus, dort befindet sich inzwischen eine Chanel-Boutique. Gabrielle richtete ihr Schlafzimmer für den Rest ihres Lebens wieder in einer Suite im Hôtel Ritz ein, wo sie als Multimillionärin starb. Bis zu ihrem Tod legte sie größten Wert darauf, »Mademoiselle« genannt zu werden.

Misia Sert (1872–1950) ließ sich 1927 von José Sert (1876–1945) scheiden, um der großen Liebe ihres Lebens die Möglichkeit zu geben, seine georgische Schülerin und Geliebte Roussadana Mdiwani (1906–1938) zu heiraten (diese legte sich erst nach der Flucht aus der Sowjetunion das Adelsprädikat *Prinzessin* zu). Manche Quellen behaupten, die junge Frau habe sich bewusst zwischen Misia und ihren Mann gedrängt. Das Paar hielt Kontakt, kam aber nach Roussadanas frühem Tod nicht mehr zusammen. Misia blieb bis an ihr Lebensende die beste Freundin Coco Chanels. Der Kunstwelt ist sie als Muse der Belle Époque im Gedächtnis geblieben.

Sergej Djagilew (1872–1929) arbeitete bis zu seinem Tod als Impresario der *Ballets Russes*, lebte jedoch trotz großer internationaler Erfolge ständig in Geldnot und blieb abhängig von der Unterstützung seiner Freunde und Förderer. Seine letzten Lebensjahre verbrachte er in Venedig. Er starb verarmt in den Armen von Misia Sert. Seine Beerdigung und sein Grab im orthodoxen Teil des Friedhofs San Michele bezahlte Coco Chanel. Nach seinem Tod löste sich die Balletttruppe weitgehend auf; zwei Jahre später wurden die *Ballets Russes de Monte Carlo* gegründet, die später im *New York City Ballet* aufgingen.

Igor Strawinsky (1882–1971) war noch viele Jahre auf die monatlichen Zuwendungen von Coco Chanel angewiesen. Er blieb bis zum Jahre 1939 und dem Tod seiner Frau Jekaterina in Frankreich, heiratete dann seine Lebensgefährtin Vera Sudeikina (1888–1982) und emigrierte mit ihr in die USA, wo er allerdings nie wirklich heimisch wurde. Er gilt heute als einer der bedeutendsten Vertreter der Neuen Musik. Auf eigenen Wunsch wurde er (und später auch seine Witwe) an der Seite von Sergej Djagilew in Venedig begraben.

Dimitri Pawlowitsch Romanow (1891–1942) heiratete 1926 die Dollar-Prinzessin Audrey Emery (1904–1971). Zu diesem Zeitpunkt war sein Verzicht auf den Thron bereits beschlossene Sache: Sein Cousin Kyrill Wladimirowitsch (1876–1938) nannte sich ab 1924 »Kaiser im Exil«. Da die bürgerliche Audrey nicht den Hausgesetzen der Romanows entsprach, wurde ihr ein fürstlicher Titel verliehen. Ihr Sohn Paul Iljinski (1928–2004) war später langjähriger Bürgermeister von Palm Beach in Florida und Oberhaupt des Hauses Holstein-Gottorp (seit 1762 die Dynastie der Zaren). Dimitri ließ sich 1937 von Audrey scheiden. Die noch verbleibenden Jahre verbrachte er wegen einer ausbrechenden Tuberkulose überwiegend in einem Sanatorium in Davos, wo er auch starb. Sein Grab befindet sich in der Schlosskapelle auf der Insel Mainau im Bodensee.

Marija Pawlowna Romanowa (1890–1958) konnte durch die Unterstützung von Coco Chanel in der Modebranche Fuß fassen. Sie gründete in Paris das Modeatelier *Kitmir*, das sich auf Stickereien spezialisierte, und war damit sehr erfolgreich. 1923 wurde auch ihre zweite Ehe geschieden. 1930 ging sie in die USA, später nach Argentinien. Erst nach dem Zweiten Weltkrieg näherte sie sich wieder ihrem Sohn Lennart Bernadotte (1909–2004) an, bei dem sie bis zu ihrem Tod auf der Insel Mainau lebte.

François Coty (1874–1934) ließ sich 1929 von seiner Frau Yvonne scheiden. Zu diesem Zeitpunkt war er bereits politisch aktiv und ein glühender Anhänger der Faschisten. Durch den Erwerb der Tageszeitung *Le Figaro* und die Gründung anderer Nachrichtenorgane unterstützte er die rechtsgerichteten Parteien und Bewegungen in Frankreich. Die von ihm 1913 in den USA lancierte Aktiengesellschaft Coty Inc. besteht nach wie vor. Das Unternehmen stellt bis heute berühmte Düfte her, unter anderem von Calvin Klein oder Chloé.

Ernest Beaux (1881–1961) wurde 1924 Chefparfümeur des von Pierre Wertheimer gegründeten Unternehmens Parfums Chanel. Er kreierte noch einige Düfte für Coco Chanel, erlangte jedoch mit keinem so große Berühmtheit wie mit *Chanel No 5*. Dass es sich dabei um eine Neuschöpfung oder Verfeinerung von *Bouquet de Catherine* oder *Rallet No 1* handelt, ist keine Legende. Warum in der Komposition so viele künstliche Aldehyde eine Rolle spielen, wurde nie abschließend geklärt.

Die Affäre von **Pablo Picasso** (1881–1973) und Coco Chanel ist seltsamerweise relativ unbekannt. Wenn man aber Gabrielles Lebenserinnerungen genau liest, ergeben sich Anhalts-punkte. Tatsache ist, dass sie das hellste Zimmer in ihrer Woh-nung in der Rue Faubourg Saint-Honoré für ihren Maler-Freund einrichtete, und dies war sicher nicht nur der gemeinsamen Arbeit an dem Theaterstück *Antigone* von Jean Cocteau ge-schuldet, das im Dezember 1922 Premiere feierte. Fakt ist auch, dass sich seine Ehe mit Olga (1891–1955) zu dieser Zeit be-reits in einer schweren Krise befand. Nach neueren kunsthis-torischen Forschungsergebnissen begegnete er jedoch erst 1925 Marie-Thérèse Walter (1909–1977), die als offizieller Trennungsgrund von Olga genannt wird, davor werden ihm lediglich kurze Affären zugeschrieben.

Jean Cocteau (1889–1963) war einer der engsten Freunde Coco Chanels, er lebte sogar in späteren Jahren Tür an Tür mit ihr im Hôtel Ritz. Als Ausnahmekünstler wurde er einer der berühmtesten Dichter französischer Sprache, aber auch ein bedeutender Regisseur und Maler. Seine bisexuellen Neigun-gen kostete er voll aus: Am bekanntesten ist wohl noch heute seine Partnerschaft mit dem Schauspieler Jean Marais, we-niger bekannt dagegen seine Affäre mit Natalja Pawlowna Paley, der Halbschwester von Dimitri Pawlowitsch Romanow (aus der zweiten Ehe seines Vaters).

* * *

Das Leben von Coco Chanel ist umwoben von Legenden – ge-schickt konstruierten, hübschen bürgerlichen Details aus ihrer Kindheit und Jugend, für die sie hauptsächlich selbst sorgte und deren Wahrheitsgehalt sich bei näherer Betrachtung als äußerst fragiles Kunstwerk herausstellt. Ähnlich verhält es sich mit der Geschichte um die Einführung von *Chanel No 5*. Mademoiselle Chanel sorgte dafür, dass viele Tatsachen unter einem Mantel des Mysteriums verborgen bleiben. Ihrer Ansicht nach erhöhe dies das Interesse an dem Duft – und natürlich an ihrer Person. Außerdem sollten die vielen Ammenmärchen ihre Herkunft aufwerten. Deshalb kursieren die unterschiedlichsten Geschichten über Gabrielle Chanel und die Entstehung des berühmtesten Parfüms der Welt.

Als ich den Auftrag erhielt, einen Roman über »Mademoiselle Coco und den Duft der Liebe« zu schreiben, war ich nicht nur wegen des Themas ausgesprochen euphorisch. Anfangs dachte ich, das wäre eine leichte Aufgabe, da ihre Vita umfangreich dokumentiert ist. Falsch gedacht! Nach der Lektüre der neunten Biographie über Coco Chanel begriff ich, dass es anscheinend nur wenige Informationen gibt, auf die ich mich blind verlassen konnte.

Nur zwei Beispiele von vielen, die beschreiben, wie problematisch meine Recherche zuweilen war: In einer Biographie las ich, dass Gabrielle durch die Begegnung mit der Großfürstin Maria Pawlowna, geborene Prinzessin Marie zu Mecklenburg, das Parfüm *Bouquet de Catherine* kennenlernte und dass Gabrielle ihr während des beschriebenen Venedig-Aufenthalts begegnete. Das ist jedoch nicht möglich, da die Großfürstin zur selben Zeit im Exil in Frankreich verstarb. Oder:

In einem Sachbuch fand ich das – oft dokumentierte – Guerilla-Marketing von Gabrielle im Restaurant des Hotel Carlton in Cannes beschrieben. Alle Quellen sind sich einig, dass dies in den Weihnachtsferien geschah. Zwei Absätze später vermerkt die Autorin, eine Kulturhistorikerin, dass sich Gabrielle aufgrund dieses Erfolgs doch noch entschloss, einige Flakons als Weihnachtsgeschenke an ihre besten Kundinnen zu geben. Ein Weihnachtsgeschenk nach den Weihnachtsferien? Nicht besonders glaubhaft.

Ich ging die Geschichte von einer anderen Seite an und wühlte mich durch Bücher über die Personen an ihrer Seite: Misia Sert, Igor Strawinsky, Pablo Picasso und dessen Frauen, François Coty, Marija Pawlowna Romanowa und andere. Langsam begann sich daraus ein Bild zu entwickeln, das, verbunden mit den halbwegs gesicherten Tatsachen aus Gabrielles Leben, nun die Basis meiner Handlung darstellt. Darüber hinaus orientierte ich mich an historischen Fakten und – wie geschildert – an den unverrückbaren Daten.

Doch auch hier möchte ich zwei wichtige Beispiele nennen, die nicht mehr abschließend geklärt werden können: Es ist nicht gesichert, wann Gabrielle Dimitri Pawlowitsch Romanow näher kennenlernte – ob dies bei einem Abendessen in Paris, in Biarritz oder in Venedig geschah. Ich habe mich daher an die Möglichkeit gehalten, die mir logisch erscheint. Sicher ist durch die Ausführungen in Dimitris Tagebuch allerdings, dass die beiden im Februar 1921 endgültig ein Liebespaar wurden und zu einer Reise an die Riviera aufbrachen.

Auch wird immer wieder betont, dass die Beziehung zwischen Gabrielle und Dimitri keine große Liebe war, aber von tiefem gegenseitigem Verständnis und einer innigen Freundschaft geprägt war. Tatsache ist aber, dass sie mit keinem anderen Menschen so viel Zeit in Zweisamkeit verbrachte wie mit Dimitri, mit dem sie immer wieder in die Ferien fuhr, und dass sie nicht einmal Arthur Capel die Orte ihrer Vergangenheit zeigte. Waren die angeblich nicht so großen Gefühle daher nicht vielleicht doch eher Rücksicht auf seine gesellschaftliche und politische Stellung, möglicherweise auch aus der Schuld geboren, einen anderen Mann als Boy zu lieben? Wir werden es nie erfahren, können nur unsere Schlussfolgerungen ziehen.

Ob Gabrielle 1921 oder gar schon 1920 zu Ernest Beaux nach Cannes La Bocca fuhr, ist nicht belegt. Die historischen Daten sprechen für 1921, das Haus Chanel nennt heute ebenfalls dieses Jahr als das Geburtsjahr von *Chanel No 5*. Ernest Beaux selbst kann sich in seinen Erinnerungen nicht entscheiden und spricht an einigen Stellen sogar von 1922, was allerdings ziemlich unwahrscheinlich sein dürfte. Jedenfalls konnte er Gabrielle nicht schon 1920 kennenlernen, weil sie zu diesem Zeitpunkt noch nicht mit Dimitri an der Côte d'Azur weilte. Und es scheint gesichert, dass der Großfürst seine Geliebte mit dem Parfümeur bekannt machte.

Mein Roman erhebt zwar nicht den Anspruch, die alleinige Wahrheit gefunden zu haben, die Geschichte liegt aber hoffentlich so nah an der Wahrheit wie möglich. Dennoch sah ich mich gezwungen, bestimmte Ereignisse in dem Handlungsrahmen verkürzt oder vom Ablauf her ein wenig verschoben darzustellen, das ist der Dramaturgie geschuldet. Denn meine Geschichte ist und bleibt ein Roman. Es ist kein Sachbuch und soll es auch nicht sein. Deshalb sehen Sie es mir bitte nach, liebe Leserinnen und liebe Leser, wenn Sie an der einen oder anderen Stelle vielleicht doch einen Fehler finden sollten.

Und wie ging es 1922 mit dem Siegeszug des Dufts weiter? Die Nachfrage nach *Chanel No 5* erwies sich schon bald als so groß, dass die kleine Fabrik von Chiris mit der Produktion nicht nachkam. Außerdem wollte Gabrielle ihr Parfüm nicht nur in ihren Boutique, sondern unbedingt in die *Grands Magazins*, die großen Kaufhäuser, bringen. Für dieses Geschäft brauchte sie Partner. Durch Théophile Bader lernte sie die Gebrüder Wertheimer kennen, die bis dato Drogeriewaren herstellten und vertrieben. Deren Firma Bourjois war Anfang der 1920er Jahre das größte Unternehmen seiner Art in Frankreich. Sehr zum Verdruss von François Coty verkaufte sie Pierre Wertheimer die Mehrheit an ihrer Produktlinie, später die gesamte Kosmetiksparte und nach dem Zweiten Weltkrieg auch den Modekonzern. Bis heute befindet sich das Haus Chanel im Privatbesitz der Familie Wertheimer.

Es versteht sich von selbst, dass ich persönlich ein großer Fan von *Chanel No 5* bin. Auch bin ich eine glühende Verehrerin Gabrielles und ihrer Mode. Leider entspreche ich optisch nicht dem Prototyp ihrer Kollektionen – und könnte mir diese auch gar nicht leisten. Dennoch verbindet mich ein wenig mehr mit der Haute Couture als bloße Schwärmerei.

Meine Mutter arbeitete als junge Frau in den 1950ern als Mannequin und besaß einen guten Instinkt für schöne Kleider. Später wurde sie Kundin des Modeschöpfers Claus Leddin in Hamburg. Wenn ich zurückdenke, kommt es mir so vor, dass ich mehr Zeit in seinem Atelier bei Anproben verbrachte als in meinem Kinderzimmer. Ich war fasziniert von der Welt der Haute Couture, obgleich ich diese immer nur als Zuschauerin erlebte. Ich wollte niemals selbst ein Kleid entwerfen und nähen, dafür fehlen mir Geduld und Geschick. Claus Leddin – der Modeschöpfer meiner Kindheit und Jugend, der ein erstes Abendkleid für mich entwarf, als ich sechs Jahre alt war – begann in den 1970er Jahren Stoffe zu entwerfen, unter anderem für das Modehaus Chanel. Doch das ist nicht die einzige indirekte Verbindung: Einer meiner engsten väterlichen Freunde war der inzwischen verstorbene Journalist Rudolf Kinzel, der zeit seines Lebens engen Kontakt zur Modeszene pflegte: Er war einst in Paris jugendlicher Freund von Christian Dior, später ein etwas älterer Freund von Karl Lagerfeld. Seine sehr farbig geschilderten Erlebnisse begleiteten mich fast ein Leben lang – und als junge Reporterin zu einem wundervollen Interview mit Karl Lagerfeld.

Natürlich habe ich mir vor und während meiner Arbeit an diesem Roman die Filme und Dokumentationen angesehen, die das Leben von Coco Chanel zum Inhalt haben. Erst während ich schrieb, fiel mir auf, dass meine Geschichte praktisch genau in dem Moment ihres Lebens beginnt, in dem der Film *Coco avant Chanel* mit der bezaubernden Audrey Tautou endet. Das ist purer Zufall – oder mein Unterbewusstsein hat mir einen Streich gespielt. Aber tatsächlich begann die Geschichte des Parfüms *Chanel No 5* mit dem Ende einer großen Liebe, die nie vergehen sollte.

Dank

Abschließend möchte ich mich bei meiner wundervollen Agentin bedanken. Mein großer Dank gilt vor allem aber auch Stefanie Werk vom Aufbau Verlag, mit der ich während der Zusammenarbeit manchmal durch ziemliche Untiefen stolpern musste. Ich danke meiner Familie für die Unterstützung und Liebe, ohne die ich einen Roman wie diesen niemals schreiben könnte. Ganz besonders danke ich aber meinem Mann für den Flakon mit dem Duft von *Chanel No 5*.

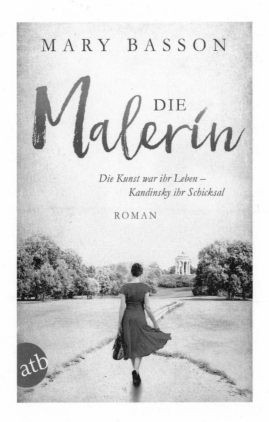

1

Die Farben der Berge

Das Licht der Morgensonne breitete sich rosig über die Berghänge aus. Ella blieb stehen und lauschte. Hatte sie sich den Pfiff seiner Trillerpfeife nur eingebildet? Sie lehnte ihr Fahrrad an einen Baum und wartete. Ihr Blick fiel auf den Phlox zu ihren Füßen, den der Wind zerzauste. Im frühen Licht des Tages waren die Blüten zartlila, gegen Mittag leuchteten sie blau, und wenn es dämmerte, färbten sie sich dunkelviolett. Aber niemand trillerte, es waren auch keine Schritte zu hören. Er musste hinter ihr sein, sich leise lachend verbergen. Ella fuhr herum, dachte, sie würde noch einen Zipfel von ihm erhaschen. Doch da waren nur die leere Wegbiegung, Lavendelbüsche auf dem sonnenglänzenden Hang, moosbewachsene Felsen. Nun gut, der Tag hatte mehr als einen Pfiff zu bieten. Sie stellte ihre Staffelei zwischen kleinen Büscheln Edelweiß auf. Die Sonne stieg höher und tauchte die Landschaft in pfirsichfarbenes Licht. Schon wenig später nahmen die Schattierungen des Sommermorgens Ellas Aufmerksamkeit so gefangen, dass kein Raum blieb, um nach Pfiffen zu lauschen. Sie begann mit der Arbeit.

Unten, jenseits der Felsen, glänzte der Kochelsee silbrig, als hätte die Sonne ihn poliert. Eine leichte Bö löste sich, fuhr durch die Heliotrope am Ufer und weiter den Hang hinauf unter Ellas Hut. Sie verknotete das Band unter ihrem Kinn und befestigte ihr Zeichenpapier mit einer Klammer an der Staffelei. Sie wollte die Formen der Wolken zwischen zwei Bergen wiedergeben. Dunkelgrün erhoben die Berge sich über dem hellen See, doch auf diesem Bild würden sie nur in groben Zügen mit kräftigen Schrägstrichen skizziert werden. Ella ging es vor allem um die Wolken. Sie sollten zu etwas Leichtem, Vergänglichem werden. Deshalb durften sie auch keine festen Formen haben, sondern mussten Luftgebilden gleichen, so schwerelos, dass man sie wegpusten konnte. Wolkenblasen. Nein, das auch nicht. Noch formloser. Vielleicht lag es an ihren Augen, aber die Wolken wollten ihr einfach nicht gelingen. Sie stiegen kaum merklich höher, verdichteten sich, wurden wieder lichter, zerfaserten. Und noch immer hatte sie keinen Pfiff vernommen. Sie richtete ihr Gehör mal auf den Hang, mal in den Wald hinein. Der Pfiff der Trillerpfeife blieb aus.

Als das Licht des Tages allmählich verblasste und die späte Nachmittagssonne sämtliche Wolken vertrieben hatte, rollte Ella das Zeichenpapier zusammen, legte die Zeichenkohle in das Blechkästchen und wischte ihre geschwärzten Finger am Gras sauber. Sie streifte ihren Kittel ab, drehte ihn von innen nach außen und faltete den Stoff ordentlich zusammen. Dann schob sie die Staffelei zusammen, vorsichtig, um die zerbrechlichen Giraffenbeine nicht zu beschädigen, und packte alles in ihren Rucksack. Mit ihm auf dem Rücken radelte sie zum Gasthof zurück.

Gepfiffen hatte niemand.

Als Ella im Gasthof ankam, war der Speiseraum mit den dunklen hölzernen Deckenstreben leer. Doch kaum saß sie an ihrem gewohnten Platz, da stürmten die anderen Schüler herein. Laut klappernd hantierten sie mit Gläsern, Wasserkaraffen und Besteck.

»Gabriele«, sagte einer der jungen Männer. »Wir haben Sie heute gar nicht gesehen.«

»Dieses Fräulein Münter«, schaltete sich ein anderer ein und lächelte anzüglich. »Nie weiß man, wo sie steckt.«

»Ich war an einem Hang über dem See.« Sie wandte sich zu ihrem Tischnachbarn um und achtete darauf, nicht zu interessiert zu klingen. »War Professor K bei Ihnen?«

»Nein, er ist zum Bahnhof gefahren, um seine Frau Gemahlin abzuholen. Wussten Sie das nicht? Im Moment ist sie dabei, oben in ihrem Zimmer den Koffer auszupacken.«

In Ella verkrampfte sich etwas. *Nein*, wollte sie sagen. *Bitte nicht*. Ihr Tischnachbar musste etwas missverstanden haben. Oder sie hatte sich verhört.

»Seine Frau Gemahlin?« Sie umklammerte ihre Serviette.

»Ja, sie bleibt den ganzen Sommer bei uns.« Doncker, der ihr gegenübersaß, grinste.

»Eine gutaussehende Frau.« Palme zwinkerte ihr zu.

»War auch nicht anders zu erwarten.« Mühlenkamp schlug einen kleinen Trommelwirbel auf den Tisch.

Ella drückte die Serviette auf ihren Mund und entschuldigte sich. Sie stolperte die Treppe hinauf und über den engen Flur, eine Hand auf dem Mund, mit der anderen stützte sie sich an der holzgetäfelten Wand ab. Dann war sie in ihrem Zimmer und musste sich beherrschen, um nicht laut aufzuschluchzen. Sie kroch in ihr Bett, zog sich die kalte weiße Steppdecke über den Kopf und ließ ihren Tränen freien Lauf. Ein einziges Wort hatte es vermocht, sie in jemand anderen zu verwandeln.

Gemahlin. Er war verheiratet, und sie, Ella, war nicht die, für die sie sich noch vor wenigen Minuten gehalten hatte. Vor wenigen Minuten war sie eine junge Frau gewesen, die auf den trillernden Pfiff ihres Verehrers gewartet hatte, die von einem berühmten Mann erwählt worden war – eine junge Frau, die dieser Mann vielleicht heiraten würde. Mit einem Mal war sie eine Närrin. In den vergangenen Wochen – nein, vorher schon – hatte sie einen Mann geküsst, von dem es nun hieß, dass er eine Gemahlin habe. Und nicht nur geküsst hatte sie ihn. Sie war bereit gewesen, sich ihm ganz und gar hinzugeben. Um ein Haar wäre es auch dazu gekommen. Sie hatte es sich sogar gewünscht.

Aber war es denn ein Wunder, dass sie sich in einem

Mann getäuscht hatte? Mit Menschen hatte sie sich noch nie ausgekannt. Sie verstand nicht, was sie sagten, hatte nicht gelernt, wie man ihre Worte zu interpretieren hatte. Wie viele Dummheiten hatte sie in ihrem kurzen Leben schon begangen, wie oft sich geirrt, und wie viele Fauxpas waren ihr unterlaufen! Nie wusste sie, wie sie sich ausdrücken sollte. Schon als kleines Schulmädchen hatte sie gespürt, wie unbeholfen sie war. Die Bestätigung erhielt sie eines verregneten Nachmittags, als sie zu Hause an der angelehnten Tür des Salons horchte.

»Meinst du, mit Ella stimmt etwas nicht?« Das war Emmy. »Ich weiß, dass sie sprechen kann. Aber sie ist immer so verschlossen. Das ist doch nicht normal. – Bitte, reich mir das blaue Garn.«

»Das würde ich so nicht sagen«, antwortete ihre Mutter. »Papa hat gedacht, das gibt sich, sobald sie in die Schule geht. Aber ich werde unseren Arzt konsultieren, obwohl Papa der Ansicht ist, dass …« Der Rest war zu leise, Ella verstand nichts mehr. »Ella«, rief ihre Mutter. »Bist du das da draußen? Komm, setz dich doch zu deiner Schwester und mir.«

Sie hatte nie jemandem erzählt, was sie an jenem Tag aufgeschnappt hatte, und konnte sich auch an keinen einschlägigen Arztbesuch erinnern, doch die Worte *Mit Ella stimmt etwas nicht* klangen ihr ein Leben lang in den Ohren. Sie selbst hatte erkannt – schon im Alter von acht oder neun Jahren –, dass sie weder wusste, wie man lachte, noch wie man spielte. Auf dem Heimweg nach der Schule trödelte sie nicht mit den anderen Mädchen und nahm auch nicht an ihren Streichen teil. Sie hatte keine Ahnung, wie man kicherte, andere neckte oder jemandem etwas ins Ohr flüsterte. Sie wusste nicht, dass sie einsam war.

An ihrem neunten Geburtstag schenkte ihr Vater ihr ein Kästchen Zeichenkohle und einen dicken Block Zeichenpapier. Ella wunderte sich darüber. Das neue Kleid von ihrer Mutter und die Bücher von Emmy und Carl hatte sie erwartet, doch was sie mit der Zeichenkohle und dem Block anfangen sollte, war ihr schleierhaft. »Das sind Zauberstifte«, sagte ihr Vater. »Wenn du sie anweist, werden sie sprechen.« Er hob Ella auf seinen breiten Schoß. »Schau dir den Baum am Tor an oder den Weg zu unserem Haus. Ist der Baum tapfer? Lächelt der Weg dich an? Ist unser Haus starrköpfig? Die Stifte sollen uns zeigen, was du siehst.«

Anfangs wusste Ella nicht, was sie sah und was die Stifte zeigten. Doch die Kohle fühlte sich gut an, als wäre der schwarze Stift noch ein Finger, der sich zu den anderen gesellt hatte und in der Lage war, mit dem Daumen, dem Zeigefinger und dem Mittelfinger zu kooperieren. Sie erkannte, dass sie mit dem Kohlestift in der Hand angefangen hatte, sich auszudrücken.

Eine Zeitlang war das Malen für sie, als hätte sie endlich Freunde. Wenn sie an einem Bild arbeitete, war sie ganz und gar konzentriert. Sie tauchte ein in das Bild, als hätte sie die Tür zu einem Zimmer geöffnet, in dem sie sich zwischen

Formen und Figuren bewegte, eine Choreographin unter Tänzern. Stell dich so, konnte sie einem Strich sagen, dem sie den Arm um die Schultern gelegt hatte. Jetzt beugen, konnte sie einem anderen befehlen. Nur dass sie nie Wörter verwandte. Solange sie arbeitete, war sie unerreichbar, sogar für ihr Bewusstsein. Bis sie Professor K begegnete – und den Fehler machte, zugänglich zu werden.

Wütend trat sich Ella die Stiefel von den Beinen und schlug die Steppdecke zur Seite. *Dummkopf.* Er war elf Jahre älter als sie, ein anerkannter Künstler, maßlos attraktiv, großartig. Natürlich war so jemand verheiratet. Und war es nicht bekannt, dass Männer von Frauen nur das Eine wollten? Professor K war gewiss nicht der erste verheiratete Mann, der versucht hatte, eine alberne junge Frau zu verführen. Es war ihre Schuld. Er hatte ihr Beachtung geschenkt, und sie hatte nicht gewusst, wie man darauf reagierte. Aber welche Eitelkeit hatte sie denn glauben lassen, dass sie sein Interesse verdient hatte? Ausgerechnet sie. Wieder stiegen ihr Tränen auf. Sie kniff die Augen zusammen. Sie hatte tatsächlich gedacht, wenn sie sich von ihm küssen ließe, würde er sie heiraten.

Und wie viele Küsse es gewesen waren! Allein in München hatte sie drei gezählt, obwohl jene Abende so oft vor ihrem inneren Auge abgelaufen waren, dass sie nicht mehr ganz sicher war. Doch es war einer gewesen, als sie auf dem Weg zur Trambahn vom Regen überrascht worden waren, und zwei am Abend darauf. Und was war mit dem ersten

Tag des Sommerkurses hier am Berg, als sie vom Fahrrad gefallen war – das zählte doch auch. Eigentlich war sie nicht richtig gefallen, sondern beim Fahren mit dem Fuß an einen Felsvorsprung geraten, und das Rad hatte sich zur Seite geneigt. Sie war ungeschickt abgesprungen und auf einen Grasfleck geplumpst. Professor K legte sein Fahrrad ab und trat zu ihr. Sein warmer Mund berührte ihren aufgeschürften Knöchel. An jenem Abend platzierte er seine Küsse äußerst wirkungsvoll. Sie erinnerte sich an sieben, obwohl sie nicht hätte sagen können, wo der eine aufgehört und der andere begonnen hatte. Doch ihre Hände wussten noch, wie sich sein Rücken unter dem Hemd anfühlte.

Am nächsten Nachmittag fuhren sie an den See, um nach der Natur zu malen. An einer Stelle, wo sie vor den Augen der anderen Schüler geschützt waren, hatten sie sich wieder geküsst. Doch mit einem Mal sprang er auf und radelte wie ein Wilder zurück zu den anderen, und sie sorgte sich, dass ihm ihre Küsse nicht gefallen hatten und er sie als Frau für zu unbedarft hielt. Am vergangenen Abend hatte sie zugelassen, dass er sie aus dem Gasthof führte – jetzt erst begriff sie, wie töricht sie gewesen war. Die anderen hatten gesungen, während sie bis zu den Buchen hinaufgestiegen waren. Dort nahm er sie in die Arme und küsste sie – wie oft? – elf Mal. Oder war es zwölf Mal gewesen? Sie spürte seinen festen Körper, den Unterleib, der sich an sie presste. Als sie merkte, wie sich ihr Körper erhitzte und nachgiebig wurde, musste sie sich an einen Baum lehnen. Sie gestattete ihm, durch den Stoff ihrer Bluse ihre Brüste zu streicheln, und staunte sowohl über das Vergnügen, das seine Hand ihr bereitete, als auch ihre Kühnheit. Danach folgte sie ihm die dunkle Treppe hinauf zu seinem Zimmer, wollte ihn in sich aufnehmen und nie mehr loslassen. Doch als er den Riegel hob und die Tür aufging, zögerte er, und sie machte einen Rückzieher. Sich einem Mann auf diese Weise hinzugeben, das durfte nicht unbedacht geschehen. Er war immerhin ihr Lehrer. Und sie kannte ihn kaum, wusste nur, was er über Kunst zu sagen hatte. Wenn ihre Mutter noch lebte, wäre sie entsetzt gewesen. Sogar Emmy würde es missbilligen. Aber sie hatte ihn begehrt.

Mit einem Stück Laken wischte sie ihre Augen. »Dumme Gans«, sagte sie.

Alles in allem waren es fünfundzwanzig Küsse gewesen. Einen Kuss für jedes Jahr ihres Lebens. Sie hatte sich in einen verheirateten Mann verliebt, einen treulosen Mann. Warum war sie nur so vertrauensselig gewesen?